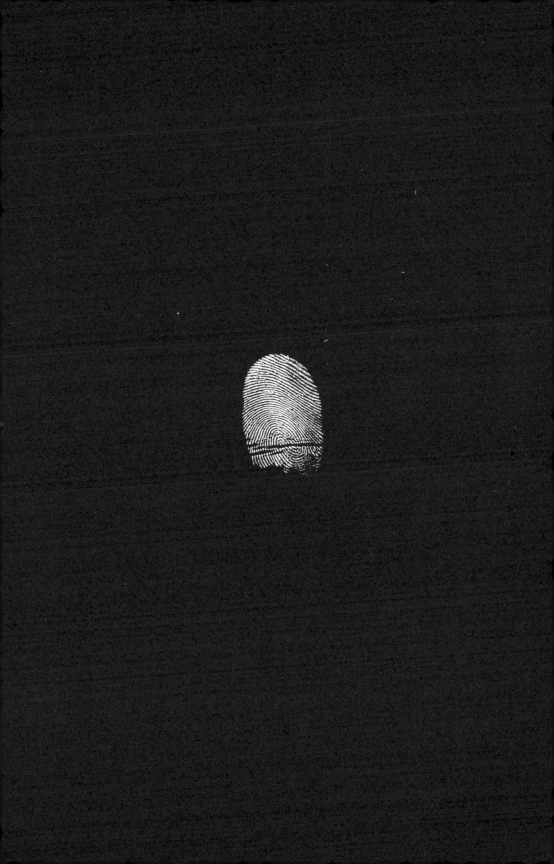

The Wic

BTK res after 2

Letter from serial kill

Bill Thomas Killman
1684 S. Oldmanor

ita Eagle

urfaces
years
ties him to '86 death

BY HURST LAVIANA
The Wichita Eagle

serial killer who terror-

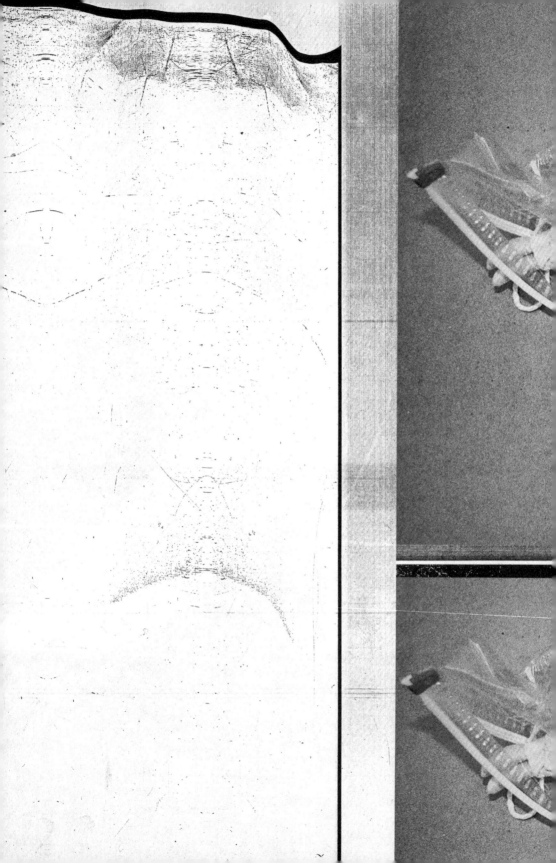

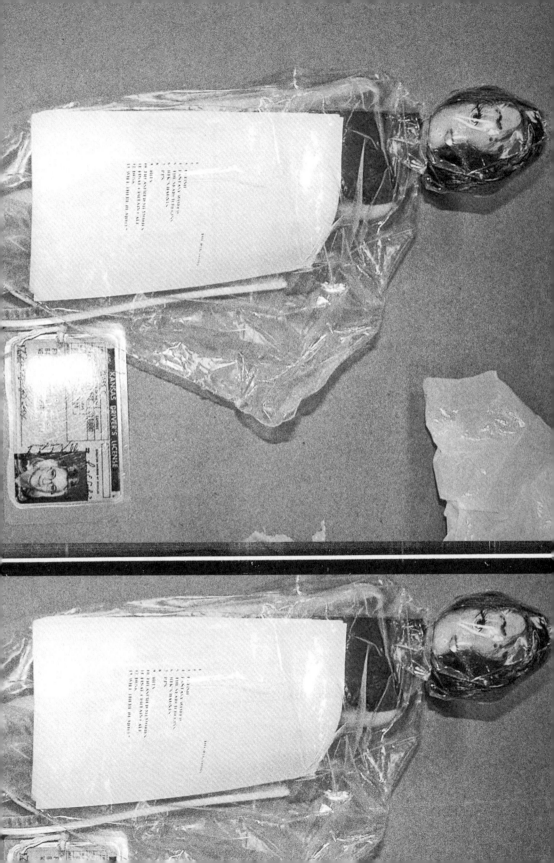

CRIME SCENE®
D A R K S I D E

Copyright © 2007 by Wichita Eagle and
Beacon Publishing Company, c/o Mary Tahan

Tradução para a língua portuguesa
© Eduardo Alves, 2019

Diretor Editorial
Christiano Menezes

Diretor Comercial
Chico de Assis

Diretor de Novos Negócios
Marcel Souto Maior

Gerente de Marca
Arthur Moraes

Editora
Raquel Moritz

Capa e Projeto Gráfico
Retina 78

Coordenador de Diagramação
Sergio Chaves

Designer Assistente
Aline Martins

Preparação
Alexandre Boide

Revisão
Isadora Torres
Maximo Ribera
Retina Conteúdo

Finalização
Sandro Tagliamento

Marketing Estratégico
Ag. Mandíbula

Impressão e Acabamento
Ipsis Gráfica

DADOS INTERNACIONAIS DE CATALOGAÇÃO NA PUBLICAÇÃO (CIP)
Angélica Ilacqua CRB-8/7057

BTK Profile : o retrato da maldade / Roy Wenzl...[et al] ; tradução de Eduardo Alves. — Rio de Janeiro : DarkSide Books, 2019.
416 p.

ISBN: 978-85-9454-183-3
Título original: Bind, Torture, Kill: The Inside Story of the Serial Killer Next Door

1. Assassinos em série — Biografia 2. Rader, Dennis, 1945 — Biografia
I. Wenzl, Roy II. Alves, Eduardo

19-1651   CDD 364.1523092

Índices para catálogo sistemático:
1. Assassinos em série : Biografia

[2019, 2024]
Todos os direitos desta edição reservados à
DarkSide® *Entretenimento* LTDA.
Rua General Roca, 935/504 — Tijuca
20521-071 — Rio de Janeiro — RJ — Brasil
www.darksidebooks.com

MÁSCARA
DA MALDADE

BTK

DENNIS
LYNN
RADER

ROY WENZL
TIM POTTER
HURST LAVIANA
L. KELLY

TRADUÇÃO
EDUARDO
ALVES

PROFILE
profile

DARKSIDE

PROFILE
profile

Outwardly he was a pillar of the community ...in reality he was a serial killer who managed to evade justice for 31 years

SHINGTON — Richard
e, the former White House
terrorism coordinator who
erged as a political lightning
ressed his case Wednesday
e Bush administration fum-
s response to the al-Qaida ter-
pt. 11, 2001, attacks that his
ed alarms went unheeded.
ke said he briefed national
y adviser Condoleezza Rice
. 25, 2001, and outlined a
o other Bush administration
ls to dislodge the al-Qaida ter-
twork from its Afghanistan
hrough diplomatic pressure on
liban government and, failing
y arming its adversaries.
also accused Clinton adminis-
n officials of being too timid
d terrorism, arguing that
officials insisted on unassail-
telligence before launching
ack. But he reserved his
est criticism for the Bush

BTK's letters
October, 1974
The Eagle is directed to BTK's first letter claiming responsibility. It is found in a textbook in the Wichita Public Library and later traced to a copier in the WSU library.

Jan. 31, 1978
The Eagle receives a poem on an index card referring to the Vian homicide.

Feb. 10, 1979

Sept. 16, 1986
Vicki Wegerle is strangled in her bedroom at 2404 W. 13th St. The family car is found two blocks away in the 1300 block of North Edwards.

April 4, 1974
Kathryn Bright is found stabbed to death in her home at 3217 E. 13th St.

Jan. 15, 1974
Joseph Otero, his wife, Julie, and two of their children are strangled in their home at 803 N. Edgemoor. The family car is later found at the Dillons store at Central and Oliver.

crime was never s
The letter contai
sheet of paper wit
of Wegerle's driver
three pictures that
were taken of her
picture shows the
slightly different po
her clothing arrang
slightly different m
The letter was p
from Wichita on M
The victim's rela
Wednesday that th
license was the onl
know of that was m
the home.
Police said there
crime scene photog
Wegerle's body bec
removed by EMS v
before police arriv
time, police said, B
was to transport in
to the hospital as q
sible even if there

SUMÁRIO

PROFILE

profile

INÍCIO: ELE SE CONSIDERAVA UM CARA LEGAL	.014
AVISO: OBSERVAÇÕES SOBRE OS DIÁLOGOS	.016
INTRODUÇÃO: ERRADICANDO O MAL (2007)	.018
MÁSCARA DA MALDADE	.022
EPÍLOGO: 90% RADER, 10% BTK	.380
ÍNDICE: AS LETRAS DE BTK	.400
AGRADECIMENTOS	.410

---

be BTK.
March 19, 2004
The Eagle receives a letter containing a photocopy of Wegerle's driver's license and photos apparently taken at the scene.

S. Hydraulic.

Harry

and strangled in her home at 843 S. Pershing. The killer calls police to report the homicide from a pay phone at Central and St. Francis.

The killer waits inside a home at 643 S. Pinecrest. He later sends the owner a letter letting her know he was there.

that's Vicki W
Landwehr tained no sug killer planne and he asked normal safety
Landwehr being process and DNA evi Sedgwick Co Science Cent
He said evi Wegerle hom sent to the fo being proces gy that was r 1986. He sai planned to r they find thr gerprint and
Landwehr would be stu

Mike Sullivan/The Wichita Eagle

Authorities remove the body of an Otero family member in January 1974. Four family members were strangled.
File photo

Kathryn Bright

Shirley Vian

Nancy Fox

Ple

Profiler: Killer has urge to flaunt cri

TIM POTTER
e Wichita Eagle

The BTK strangler thinks he has outsmarted everyone, and he sent photocopied snapshots of a victim's body — strangled in 1986 — to prove it, says a former FBI profiler of serial killers.
It's as if BTK is saying: " 'Look at what e done.' He can't resist doing that," d Gregg McCrary, a former FBI profiler who operates a criminology consulting business in Virginia.
For many serial killers, communicating with and taunting the media and law enforcement and frightening the public is like "playing God. It's a heady, intoxicating experience" for them, McCrary said.
"So they're not afraid to make contact with you (the media) or police — that's all a part of the game for a guy like this.

"He's outwitted law enforcement and everybody else all these years."
During his tenure at the FBI, McCrary said, the BTK case periodically came up in conversations about old, unsolved serial murder cases.
What is unusual about the latest development in the Wichita case, he said, is the "huge gap in time" between BTK's communications. Before last Friday, the last confirmed contact with

BTK was in 1979.
"I can't think of an that," McCrary said.
"Where has he bee
A good guess is pri Whatever his status, him from communic John Philpin, a ret chologist in Vermon

Please see

2C
2B

THE SWEET 16

SELF AWARENESS

NATION: Supreme Court hears arguments in Pledge of Allegiance case. **4A**

ELE SE CONSIDERAVA UM CARA LEGAL

INÍCIO

PROFILE

profile
BTK
DENNIS LYNN RADER
ROY WENZL / TIM POTTER / HURST LAVIANA / L. KELLY

Quando Julie Otero reclamou que suas mãos estavam ficando dormentes por causa das amarras, ele as ajustou. Quando Joe dissera que seu peito doía de ficar deitado no chão com as costelas quebradas, ele buscou um casaco para colocar sob seu corpo. E naquele momento, no quarto escuro da casa na Hydraulic, deu um gole de água para a mulher doente.

Em seguida, apanhou uma sacola plástica de seu kit de ataque e a enfiou na cabeça da mulher. Pegou o fio amarrado à cama e passou uma das pontas em volta do pescoço dela quatro ou cinco vezes, por cima da camisola cor-de-rosa.

E puxou. Ele enrolara o fio de modo que, quanto maior fosse a resistência dela, mais o aperto se intensificasse. As crianças gritavam mais alto e batiam na porta de madeira enquanto a mãe morria.

Ele se levantou, decepcionado.

Queria fazer mais — sufocar os meninos, enforcar a menina. Mas o telefonema o preocupava.

Antes de sair, roubou duas calcinhas da mulher.

OBSERVAÇÕES SOBRE OS DIÁLOGOS

AVISO

Nós reconstituímos muitas conversas com base nas recordações dos envolvidos, nas citações registradas na cobertura da imprensa e em nossas próprias anotações. De acordo com as informações factuais de que dispomos, os comentários apresentados entre aspas refletem o que foi dito à época.

Em casos nos quais não foi possível reconstituir os diálogos, mas a essência do que foi dito podia ser extraída a partir das apurações realizadas, não colocamos as frases entre aspas; usamos tal recurso para indicar que essas palavras são substancialmente parecidas com o que foi dito — ou, no caso de conversas do BTK com suas vítimas, que se trata da forma como ele se lembra dos diálogos.

As frases em itálico se referem às recordações dos participantes de seus pensamentos na ocasião.

ERRADICANDO O MAL

INTRODUÇÃO

2007

PROFILE
profile
BTK
DENNIS LYNN RADER
ROY WENZL / TIM POTTER / HURST LAVIANA / L. KELLY

O jornal *Wichita Eagle* fez a cobertura do assassino em série BTK desde a primeira vez que ele atacou, em janeiro de 1974. Apenas de 2004 a 2006, o *Eagle* publicou aproximadamente oitocentas matérias sobre o reaparecimento do BTK, a intensa investigação, a solução dos crimes e a maneira como o caso afetou nossa comunidade. O jornal gastou milhares de dólares nas transcrições do julgamento e as postou na internet para que todos pudessem ler. A cobertura abrangente e aprofundada nos rendeu prêmios e elogios. Alguns podem pensar que não haveria muito mais a dizer — principalmente considerando a atenção diária que o BTK recebeu dos noticiários das emissoras de TV a cabo.

Mas nós temos acesso direto às apurações jornalísticas. Não só sabemos mais a respeito da história do BTK do que qualquer outra pessoa, nós a vivemos — no meu caso, cresci ouvindo falar dela. Nós pudemos vasculhar 32 anos de arquivos do *Eagle*, incluindo as anotações originais dos repórteres, memorandos internos e fotografias.

Ao longo de três décadas, o BTK, o *Wichita Eagle* e a polícia local desenvolveram um intricado relacionamento. Foi por meio do *Eagle* que o BTK enviou sua primeira mensagem, em 1974. Foi para o *Eagle* que, alguns anos depois, o desesperado chefe de polícia de Wichita pediu ajuda para criar uma armadilha para o assassino. Foi em uma carta macabra para o *Eagle* — entregue à polícia pelo repórter Hurst Laviana — que o assassino anunciou seu reaparecimento, em 2004.

E foi por meio dos classificados do *Eagle* que o chefe da investigação levou o BTK a cometer um erro que resultou em sua captura, em 2005.

E quando o BTK — Dennis Rader, um pai de família e presidente da congregação de uma igreja — estava enfim na prisão, foi para nós, especificamente para este livro, que o tenente Ken Landwehr e seus principais investigadores contaram seu lado da história nos mínimos detalhes.

Landwehr e seus detetives estavam descontentes com os excessivos erros em outros livros sobre o caso; por saberem que nós nos importávamos com esse capítulo da história da nossa comunidade tanto quanto eles, confiaram em nós para esclarecer os fatos. Laviana vem cobrindo crimes em Wichita há mais de vinte anos. Tim Potter foi apelidado de "Colombo" pelos policiais, por seu hábito de ligar para fazer uma segunda verificação dos fatos contidos em suas anotações. Roy Wenzl tem dois irmãos na força policial. Meu pai foi detetive do departamento de homicídios de Wichita.

Mas este livro não é uma mera reconstituição do caso com o objetivo de separar os fatos das conjecturas. As pessoas que detiveram o BTK são policiais de verdade — personagens de carne e osso que baixaram a guarda para que pudéssemos levar nossos leitores junto com eles em missões de vigilância e tiroteios, e para dentro de seus lares e corações. Em outras ocasiões, ao conversarem conosco para matérias jornalísticas, os policiais sempre agiam com cautela. A imagem pública de Landwehr sempre foi de estoicismo. Ele nunca procurou publicidade, nunca fez joguinhos, nunca respondeu a perguntas sobre si mesmo. É a sagacidade em pessoa, mas não exatamente acessível.

No início dos trabalhos deste livro, Wenzl avisou Landwehr que queríamos retratá-lo com exatidão, não como um "santinho, sempre gentil e bem-sucedido. [...] Eu quero conhecer seus defeitos. Quero perguntar para sua esposa sobre seus defeitos."

Wenzl, que vem cobrindo histórias policiais há anos, não conseguia imaginar que alguma figura importante na hierarquia da polícia pudesse concordar com isso. Foi um pedido que exigiu uma boa dose de ousadia.

Landwehr deu de ombros, sacou o celular e ligou para Cindy Landwehr.

"Oi", disse ele. "Você quer conversar com esses caras?"

Então Landwehr olhou para Wenzl.

"Quando você convencê-la a começar a falar disso, ela pode nunca mais parar."

Os retratos de Rader e Landwehr que tivemos a chance de elaborar para este livro são imagens espelhadas — ambos são filhos nativos do coração dos Estados Unidos, criados por famílias religiosas de classe média, escoteiros que cresceram, se casaram e tiveram os próprios filhos. Ainda assim, um deles se transformou em um pervertido sexual que matava por prazer, enquanto o outro se tornou um policial dedicado a proteger as vidas das outras pessoas. As escolhas que fizeram determinaram que Rader e Landwehr se tornassem oponentes em um jogo mortal de gato e rato.

Ao escrevermos este livro, nós também tivemos que fazer uma escolha. Enquanto muitos se concentraram apenas em retratar o mal, nós resolvemos dedicar a mesma quantidade de tempo às pessoas que o erradicaram.

L. Kelly

MÁSCARA DA MALDADE

PROFILE

profile
BTK
DENNIS LYNN RADER
ROY WENZL / TIM POTTER / HURST LAVIANA / L. KELLY

15 de janeiro de 1974, 8h20

1. OS OTERO

O nome dela era Josie Otero. Tinha onze anos, usava óculos, escrevia poesia, gostava de desenhar e se preocupava com a aparência. Estava começando a usar sutiã e a deixar crescer o cabelo, que caía em cachos tão espessos em volta da cabeça e do pescoço que o homem com a arma mais tarde teria dificuldade em amarrar o pano que manteria a mordaça enfiada em sua boca.

Quando Josie acordou naquela manhã, o homem com a arma se esgueirou até a porta dos fundos e viu algo que o deixou suando frio: uma marca de pata no quintal dos fundos coberto de neve. Ele não esperava a presença de um cachorro.

Assoviou baixinho; nenhum cão apareceu. Mesmo assim, ele sacou uma Colt Woodsman calibre .22 da cintura e se esgueirou até a parede externa da garagem para pensar.

Dentro da casa, Josie vestira uma camiseta azul e caminhara de seu quarto até a cozinha. Foram apenas alguns poucos passos; era uma casa pequena. Sua mãe, Julie, estava na cozinha, usando um roupão azul. Ela arrumara a mesa com cereal e leite para o café da manhã e carne enlatada para fazer os sanduíches que levariam para o almoço na escola. Joe, o pai de Josie, estava comendo peras em conserva.

Com seus 1,62 m, Josie já era cinco centímetros maior do que a mãe e da altura do pai. Mas ainda tinha cabeça de criança.

"Você não me ama tanto quanto aos outros", desabafou ela certo dia para seu irmão Charlie. Com quinze anos, ele era o mais velho dos cinco filhos dos Otero.

"Isso não é verdade", respondeu ele. "Eu amo você tanto quanto a qualquer um deles."

Ela se sentiu melhor; amava toda a família, mamãe e papai, Charlie, Joey, à época com nove anos, Danny, de quatorze, e Carmen, de treze. Adorava a maneira como Joey observava os irmãos e tentava ser durão como eles. Ele era muito bonitinho; as meninas na Escola Primária Adams adoravam seus olhos castanhos. Naquela manhã, ele se vestira para chamar atenção: uma camisa de manga longa por cima de uma camiseta amarela sobre uma camiseta de baixo branca, além de calças arroxeadas com bolsos brancos e listras brancas na parte de trás.

Era terça-feira. Eles brincariam com o cachorro, ajudariam a mãe a embalar os almoços, então o pai levaria Josie e Joey para a escola de carro, como já tinha feito mais cedo com Charlie, Danny e Carmen. A mãe já tinha colocado seus casacos em cima de uma cadeira.

Do lado de fora, o homem hesitou.

Nos bolsos da parca ele levava uma corda, um fio de uma persiana, mordaças, fita adesiva branca, uma faca e sacolas plásticas.

• • •

Os Otero tinham morado em Camden, no estado de New Jersey, e mais tarde na Zona do Canal do Panamá por sete anos, e depois com parentes em sua terra natal, Porto Rico, durante alguns meses. Haviam comprado a casa em Wichita apenas dez dias antes e ainda estavam se acomodando no imóvel. Wichita era um grande centro de fabricação de aviões, o que significava oportunidades para Joe. Ele era um sargento reformado com vinte anos de serviço no corpo técnico da Força Aérea dos Estados Unidos, e começara a trabalhar em aeronaves e a dar aulas de pilotagem em Cook Field, a alguns quilômetros de distância de Wichita, a Capital Mundial da Aviação. Boeing, Cessna, Beech e Learjet — todas tinham grandes fábricas lá. A cidade, que chegara a fornecer 1600 bombardeiros B-29 Superfortress para a guerra, à época se dedicava a fabricar jatinhos para companhias aéreas e estrelas de cinema. Julie tinha conseguido um emprego na Coleman, uma fábrica de equipamentos para acampamento, mas foi demitida algumas semanas depois em um corte de pessoal para redução de despesas.

Na nova casa, os membros da família se incorporavam aos 260 mil habitantes de Wichita, muitos dos quais tinham passado a infância em fazendas, prezavam a relação de confiança entre os vizinhos e deixavam suas portas destrancadas. As empresas fabricantes de aviões tinham ido para Wichita décadas antes em parte pela oportunidade de contratar jovens que cresceram na zona rural da região, aprendendo como consertar motores e carburadores de tratores desde o início da infância. Esses trabalhadores e suas famílias levaram junto com eles os costumes da vida no campo para a cidade. As pessoas ainda deixavam as chaves dentro dos carros à noite e levavam refeições caseiras para vizinhos doentes. Era uma cultura que os Otero apreciavam, mas Joe e Julie tinham uma postura mais nova-iorquina no que dizia respeito à segurança. Lucky, o cachorro que Joe arrumara, odiava estranhos. Joe conhecia o perigo das ruas das cidades grandes, e aos 38 anos ainda era esguio e forte. Fora campeão de pugilismo no Spanish Harlem. Julie, então com 34 anos, praticava judô e ensinava a arte marcial aos filhos.

Joe era versado na malandragem das ruas, mas também brincalhão. No trabalho, entre anglo-americanos desconhecidos, fazia as pessoas rirem ao zombar do próprio sotaque porto-riquenho. Ele sabia como tornar divertido o ato de ir às compras, e em certa ocasião arrastou as crianças para dentro de uma loja em um trenó enquanto elas gargalhavam. Quando assinou a hipoteca da casa (seis cômodos e um porão inacabado), Joe brincou com o corretor: "Espero ainda estar vivo quando este empréstimo for quitado".

Dois meses depois, os Otero ainda estavam esvaziando caixas.

Certa noite, Joe e Charlie assistiram ao filme *A Sangue Frio*, a história de dois desajustados que em 1959 assassinaram quatro membros da família Clutter em Holcomb, no Kansas.

Como alguém pôde fazer isso?, perguntou Charlie.

"Agradeça por uma coisa dessas nunca ter acontecido com você", respondeu Joe.

• • •

Dennis Rader tinha visto a mulher e a menina, certo dia, enquanto levava a esposa para o trabalho, no Departamento de Assistência aos Veteranos de Guerra, porque ela não gostava de dirigir na neve. Na

Edgemoor Drive, viu duas mulheres de pele morena em uma perua que dava ré para entrar na Murdock Avenue.

Depois disso, ele as seguiu por semanas e tomou notas. Seguiu Julie inúmeras vezes enquanto ela levava Josie e Joey para a escola. Sabia que os três saíam por volta das 8h45 e que Julie demorava sete minutos para voltar para casa. Descobrira que o marido saía para o trabalho por volta das 8h. Não queria dar de cara com o marido, portanto cronometrou sua chegada para aproximadamente 8h20. O marido já teria saído. O menino estaria lá, mas ele não fazia parte do plano. O menino seria morto, mas não era o alvo. Ele queria a menina.

Mas não sabia que os Otero estavam com apenas um carro.

Joe tinha batido o outro alguns dias antes, fraturando algumas costelas. Para que Carmen, Danny e Charlie chegassem na escola antes das 8h, Joe levara a perua que Julie costumava dirigir. Charlie fez menção de baixar a porta da garagem, mas Joe lhe disse para deixá-la aberta porque logo voltaria. Por causa do ferimento, Joe estava incapacitado de trabalhar.

Do lado de fora, a temperatura era de seis graus negativos, e a neve continuava congelada sobre o terreno endurecido.

Rader estava com 28 anos na época; tinha cabelos escuros e olhos verdes, que em tempos recentes vinham passando tempo demais fitando as profundezas da escuridão. Ele gostava de ver pornografia e de fantasiar acordado. Tinha apelidado seu pênis de Sparky [Brilhante]. Via a si mesmo como um agente secreto, um assassino profissional, uma sombra.

Rader tinha se levantado antes do amanhecer naquele dia, enchido os bolsos do casaco, estacionado a vários quarteirões da residência marcada como seu alvo, e em seguida caminhado até lá. A casa ficava na esquina noroeste da Murdock Avenue com a Edgemoor Drive, na zona leste de Wichita. Ele chegara no instante em que a luz fraca da alvorada obscurecia o cometa Kohoutek, que durante semanas vinha pairando como um fantasma sobre o horizonte mais ao sul.

Tinha em mente a menina de cabelos longos e escuros e óculos. Ela parecia feita sob medida para a SBT, sua abreviação para "Sparky Big Time".[1]

Mas, ao chegar ao quintal dos fundos, ele hesitava.

Onde estava o cachorro?

• • •

---

[1]   Algo como "Hora da Diversão de Sparky". [Nota do Tradutor, daqui em diante NT]

Ao longo dos 31 anos seguintes, Rader escreveria muitas palavras sobre esse dia, algumas mentirosas, outras verdadeiras:

Escolheu a família porque mulheres de ascendência hispânica o excitavam.

Fantasiava sobre sexo e treinara para matar. Fazia nós de forca e enforcava cães e gatos em celeiros. Quando adolescente, e mais tarde na força aérea, espiava através de persianas para observar mulheres se despindo. Invadia casas para roubar calcinhas.

Seguia mulheres enquanto faziam compras sozinhas em mercados. Planejava se esconder no banco traseiro de carros e sequestrá-las à mão armada. Sua intenção era levá-las a lugares onde ele e Sparky poderiam se regalar: amarrar, torturar, matar.

Ele sempre se acovardara.

Mas não daquela vez.

Esgueirou-se pela garagem até a porta dos fundos.

Estendeu o braço para abri-la.

Trancada.

Sacou uma faca de caça e cortou o fio do telefone, preso com tachinhas às ripas brancas da parede.

De repente, ouviu a porta dos fundos ser aberta. Sacou a arma e se viu fitando o rosto do menininho. E enfim viu o cachorro, parado ao lado do garoto. O cão começou a latir.

Agindo com mais urgência, sentindo o suor começar a escorrer pelo corpo, Rader empurrou a criança para dentro da cozinha — e ficou cara a cara com outra surpresa. O homem estava em casa.

O cachorro latia sem parar.

Rader era 17 cm mais alto do que o pai da família, mas começou a tremer de medo. Ele apontou a arma.

Isto é um assalto, anunciou.

A menina começou a chorar.

Não tenham medo, disse a eles.

• • •

Do outro lado da cidade, vários quilômetros a oeste, vivia um universitário que não fazia ideia de como os eventos desse dia iriam moldar sua vida.

Ele era uma figura bem peculiar, pelo menos na opinião de sua mãe. Nunca conseguia ficar parado; sempre precisava de alguma coisa para fazer com as mãos. Era um sabe-tudo. Na infância, ao brincar de polícia e ladrão, sempre era o policial. Quando os outros garotos o forçavam a ser o bandido, ele ia embora.

Parecia bem-comportado, mas não era. Arrumava brigas, como muitos dos outros garotos da turbulenta e operária zona oeste de Wichita, mas aprendeu a evitá-las. Venceu campeonatos de debate no ensino médio, mas escondia da mãe as noites na farra. Fez o papel de Snoopy na produção do ensino médio de *Você é um Bom Rapaz, Charlie Brown*. Obteve a patente mais alta do escotismo norte-americano, a *Eagle Scout*, em 1971, um ano antes de se formar no colégio, mas exagerava na bebida às sextas-feiras. Gostava da escola. E de mistérios, em especial das histórias de Sherlock Holmes.

Kenny Landwehr era um adolescente, ainda não desenvolvera por completo sua personalidade profundamente reflexiva, mas sabia por que gostava dessas histórias: Holmes solucionava assassinatos, o crime mais difícil de resolver, porque a melhor testemunha possível estava morta.

15 de janeiro de 1974, 15h30

2. TODOS AMARRADOS

Os jornais vespertinos aterrissaram nas varandas de Wichita entre 15h30 e 16h, com a manchete FITA APAGADA, REVELA JUIZ na primeira página. O juiz John Sirica, de Washington, DC, estava furioso por causa de uma lacuna de dezoito minutos em uma gravação de uma das conversas particulares do presidente Nixon a respeito da invasão ao hotel Watergate. Esse era o destaque no noticiário nacional no instante em que Carmen e Danny Otero chegaram em casa, subindo a pé a Murdock Avenue depois de sair da Escola Robinson.

Os dois notaram diversas coisas estranhas: a perua não estava lá, a porta da garagem estava levantada. A porta dos fundos estava trancada. Lucky os fitava do quintal dos fundos. Isso chamou a atenção deles, porque seus pais nunca o deixavam do lado de fora — o cachorro latia para estranhos. Quando abriram a porta da frente, encontraram a bolsa da mãe no chão da sala de estar, com o conteúdo espalhado.

Eles viram a bolsinha branca de Josie na cozinha e a carteira do pai com cartões e papéis espalhados em cima do fogão. Recipientes de carne enlatada e uma embalagem de pão ainda aberta repousavam sobre a mesa.

Danny e Carmen correram para o quarto dos pais. Ali eles os encontraram, com as mãos amarradas atrás das costas, os corpos rígidos e frios.

•••

Naquele instante, Charlie estava andando para casa pela Edgemoor, ainda ansioso devido ao dia de exames finais na Escola Secundária Southeast. Na rua, recolheu um panfleto religioso na calçada.

"Você precisa de Deus em sua vida", era a mensagem. Ele o largou. Sua mãe os tinha ensinado sobre Deus.

Quando Charlie viu Lucky parado no lado de fora, além da porta da garagem levantada, decidiu que faria uma brincadeira com a mãe por ser esquecida. Então entrou e ouviu Danny e Carmen gritando no quarto dos pais.

O que viu fez com que fosse correndo para a cozinha, onde apanhou uma faca. "Quem quer que esteja nesta casa, você está morto!", berrou. Ninguém respondeu.

Ele pegou uma régua métrica e saiu dando golpes com ela até se estilhaçar.

O telefone estava mudo. Charlie correu para fora e bateu na porta de um vizinho.

•••

Os policiais Robert Bulla e Jim Lindeburg chegaram ao número 803 da North Edgemoor às 15h42. Um adolescente correu até eles, parecendo descontrolado e transtornado. Disse que seu nome era Charlie. Contou aos policiais o que encontrariam dentro da casa.

Fique aqui fora, pediram eles a Charlie e às duas crianças que o acompanhavam. Bulla e Lindeburg entraram, viram a bolsa, avançaram pela casa e empurraram a porta do quarto principal. Um homem jazia amarrado no chão; uma mulher estava deitada na cama, com as pernas nuas dobradas e pendendo pela beirada, além do rosto riscado pelo sangue seco que escorrera do nariz. A corda em volta do pescoço tinha sido cortada. Os policiais descobriram mais tarde que Carmen partira as amarras com a ajuda de um cortador de unha, tentando freneticamente reviver a mãe.

Bulla procurou sentir a pulsação dos corpos, então passou um rádio para a central: duas possíveis vítimas de homicídio.

Lindeburg e Bulla saíram da casa e foram até as crianças, que pareciam fora de si. Havia mais dois irmãos, os adolescentes disseram. Eles ainda não voltaram para casa. Não podemos deixar que vejam isso. A perua da família não estava lá, contaram: uma Oldsmobile Vista Cruiser 1966 marrom. Os policiais anotaram tudo.

Mais policiais chegaram, seguidos por investigadores.

Os policiais interrogaram as crianças.

"Vocês acham que o pai de vocês pode ter feito isso?"

Charlie continuava pedindo que Josie e Joey fossem impedidos de entrar na casa.

Os policiais afastaram as crianças da casa. O detetive Ray Floyd puxou Charlie de lado.

As duas crianças foram encontradas dentro da casa, contou Floyd a ele.

Estavam mortas.

• • •

O telefone na mesa de Jack Bruce tocou minutos depois.

"Temos quatro pessoas mortas em uma casa na Edgemoor", anunciou a central de emergências.

"O quê?"

"Quatro pessoas mortas. Na Edgemoor."

"Como assim, quatro pessoas *mortas*?"

"As quatro estão mortas, e todas estão amarradas."

Bruce, com sua estatura elevada e postura confiante, era um tenente-coronel que supervisionava os investigadores dos departamentos de narcóticos e homicídios. Percebeu que outros telefones tocavam nas demais mesas, e observou os detetives dispararem para a porta. Em questão de minutos, Bruce estava falando em dois telefones ao mesmo tempo, tentando evitar que os policiais acabassem atrapalhando uns aos outros. Ele distribuiu tarefas, enviou o pessoal do laboratório forense, coordenou turnos. Todo o departamento de polícia foi mobilizado.

• • •

O sargento Joe Thomas chegou minutos depois da primeira ligação e isolou a cena do crime, o que significava impedir que as pessoas contaminassem as evidências antes que os investigadores assumissem o controle. Thomas fez uma ronda rápida, espiando o interior de cada cômodo apenas tempo suficiente para ficar irritado. Em questão de minutos, o lugar ficou lotado: detetives, o pessoal do laboratório forense, oficiais do alto-comando. Assim como Thomas, todos ficaram abalados com o que viram.

O detetive Gary Caldwell desceu ao porão escuro. Não tinha levado uma lanterna. Foi tateando o caminho, entrou em um cômodo, apalpou em busca de um interruptor e roçou alguma coisa pendurada no teto.

Encontrou o interruptor e viu uma menina morta, seminua, pendendo de um cano de esgoto por um nó de forca feito com corda de cânhamo. O cabelo escuro caía sobre uma bochecha, e a língua se projetava para além de uma mordaça.

• • •

O major Cornwell chefiava a unidade de homicídios; ele assumiu o controle. Cornwell e Bernie Drowatzky, um detetive veterano de rosto marcado pelo tempo, se deram conta de que quem quer que tivesse feito aquilo tinha usado uma variedade de nós para atar punhos, tornozelos e gargantas. Eles suspeitaram que o assassino ficara sem corda: os punhos de algumas das vítimas estavam presos com fita.

O menino tinha morrido ao lado de seu beliche. No quarto dele, Cornwell viu algo que ficou em sua mente por toda a vida: marcas de cadeira no carpete. Pareciam frescas. Cornwell achou que sabia o que aquilo significava: o assassino, depois de amarrar os punhos do garoto, depois de passar duas camisetas e uma sacola plástica por cima da cabeça da vítima, depois de apertar com força a corda de varal em volta do pescoço da criança, tinha posicionado uma cadeira ao lado do garoto para que pudesse vê-lo sufocar.

Havia tantas marcas de amarras nas gargantas dos outros membros da família Otero que aparentemente o assassino os havia estrangulado mais de uma vez, deixando que recuperassem um pouco de ar e só então colocando um fim a suas vidas.

Keith Sanborn, o promotor público do condado de Sedgwick, deu uma volta lúgubre pela casa ostentando seu corte de cabelo ao estilo militar. Os detetives lhe disseram que tinham encontrado fluído seco na coxa desnuda da menina e manchas do mesmo material no chão. Ao que parecia, o criminoso havia se masturbado em cima dela, contaram.

• • •

O chefe de Cornwell, o tenente-coronel Bruce, entrou mais tarde naquela noite, depois que os corpos tinham sido levados, passando pelos repórteres e fotógrafos que corriam de um lado para o outro em meio ao frio que fazia do lado de fora. Fotografaram as crianças sobreviventes sendo conduzidas às pressas por baixo da fita que isolava a cena do crime; filmaram a remoção dos corpos. *Isso vai abalar a cidade*, pensou Bruce.

"Descansem um pouco", aconselhou Bruce aos detetives. "Tenham uma boa noite de sono para poderem voltar." Ninguém lhe deu ouvidos.

Caldwell e Drowatzky se ofereceram para passar a madrugada toda na casa. Se o assassino retornasse ao local do crime, eles o receberiam. Caldwell ligou para a esposa para avisá-la; ela ficou aborrecida. Então ele e Drowatzky se acomodaram. Às vezes espiavam pelas janelas; tudo o que viam eram fotógrafos e uma procissão de curiosos.

• • •

De volta à sua sala no distrito policial, Cornwell refletiu sobre os relatos conflitantes. Um vizinho disse que tinha visto um homem branco alto e robusto usando um casaco escuro do lado de fora da casa dos Otero por volta das 8h45. Outras testemunhas descreveram um homem muito mais baixo — de talvez 1,60 m de altura. Disseram que tinha uma cabeleira preta e pele morena. O chefe de polícia Floyd Hannon contou aos repórteres que o suspeito poderia ser do Oriente Médio. Mas, no retrato falado feito pelo desenhista da polícia, o sujeito aparentava ser de ascendência hispânica. Na verdade, se parecia bastante com Joe Otero com um bigode fino. Outra pessoa afirmou ter visto um homem de cabelos escuros dirigindo a perua dos Otero por volta das 10h30 daquela manhã.

Um detetive tinha encontrado o carro dos Otero estacionado no mercado Dillons, na esquina da Central com a Oliver, a 800 m de distância da casa. A posição do assento mostrava que o motorista poderia ser baixo.

Cornwell passou a noite em sua sala, recebendo ligações, levantando hipóteses, tirando cochilos na cadeira. Ele e outros detetives passaram três dias sem ir para casa, se alimentando apenas de sanduíches. Durante dez dias, 75 policiais e investigadores trabalharam dezoito horas por dia.

O assassino usara uma variedade vertiginosa de nós: nós volta do fiel, nós simples, nós corrediços, nós direitos, nós de mão, nós de sangue. Havia tantos nós que um detetive tirou cópias dos nomes, desenhos e descrições de uma enciclopédia publicada pela Naval Institute Press. Talvez o assassino fosse um marinheiro, pensou Bruce.

Os investigadores estudaram os relatórios das necropsias. O legista encontrou hematomas no rosto de Julie; ela fora espancada antes de morrer. Havia marcas profundas em volta dos punhos de Joe; ele lutara para romper suas amarras. Joey mostrava marcas de amarras e capilares rompidos no pescoço e no rosto; o menino morrera de estrangulamento e asfixia.

A necropsia mostrou que Josie pesava apenas 52 kg e morrera em um nó de forca com as mãos amarradas às costas. Havia sido amarrada nos tornozelos e joelhos com um fio que serpenteava até a cintura. O assassino cortara seu sutiã na parte da frente e abaixara sua calcinha até os tornozelos.

O pessoal do laboratório extraíra fluído seco da coxa da menina. Quando colocaram os fragmentos sob um microscópio, viram esperma.

· · ·

Ao final da primeira semana, com a privação de sono, os investigadores começaram a ficar sem forças e sem ideias.

Eles apelaram para uma ideia maluca: Caldwell e Drowatzky passaram outra noite na casa, dessa vez com uma médium. Ela alegava já ter ajudado a resolver um crime ao conduzir a polícia a um corpo em um baú. Os dois policiais se sentaram em silêncio enquanto a médium rabiscava suas impressões. Não deu em nada.

Houve também uma enorme trapalhada. Alguém perdeu grande parte das fotos da necropsia e inúmeras fotos da cena do crime. O chefe de polícia estava soltando fogo pelas ventas.

Mesmo assim, restara uma pilha de fotografias para ser analisada. Em meio às imagens, notaram uma coisa curiosa — uma foto de uma forma de gelo na cozinha ainda com a água congelada dentro. O assassino atacara antes das 9h e aumentara o aquecimento antes de deixar a casa. Testemunhas viram o Vista Cruiser dos Otero na rua por volta das 10h30. O fotógrafo da polícia chegou seis horas mais tarde. E a foto mostrava gelo. Não era necessário ser um Sherlock Holmes para entender o que acontecera: algum policial tinha aberto o freezer dos Otero e preparado uma bebida depois de inspecionar os mortos.

· · ·

O chefe Hannon realizava coletivas de imprensa duas vezes ao dia, revelando detalhes e especulando a respeito de motivos e suspeitos.

O matinal *Wichita Eagle* e o vespertino *Beacon* faziam a cobertura de cada acontecimento. Os leitores descobriram que Josie e Joey eram alunos exemplares; que Joe e Julie Otero assinaram uma hipoteca de 16.850 dólares para adquirir sua casa em estilo de fazenda; que os assassinatos indicavam "algum tipo de fetiche". A cobertura da imprensa incluía uma foto forense de um fio com um nó usado pelo assassino, diagramas na primeira página feitos pelo cartunista do jornal, Jerry Bittle, mostrando em quais lugares da casa os corpos foram encontrados, e um desenho de Josie pendurada no cano.

Nada disso deixou uma impressão duradoura em Kenny Landwehr, o garoto da zona oeste. Os assassinatos dos Otero aconteceram na zona leste. Wichita em 1974 era uma cidade dividida socialmente, com uma fronteira delimitada de maneira clara pelos rios Arkansas e Little Arkansas, que convergem no centro da cidade. Eram estereótipos generalizantes, mas a zona oeste era considerada mais operária, enquanto a zona leste, mais elitizada. Os pais de Landwehr, Lee e Irene, leram a respeito dos assassinatos com consternação, mas o filho prestou pouca atenção, embora sonhasse em entrar para o FBI.

A inspiração para isso foi o irmão de Irene, Ernie Halsig, um agente federal. "Se você se candidatar para o FBI, eles vão querer que você entenda um pouco de contabilidade", afirmou o tio Ernie. Então, Landwehr, um estudante de história da Universidade Estadual de Wichita, acrescentou contabilidade à sua grade de disciplinas.

Para ganhar um pouco de dinheiro, ele trabalhava como vendedor na Beuttel's Clothing Company, no distrito industrial da zona norte de Wichita.

Não estava tão certo a respeito do FBI. Tinha outras distrações: garotas, golfe, cerveja — às vezes muitas cervejas. Jogava sinuca e pebolim em um bar na zona oeste chamado Old English Pub.

Landwehr não deu muita atenção aos assassinatos dos Otero; o pub já parecia perigoso o suficiente. Havia um cara que frequentava o lugar... Bell... James Eddy Bell. Era um filho da puta, um grandalhão metido a valente. No pub, Landwehr mantinha distância de Bell e falava manso quando estava perto dele.

Era difícil. Landwehr tinha uma língua afiada.

DANNY E CARMEN OTERO PASSAM POR BAIXO DA CORDA DE ISOLAMENTO DA CENA DO CRIME PARA CONVERSAR COM A POLÍCIA.

PROFILE

profile

BTK

DENNIS LYNN RADER

ROY WENZL / TIM POTTER / HURST LAVIANA / L. KELLY

Janeiro a abril de 1974

3. TEMORES E POSSIBILIDADES

Os Otero foram enterrados em Porto Rico. Os filhos sobreviventes deixaram Wichita para sempre; encontraram um lar com familiares em Albuquerque.

O futuro de Charlie Otero lhe traria depressão, raiva, um rompimento com os irmãos e o cumprimento de uma sentença de prisão por violência doméstica. Também abandonaria Deus, visto que acreditava que Ele tinha abandonado sua família. Charlie não tinha respostas para as questões que o perturbavam:

Por que alguém atacara sua família?

Como passara pelo cachorro? Como convencera um pugilista como seu pai a colocar os punhos atrás das costas?

Deve ter havido mais de um assassino, pensava Charlie.

Charlie queria matar todos eles.

• • •

A polícia começou analisando quatro possibilidades:

1. **O assassino era alguém da família?** Essa ideia foi descartada bem depressa.

2. **Havia uma ligação com o tráfico de drogas?** Na aeronáutica, Joseph Otero tinha servido na América Latina. Depois de dar baixa como militar, Joe arrumou um emprego que lhe dava acesso a aeronaves particulares. Isso chamou a atenção dos investigadores. Talvez um enorme acordo de transporte internacional de drogas tivesse dado errado, o que poderia ter levado ao assassinato dele e de sua família como uma forma de vingança.

   Cornwell e Hannon voaram para o Panamá e Porto Rico para explorar essa possibilidade. Bruce não estava tão certo quanto a essa possibilidade — os policiais não tinham encontrado sequer uma aspirina na casa, muito menos drogas ilegais.

3. **Alguém estava atrás de Julie?** Ela trabalhara na Coleman. Por acaso teria arrumado um amante ciumento por lá? Seu antigo supervisor fora baleado e ferido poucos dias antes da morte dela. Haveria uma ligação?

4. **O assassino era um ladrão que matou para encobrir seus rastros?** Os detetives investigaram cidadãos com passagem pela polícia por furto e arrombamento, embora as únicas coisas que tivessem sumido fossem o relógio de Joe, o rádio de Joey e um molho de chaves.

Quatro ideias, quatro buscas inúteis.

• • •

Dennis Rader passara duas horas com os Otero, em seguida se esgueirara para dentro do Vista Cruiser e dirigira até o mercado Dillons. Foi por pouco — o tanque da perua dos Otero estava quase seco. No caminho, manteve o capuz da parca levantado para esconder o rosto. Antes de sair, ajustou o banco para a frente a fim de disfarçar sua altura. Caminhou até o próprio carro, um Impala cupê branco 1962. Ali fez um inventário de tudo que levara naquela manhã, e então se deu conta, com o estômago embrulhado, que deixara a faca na casa dos Otero.

Dirigiu de volta à casa na North Edgemoor, estacionou na garagem, caminhou até a porta dos fundos e pegou a faca. Então foi para casa, a cabeça latejando. Tomou dois comprimidos de Tylenol, em seguida seguiu o caminho de um bosque onde brincara quando criança, à margem do rio Little Arkansas, no norte de Wichita. Lá queimou os esboços que fizera durante o planejamento, junto com as coisas usadas para matar a família. Ele agiu depressa. Sua esposa já estaria saindo do trabalho, e ele queria estar em casa.

• • •

Depois dos assassinatos, cidadãos de Wichita que nunca tinham trancado as portas passaram a fazê-lo. Alguns compraram armas e instalaram sistemas de alarme. Estudantes do ensino médio como Steve e Rebecca Macy criaram uma nova rotina ao voltar para casa: Rebecca ficava sentada no carro. Steve entrava na casa levando um taco de beisebol e verificava todos os cômodos e closets — e o telefone — antes de deixar a irmã entrar.

Crianças mais novas, como Tim Relph, um aluno do sétimo ano, viveram com medo durante anos, se perguntando se suas famílias poderiam ser atacadas. O caminho que seus pais faziam passava pelas mesmas ruas que os Otero usavam.

O capitão do departamento de homicídios, Charlie Stewart, passou a dormir perto da porta de entrada de casa.

Lindy Kelly, um ex-detetive do departamento de homicídios, ficou tão transtornado com o que ouvira de seu melhor amigo, o sargento Joe Thomas, que violou sua regra sobre nunca assustar seus filhos com histórias de trabalho. Contou à filha de treze anos, Laura, sobre as marcas da cadeira no carpete. O sujeito tinha se sentado para ver o menino se debater, revelou Kelly.

Thomas iniciou uma rotina que duraria o restante de sua vida. Todas as manhãs, quando saía para pegar o *Eagle*, levava um peso de porta, uma pesada barra de metal que viria a calhar para espancar o assassino dos Otero, caso algum dia este decidisse lhe fazer uma visita.

• • •

Rader retornou aos confortos da vida doméstica. Estava casado fazia quase três anos, mas ainda abria as portas para a esposa e a ajudava a vestir o casaco. O casal frequentava a igreja junto com os pais; ele ajudava com o grupo de jovens. Mas estabelecia regras da casa e gostava das coisas arrumadas, em ordem e na hora. Ela obedecia.

Ele gostava de estudar romances policiais, revistas sobre investigações e pornografia. Gostava de se masturbar enquanto brincava com algemas. Em seu lar aconchegante — de apenas 90 m² —, escondia pequenos troféus. No pulso, usava o relógio de Joe Otero. Ele funcionava bem, e o ajudava a chegar às aulas com pontualidade. A Universidade Estadual de Wichita já iniciara as atividades do primeiro semestre, e ele havia escolhido uma especialização — em administração do sistema judicial — que lhe permitia observar de perto os policiais e aprender mais sobre sua nova ocupação. Ele se divertia com a ironia.

Começou a escrever sobre o que fizera; disse à esposa que tinha muitas coisas para datilografar para a escola. Registrou que Joe Otero pensara em um primeiro instante que sua invasão era uma pegadinha. Anotou o que Josie dissera pouco antes de a enforcar. Escreveu tudo isso, terminou no dia 3 de fevereiro de 1974 e arquivou tudo em um fichário para que pudesse ler sempre que lhe aprouvesse. Assinou o documento como "B.T.K.". *Bind* [amarrar], *torture* [torturar], *kill* [matar].

Ele sabia das coisas que poderiam fazer com que fosse pego: se esquecera da faca. Permitira que o vissem. Não esperava pela presença do cachorro. Imaginara que o pai não estaria em casa. Entrara em um lugar com gente demais.

Decidiu fazer melhor na próxima vez. E haveria uma próxima vez. Ele gostara do tempo que passara com a menina.

PROFILE

profile

BTK
DENNIS LYNN RADER
ROY WENZL / TIM POTTER / HURST LAVIANA / L. KELLY

4 de abril de 1974

4. KATHRYN BRIGHT

O mais seguro seria não voltar a matar, principalmente depois da maneira como se descuidara de tantos detalhes nos assassinatos dos Otero. Mas Rader tinha o Fator X, como ele o chamava, ou o Monstro Interior, seu outro nome para o que quer que o impelisse. Inventou novas abreviações e nomes: BTK para quem ele passara a ser, Sparky para seu pênis, e pescar para o que fazia, que era caçar mulheres. Os alvos femininos eram chamados de projetos — PJs para abreviar. Em seus escritos, ele se referia a Josie Otero como Pequena Mexicana.

Rader saiu para pescar de novo algumas semanas depois de matar os Otero — depois que o barato causado pelos assassinatos tinha passado.

Estava pescando todos os dias, espionando mulheres, que seguia até o trabalho e de volta para casa, tomando notas sobre cada uma delas. Era necessário manter registros — ele espiava múltiplos projetos, desistindo caso algum não parecesse seguro. Espreitava através de janelas, caminhava por becos e caçava mulheres que moravam sozinhas.

No primeiro semestre de 1974, ele se decidiu por uma mulher que chamou de Projeto Apagar as Luzes.

• • •

Kathryn Bright morava na casinha número 3217 da East Thirteenth Street fazia apenas um ano. Tinha 21 anos. Um semestre na Universidade do Kansas, em Lawrence, a deixara com saudade da família, o que a levou a voltar para sua cidade natal e conseguir um emprego na Coleman, onde Julie Otero havia trabalhado por aproximadamente um mês.

Ao pensar na família ela também levava em conta os primos: contando com os cinco filhos dos Bright, eles totalizavam dezoito. Eram todos unidos; costumavam fazer visitas aos avós em uma propriedade rural nos arredores de Valley Center, ao norte de Wichita. Prendiam uma carroça a uma mula chamada Candy e andavam nela por horas. Quando Kathryn tinha seis anos, um fotógrafo de jornal tirou uma foto deles. Kathryn aparecia sorridente no meio dos demais. JOVENS ENCONTRAM MULA AMIGA, dizia a manchete.

Aos nove anos, ela aprendeu a tocar ukulele e se apresentava com um grupo de crianças vestidas com trajes havaianos.

Às vezes, as crianças da família Bright iam à fazenda de um primo perto dali, no condado de Butler, faziam tortas de nozes e chocolate e dirigiam um carro ao redor de um pasto para vacas, apesar das pernas curtas demais para alcançarem o pedal do freio. Eles engatavam a primeira marcha, torciam para que nada de ruim acontecesse e riam.

Na igreja, Kathryn cantava em um trio com uma irmã e uma prima. Elas gostavam do hino "In the Garden" [No Jardim].

And He walks with me,
And He talks with me,
And He tells me I am his own,
And the joy we share as we tarry there,
None other has ever known.[1]

Rader a viu certo dia no caminho do restaurante aonde estava levando a esposa para almoçar. Um corpo muito bonito, como ele relataria depois. Outras coisas chamaram sua atenção: longos cabelos loiros, uma jaqueta jeans, uma velha bolsa com miçangas. Na primeira vez em que a viu, ela estava pegando a correspondência.

Rader levou a esposa para almoçar naquele dia, mas, enquanto comiam, ele fantasiava. Acabou voltando e espionando a mulher durante

---

1   E Ele caminha comigo/ E Ele conversa comigo/ E Ele me diz que sou Dele/ E a alegria que compartilhamos enquanto estamos lá/ Ninguém jamais conheceu. [NT]

semanas. Pode dar certo, concluiu; ela parecia ser uma universitária, morava sozinha, sem nenhum homem por perto, sem filhos, sem cachorro.

Ele apertava bolas de borracha para fortalecer as mãos. Não se conformava com o tempo que levara para estrangular os Otero; suas mãos tinham ficado dormentes. Ele queria estar preparado daquela vez.

E elaborou um plano. Em sua vida cotidiana, ele era um aluno da Universidade Estadual de Wichita; iria até a porta dela carregando livros e diria que precisava de um lugar calmo para estudar. Então entraria à força.

Antes de bater, calçou luvas de borracha.

Seu plano foi por água abaixo na mesma hora.

Ninguém atendeu à porta.

Por impulso, ele quebrou o vidro da porta dos fundos e depois entrou ligeiramente em pânico. Percebeu que ela poderia chegar em casa, ver os estilhaços espalhados e fugir. Limpou os cacos o melhor que pôde, se escondeu em um quarto e sacou a Colt calibre .22 para desativar a trava de segurança. E — *bangue!* — a arma disparou. Isso o deixou temeroso, por achar que ela poderia sentir o cheiro de pólvora quando chegasse. Enquanto seu coração continuava disparado, a porta da frente foi aberta. Ele a ouviu conversando com alguém.

Era um homem. Rader começou a suar de novo.

Ele conseguia ouvi-los rindo. Não tinha para onde fugir. Mas tinha a Colt .22 e uma Magnum calibre .357 em um coldre de ombro, então avançou na direção dos dois.

Parados aí, ordenou.

Sou procurado na Califórnia, disse-lhes Rader. Espalharam pôsteres de procurado com a minha fotografia por aí. Preciso de um carro. Preciso de dinheiro. Só preciso chegar a Nova York. Preciso amarrar vocês. Mas não quero machucar ninguém.

Foi então que Rader se deu conta de que tinha cometido outro erro.

Não tinha levado nenhuma corda; imaginara que ela estaria sozinha, e que seria fácil de controlar. Planejava amarrá-la com uma meia-calça ou o que quer que encontrasse, para que, quando os policiais encontrassem o corpo, vissem um método diferente do usado nos assassinatos dos Otero. Mas naquele momento lá estava ele, o sr. Amarrar, Torturar e Matar, sem nada para amarrá-los.

Ele os conduziu até um quarto e revirou as cômodas, onde encontrou bandanas, cintos, meias de náilon, camisetas.

Rader viria a descobrir mais tarde que o nome do homem era Kevin. Amarre as mãos dela, mandou. Kevin assim o fez. Ele os conduziu até o quarto ao lado da porta da frente e mandou Kevin se deitar. Amarrou as mãos dele uma à outra e os pés à coluna da cama.

Até agora, tudo bem.

Vocês têm algum dinheiro?, perguntou.

Kevin entregou três dólares que tinha no bolso da frente da camisa. Tinha mais oito na carteira, mas não contou isso para o ladrão.

Rader levou a garota de volta ao outro quarto. Ele a sentou em uma cadeira, a amarrou com meias de náilon e atou os tornozelos da moça. Remexendo pela casa, encontrou mais dez dólares. Gritou para avisar que descobrira o dinheiro. Queria que pensassem que era apenas um assalto, que sobreviveriam, caso se comportassem. *Acalme-os*, pensou. Ele os obrigou a contar onde estavam as chaves do carro. Precisaria de um meio de transporte depois que terminasse.

Era hora de um pouco de música. Ele ligou o aparelho de som, aumentou o volume. Àquela altura já sabia, com base no Projeto Pequena Mexicana, que haveria sons de engasgo, portanto a ideia era matá-los em quartos separados. Não queria que nenhum dos dois ouvisse ruídos estrangulados e começasse a se debater. Decidiu matar o homem primeiro, para eliminar a ameaça maior. Tinha feito o mesmo em janeiro. Passou uma meia de náilon em volta do pescoço de Kevin e começou a puxar.

E foi então que o Projeto Apagar as Luzes saiu dos trilhos. Kevin rompeu as amarras da perna, levantou-se de um pulo e avançou sobre ele, com as mãos ainda amarradas às costas.

Rader sacou a Colt .22 e atingiu Kevin na cabeça. Ele caiu, e o sangue escorreu pelo chão. Rader ficou atordoado.

Ele correu para o quarto ao lado. A garota estava se debatendo e gritando. "O que você fez com meu irmão?"

Então o cara era um irmão.

Está tudo bem, disse Rader. Ele tentou resistir, então tive que atirar, mas acho que vai ficar bem. Quando eu for embora, vou chamar a polícia e pedir para desamarrarem vocês dois.

Ela continuou a se debater. Rader correu até o outro quarto e chutou Kevin para se certificar de que estava morto. Não estava. Kevin levantou de um pulo, avançou contra ele outra vez, rompeu as amarras do pulso e agarrou a arma. Por alguns instantes, Rader achou que morreria bem ali: Kevin levou o dedo ao gatilho e tentou puxá-lo. Eles lutaram com todas as forças, grunhindo de dentes cerrados, até que Rader se libertou e baleou Kevin no rosto, derrubando-o de novo.

Rader correu de volta para a mulher. Ela se debatia como um pássaro em uma armadilha. Ele pegou um pedaço de pano, passou-o em volta do pescoço dela e começou a puxar. Ela se soltou da cadeira. Ele desejou ter levado a própria corda.

Estava se sentindo aterrorizado àquela altura, e a socou no rosto, na cabeça, nos ombros. Ela tentou lutar, tentou se desvencilhar.

Alguém deve ter ouvido aqueles tiros, pensou ele.

Rader sacou uma faca; ela lutava como um animal selvagem. Como uma tigresa, conforme descreveria mais tarde. Ele a esfaqueou nas costas, uma vez, então duas, e depois mais outra, então a virou e a esfaqueou na barriga, mas ainda assim ela resistia. *Meu Deus*, pensou ele, *quantas facadas são necessárias?* Nas revistas sobre investigações, diziam para acertar os rins e os pulmões. Ele a esfaqueava enquanto os dois se engalfinhavam ao redor do quarto, manchando as paredes de sangue. Ela enfim foi ao chão.

E ele ouviu um barulho... vindo do quarto ao lado.

Merda!, pensou.

Rader correu para onde tinha deixado o irmão. Kevin tinha sumido.

Correu até a porta da frente; estava aberta.

Estou frito, pensou. Ele saiu, coberto de sangue nas mãos, nas roupas e até nos sapatos de camurça.

Viu o irmão correndo rua acima.

O jogo acabou, pensou Rader. *Estou acabado.*

Correu de volta para a mulher.

Ela gemia no chão, com sangue se esvaindo de onze ferimentos. Seria melhor atirar nela? *Que diferença isso vai fazer agora?* O irmão estava vivo e à solta e poderia identificá-lo. *Saia daqui.*

PROFILE

Abril a julho de 1974

5. LIÇÕES A APRENDER

Kevin Bright correu até dois vizinhos, William Williams e Edward Bell. Contou que o homem que atirou nele ainda estava na casa de sua irmã. "Ele está lá agora, acabando com a minha irmã", disse Bright. "Por favor, me ajudem."

Eles chamaram a polícia, depois levaram Bright ao Centro Médico Wesley. Eram 14h05. A central passou um rádio: "Assalto a residência em progresso". O policial Dennis Landon se dirigiu à porta dos fundos. Ninguém atendeu à sua batida. O policial Raymond Fletcher entrou pela porta da frente, com sua pistola .357 em mãos. Encontraram uma mulher sangrando no chão da sala de estar, com o telefone na mão. Tinha rastejado para fora do quarto. Sua pele estava pegajosa ao toque. Sua respiração estava superficial, seu rosto, acinzentado.

"Aguente firme", disse Fletcher. "A ajuda está a caminho."

Landon a virou de costas.

"O que aconteceu?", o policial perguntou.

Ela levantou a blusa. Landon viu ferimentos de faca, pelo menos três.

"Você conhece quem fez isso?"

Ela fez que não com a cabeça.

"Qual é seu nome?"

"Kathryn Bright." Sua voz estava fraca.

"Quantos anos você tem?"

"Vinte e um."

Eles pressionaram panos de prato contra os ferimentos e elevaram suas pernas para mandar o sangue que restava para a cabeça. Landon viu meias de náilon amarradas em seus punhos. Havia um cachecol azul e um fio presos em volta do pescoço. A mão direita dela agarrava um trapo branco, e os tornozelos estavam atados com uma meia de náilon.

"Não consigo respirar", disse ela a Landon. "Por favor, desamarre meus tornozelos." Landon sacou um canivete e cortou o náilon. A moça estava coberta de sangue: rosto, cabelos, mãos, barriga. Sangrava pela narina esquerda, e o rosto estava gravemente machucado. Ela estava perdendo a consciência.

Eles lhe disseram que a ambulância estava a caminho e que ela ficaria bem. Mas então o rosto dela começou a ficar roxo.

Ela agarrou o braço de Fletcher.

"Não consigo respirar", disse. "Me ajude."

• • •

O fio usado pelo BTK ainda estava amarrado em volta da garganta de Kevin quando ele deu entrada no Wesley. Kathryn chegou em uma ambulância minutos depois. O policial Ronald Davenport observava enquanto os funcionários do hospital a viravam para olharem as costas. Mais ferimentos de facadas.

"Me ajude", pediu ela.

Estava fraca demais para fornecer alguma informação. Davenport e outros policiais perguntaram a Kevin o que tinha acontecido. Ele tentou falar, mas engasgou com sangue. A bala que atingiu o maxilar superior tinha arrancado dois dentes; os policiais mais tarde os encontraram na casa de sua irmã. Kevin tinha queimaduras de pólvora no rosto. A outra bala atingira a testa de raspão. Os médicos o mandaram para a unidade de tratamento intensivo.

Kathryn morreu quatro horas depois.

• • •

Mais tarde, Kevin contou para a polícia que morava em Valley Center, mas que dormira na casa da irmã na noite anterior porque tinha nevado e era melhor não voltar dirigindo para casa.

Para um rapaz de sua compleição física, Kevin resistira de forma notável. Aos dezenove anos, tinha apenas 1,67 m de altura e pesava só 52 kg, o mesmo que Josie Otero. Fora baleado duas vezes na cabeça, e ainda assim lutara com bravura. Kevin relatou que o assassino era muito maior: 1,80 m de altura, por volta de 82 kg, talvez 28 anos, pele clara, bigode, cabelos escuros. Estava usando uma toca preta e amarela — as cores da Universidade Estadual de Wichita—, luvas, uma parca e um casaco do exército com pele em volta do capuz. Usava um relógio prata no braço esquerdo, do tipo com pulseira ajustável.

"E estava suando bastante", contou Kevin.

Os policiais trabalharam com empenho no caso, mas não chegaram a lugar nenhum. E, com Kevin dando respostas às vezes conflitantes, não tinham certeza de que sua descrição do agressor era muito sólida.

Alguns especularam que o assassinato de Kathryn Bright estava relacionado aos assassinatos dos Otero. Kathy e Kevin tinham trabalhado na Coleman — assim como Julie Otero.

Mas outros policiais refutavam a ideia. Ainda acreditavam que havia uma ligação dos Otero com o tráfico de drogas comandado por latino-americanos. E havia diferenças nos dois casos — os Otero foram estrangulados e asfixiados; os Bright foram estrangulados, baleados e esfaqueados.

● ● ●

Rader correu com os sapatos manchados de sangue ao longo de diversos quarteirões até seu carro. Dirigiu até a casa dos pais, que moravam perto do filho. No barracão de ferramentas do lado de fora da residência, em uma velha caixa de madeira cheia de serragem, escondeu suas armas. Despiu as roupas e os sapatos ensanguentados e colocou-os no galinheiro; ele os queimaria mais tarde. Então se limpou, voltou para a esposa em casa e fingiu que nada fora do comum acontecera.

Tinha certeza de que seria preso. Mas um dia se passou, então outro. Ele assistia à televisão e lia os jornais. Os policiais não tinham descoberto nada.

Começou a escrever um extenso documento, "Uma Morte em Abril", conforme o intitulou; sete páginas, com espaçamento simples.

Recortou uma foto de Kathryn do jornal. Pensou a respeito da possibilidade de ser esperto demais para ser capturado. Isso lhe deu outra ideia.

Por que não se divertir um pouco com o jornal? Por que não se pavonear um pouquinho?

•••

Na noite do dia 7 de julho de 1974, seis meses depois dos assassinatos dos Otero, quatro pessoas na casa dos vinte anos foram mortas após uma briga por causa de 27,50 dólares. Três das vítimas morreram em uma casa geminada no número 1117 da Dayton Street, na zona oeste de Wichita. O assassino e seu cúmplice levaram a quarta vítima, uma moça de 21 anos chamada Beth Kuschnereit, até uma região rural do condado vizinho de Butler.

O homem com o revólver calibre .38 era James Eddy Bell, o grandalhão ameaçador que preocupava Kenny Landwehr e outros bebedores de cerveja no Old English Pub.

Kuschnereit implorou a Bell. Ele lhe deu dois minutos para rezar, depois atirou em seu rosto. Como contou mais tarde, "explodiu a cabeça dela".

Bell e seu cúmplice foram presos, julgados e condenados.

Foi o segundo homicídio quádruplo naquele ano, e deixou todos na cidade em choque. Apenas dezessete pessoas tinham sido assassinadas em Wichita no ano anterior, e os policiais conseguiram resolver todos os casos.

Landwehr ficou mais perturbado pelas mortes na Dayton Street do que quando soube do assassinato dos Otero. Ele conhecia as pessoas da Dayton Street e, quando caminhava até o pub, o que acontecia com bastante frequência, passava diante da casa geminada onde as três mortes ocorreram. Ele ainda pensava em se candidatar para o FBI depois da faculdade, mas àquela altura isso não parecia tão importante. O FBI não tinha um departamento de homicídios.

PROFILE

profile

BTK

DENNIS LYNN RADER

ROY WENZL / TIM POTTER / HURST LAVIANA / L. KELLY

Outubro de 1974

6. O MONSTRO COMO MUSA

Vários meses depois dos assassinatos dos Otero, três sujeitos tagarelas que cumpriam pena de prisão começaram a insinuar que conheciam os detalhes dos crimes. Os investigadores logo perceberam que era papo furado, mas não antes que a história fosse publicada no *Eagle*.

Essas especulações aborreceram o único homem que conhecia a verdade. E ele queria receber os créditos.

• • •

Alguns dias depois da publicação da matéria, o colunista do *Eagle* Don Granger recebeu um telefonema.

"Escute aqui, e com bastante atenção", disse uma voz rouca. "Eu só vou dizer isso uma vez." O homem tinha um sotaque do Centro-Oeste, com um tom firme e agressivo, como se gostasse de dar ordens. "Tem uma carta sobre o caso Otero em um livro na biblioteca pública", informou. Ele revelou a Granger qual era o livro, depois desligou.

Granger sabia por que o telefonema tinha sido para ele. Meses antes, o *Eagle* oferecera 5 mil dólares para qualquer um que fornecesse informações úteis a respeito do caso da família Otero. Granger havia se oferecido para atender às ligações.

No entanto, o homem que fez o telefonema não mencionou a recompensa.

· · ·

O *Eagle* fizera um pacto com as autoridades policiais de acordo com o que seus editores consideravam ser mais benéfico para a comunidade à época: seria estabelecido um programa de "Testemunha Secreta" para obter e transmitir as informações que o jornal recebesse a respeito do assassino dos Otero. Respeitando o que havia sido acertado, Granger ligou para a polícia logo depois de receber a estranha ligação. Anos mais tarde, alguns repórteres e editores viriam a criticar sua conduta, dizendo que Granger deveria ter pegado a carta primeiro e feito uma cópia para o jornal, mas na década de 1970 a direção do *Eagle* achava que ajudar a capturar o assassino era mais importante do que conseguir um furo — ou desafiar as táticas investigativas.

Bernie Drowatzky encontrou a carta no exato lugar onde o homem que ligara para Granger disse que ela estaria, dentro do livro *Applied Engineering Mechanics*. Drowatzky levou o documento para o chefe de polícia Floyd Hannon. O texto continha tantos erros gramaticais que alguns policiais acharam que quem o redigiu tinha alguma deficiência mental, ou então estava tentando disfarçar seu estilo de escrita.

> Escrevo esta carta em prol dos contribuintes assim como de seu tempo. Aqueles três cara que vocês têm em custódia só estão falando para conseguir publicidade pelos assassinatos dos Otero. Eles não sabem de nada. Eu fiz aquilo sozinho e sem ajuda deninguém. Também não teve nenhuma conversa sobre isso.
> Vamos esclarecer os fatos.........

A carta então descrevia com precisão as posições dos corpos de todas as quatro vítimas, e identificava a corda, o fio e os nós que as prendiam. As anotações sobre Josie Otero na carta, por exemplo, informavam:

> Josephine:
> Posição: Pendurada pelo pescoço na área noroeste do porão. Secadora ou freezer a norte do seu corpo.
> Amarras: Mão amarrada cum fio de persiana. Pés e partes inferiores dos joelhos, parte superior dos joelhos e cintura com corda de varal. Tudo do mesmo cumprimento.

Garrote: Corda de cânhamo ¼ de diâmetro, nó
de forca com quatro ou cinco voltas. Nova.
Roupas: Escuras, sutiã cortado no meio, meia.
Morte: Estrangulamento uma vez, enforcada.
Comentários: Resto das roupas dela n pé da escada, calça
verde e calcinha. O óculos dela no quarto sudoeste.

A carta continha detalhes que apenas a polícia e o assassino conheciam. O escritor parecia confirmar a suspeita de Cornwell de que o
criminoso havia torturado os Otero: ele afirmava que havia estrangulado Julie duas vezes.

Sinto muito que isso acontece com a sociedade. São eles que
sofrem mais. Difícil me controlar. Vocês provavelmente me
chamam de "psicótico com perversão sexual por enforcamento".
Onde esse monstro entra no meu cérebro eu nunca vou saber.
Mas, ele aqui para ficar. Como alguém pode se curar? Se
você pede ajuda, que você matou quatro pessoas, eles dão
risada ou apertam o botão de pânico e chamam os tiras.
Não posso parar assim, o monstro segue em frente, e me machuca
a sim como a sociedade. A sociedade pode ficar agradecida de haver
maneiras para pessoas como eu se aliviarem às vez fantasiando com
alguma vítima sendo tortorada e sendo minha. É um jogo grande
compicado meu amigo do monstro brincar de diminuir o número
de vítimas, seguir elas, dar uma olhada nelas esperando no escuro,
esperando, esperando...... a pressão é grande e asvezes ele joga o jogo
do jeito que quer. Talvez vocês podem impedir ele. Eu não consigo.
Ele já escolheu a próxima vítima ou vítimas eu ainda
não sei quem elas são. No dia depois que eu ler o jornal, eu
vou saber, só que tarde de mais. Boa sorte na caçada.
ATENCIOSAMENTE, VERDADEIRAMENTE CULPADO

A carta deixou os investigadores doentes de raiva. Eles vinham fra-
cassando em capturar o assassino havia nove meses, e ele ainda dizia
que iria matar de novo. Tinha até inventado um nome para si, como
se fosse um novo Estrangulador de Boston ou Jack, o Estripador.

P.S. Como criminosos sexuais não mudam o modus operandi
ou por natureza não consegue fazer isso, eu não vou mudar
o meu. As palavras chave para mim vão ser... amarrar
elas, torturar elas, matar elas, B.T.K., vocês vão ver elas
em ação de novo. Elas vão estar na próxima vítima.

• • •

A carta era uma pista, mas Hannon — que em janeiro conversara
com repórteres duas vezes ao dia com atualizações sobre o caso —
a manteve em segredo naquele momento. Ele achava que difundir
aquele conteúdo poderia deixar as pessoas em pânico e fornecer instruções detalhadas para eventuais imitadores. E também temia que
a publicidade viesse a instigar o BTK a matar outra vez.

Alguns policiais sugeriram que o egocentrismo evidente do BTK
poderia ser usado contra ele, e telefonaram para os editores do *Eagle*.

Alguns dias depois, o *Eagle* começou a publicar um anúncio pessoal:

B.T.K.
Há ajuda disponível.

O anúncio fornecia um número de telefone e, por uma questão de
conveniência, pedia que o BTK ligasse antes das 22h.

A polícia também conversou com Granger.

Poucos dias mais tarde, na manhã de Halloween, o *Eagle* publicou
uma coluna escrita por Granger, um tanto escondida na página 8D,
que se tornou a primeira menção ao BTK nos noticiários. No texto,
Granger não mencionou que recebera um telefonema nem que a polícia tinha uma carta. O jornal sabia mais a respeito do caso do que
estava publicando, mas isso mantinha o sigilo desejado pela polícia,
uma decisão que mais tarde alguns repórteres vieram a criticar. Granger apenas pediu que o BTK ligasse para ele:

Ao longo da última semana, a polícia de Wichita vem tentando
entrar em contato com um homem que possui informações
importantes a respeito do caso do assassinato dos Otero
— um homem que precisa de ajuda com urgência.

O leitor pode ter notado um anúncio nos classificados
publicado no topo de nossa coluna "Pessoal" na sexta-feira,
sábado, domingo, segunda-feira e terça-feira. [...]

Realmente existe um "b.t.k.". A autoridades policiais não podem revelar como sabem disso, mas estão convencidas de que o b.t.k. tem informações a respeito dos assassinatos de Joseph Otero, de sua esposa e de dois de seus filhos. [...]

Granger informou que o número de telefone no anúncio estava sendo monitorado "por policiais prontos para ajudarem o b.t.k.".

Havia uma alternativa, Granger destacou. O colunista estava disposto a conversar pessoalmente com o btk, e para demonstrar sua solicitude forneceu os números dos telefones de seu escritório e de sua residência.

Isso pode me expor a uma boa quantidade de trotes e pegadinhas, mas o incômodo valerá a pena, se ao menos conseguirmos proporcionar ajuda a um homem perturbado.

O btk não entrou em contato. Rader estava mais ocupado do que nunca. Alguns dias depois da publicação da coluna de Granger, o btk foi trabalhar para a empresa de alarmes de segurança adt.

Depois dos assassinatos dos Otero e de Bright, a adt vinha prosperando com as instalações de alarmes residenciais. O novo emprego colocava o btk dentro das casas como instalador.

Rader se divertia com a ironia.

O COLUNISTA DO *EAGLE* DON GRANGER RECEBEU O PRIMEIRO TELEFONEMA DO BTK.

Dezembro de 1974 a março de 1977

7. UM FURO JORNALÍSTICO

O *Eagle* mantivera a reivindicação do BTK a respeito do assassinato dos Otero em segredo porque a polícia alegou que a publicidade poderia incitá-lo a matar de novo. Mas havia outro jornal na cidade naquela época, o semanal *Wichita Sun*, que empregava uma repórter chamada Cathy Henkel, cuja opinião era um tanto diferente. No dia 11 de dezembro de 1974, dois meses depois de a polícia encontrar a mensagem do BTK na biblioteca, o *Sun* publicou uma matéria na qual Henkel revelava ter recebido uma cópia da carta do BTK de uma fonte anônima. Ela relatou que BTK significava "*bind, torture and kill*", e que o assassino ameaçara atacar de novo.

A reportagem deixou as pessoas assustadas, como o chefe de polícia Hannon temia, mas também as instigou a tomarem precauções. Henkel escrevera a matéria em parte porque achava que as pessoas tinham o direito de saber que alguém as estava seguindo. Ela consultara psicólogos sem ligações com a polícia antes da publicação. Embora os policiais tivessem dito que *revelar* o segredo poderia encorajar o BTK a matar de novo, os psicólogos argumentavam o oposto: como era provável que o BTK quisesse atrair os holofotes, *manter* o segredo poderia incitá-lo a matar.

• • •

Quando o *Sun* publicou o artigo, a polícia já tinha interrogado mais de 1.500 pessoas sobre os assassinatos dos Otero. A partir de então, as linhas do disque-denúncia ficaram congestionadas de vez. Pessoas suspeitavam de vizinhos e colegas de trabalho. Algumas denunciaram os próprios pais ou filhos. Nenhuma das pistas deu em alguma coisa.

O assassinato dos Otero completou um ano sem solução.

• • •

Floyd Hannon se aposentou como chefe de polícia no dia 31 de maio de 1976. Considerava seu fracasso em capturar o BTK uma mancha em sua carreira.

O administrador municipal da cidade, Gene Denton, designou Richard LaMunyon, o capitão do departamento de narcóticos, para o posto de Hannon. LaMunyon aparentava ser mais novo do que seus 36 anos. A escolha surpreendeu comandantes mais antigos. O costume era que as promoções se dessem com base na senioridade; haviam homens muito mais velhos no topo.

LaMunyon, por sua vez, passou a ser conhecido como "Chefe Menino". Denton considerava sua juventude uma vantagem: ele queria um chefe de polícia que pensasse de maneira diferente.

LaMunyon, em sua primeira reunião de pessoal, tomou seu lugar na cabeceira da mesa e quebrou o gelo com uma piada: "Então, rapazes, o que vamos fazer agora?" Nos meses que se seguiram, ele logo tratou de estabelecer um novo tom e começou a substituir homens mais velhos por mais novos. Em pouco tempo, pessoas ainda na casa dos vinte anos se tornaram supervisores de patrulha ou detetives.

O novo chefe de polícia dava grande importância à formação dos agentes. Tinha mestrado em administração, mas não era um reles burocrata. Em 1966, dez anos antes, LaMunyon e dois outros policiais sobreviveram a uma briga que quase tirou suas vidas. O agressor tinha nocauteado seu parceiro e jogado LaMunyon por cima do capô de uma viatura. O revólver de serviço de LaMunyon caiu no chão. O criminoso o apanhou e o enfiou dentro da garganta de um terceiro policial.

LaMunyon agarrou a mão do homem que segurava a arma, que disparou, arrancando os dedos médio, anelar e mínimo da sua mão direita. LaMunyon sacou seu bastão expansível tático com a esquerda e espancou o agressor até fazê-lo perder os sentidos. Os médicos conseguiram reconectar os dedos de LaMunyon, mas eles permaneceram sem movimento para o resto de sua vida.

• • •

Uma das primeiras coisas que o novo chefe de polícia fez foi estudar os arquivos do BTK. O caso tinha que ser prioridade máxima, decidiu.

Ele nunca conseguiu afastar a imagem de Josie Otero da mente.

• • •

Com o mês de março de 1977 chegaram também os pássaros e as floradas da primavera. Não houvera mais nenhuma carta do BTK desde a mensagem de outubro de 1974, quando ele ameaçara matar outra vez. Mas isso não aconteceu.

Rader vinha instalando alarmes residenciais para a ADT e frequentando a Universidade Estadual de Witchita, a UEW. Estava ocupadíssimo em casa. Sua esposa tinha dado à luz um filho aproximadamente nove meses depois de ele ter escrito a carta sobre o assasinato dos Otero. Eles o batizaram de Brian.

Rader tinha se casado em 1971, dois anos e oito meses antes de matar os Otero e enquanto cursava o Butler Community College, em El Dorado, a 40 km de Wichita. Sua então noiva, Paula Dietz, trabalhava na época como secretária para a Legião Americana. Para a cerimônia de matrimônio, na Igreja Luterana de Cristo, dois de seus três irmãos mais novos foram seus padrinhos.

Ele parecia adorar Paula; as pessoas notavam que sua voz e postura ficavam mais brandas ao falar dela.

Anos mais tarde, em um tom reflexivo, Rader viria a comentar que a família o atrapalhou: Eu tinha uma esposa, tinha que trabalhar, sabe, não podia sair. Quando você mora em casa com uma esposa, não consegue sair e perambular por aí até as três ou quatro horas da manhã sem que sua mulher fique desconfiada.

No entanto, ele nunca parou de sair para pescar e perseguir.

PROFILE

profile

BTK

DENNIS LYNN RADER

ROY WENZL / TIM POTTER / HURST LAVIANA / L. KELLY

17 de março de 1977

8. BRINQUEDOS PARA AS CRIANÇAS

Era Dia de São Patrício. Rader recordaria mais tarde que houve um desfile no centro da cidade. Sua esposa estava no trabalho; as atividades na Universidade Estadual de Wichita estavam em recesso de primavera.

Ele calçou sapatos sociais, belas calças e um blazer de tweed. Achava que estava bem elegante, como James Bond. Levava uma maleta com suas ferramentas — fita adesiva, fios, arma, sacolas plásticas. E uma fotografia. Era uma ferramenta também — ele a mostraria para fazer com que as pessoas pensassem que era um detetive procurando um menino perdido.

Ele saíra para pescar, escolhera novos alvos, então recuara. Assassinato em série era como pescaria, confessaria mais tarde: às vezes, a pessoa dá azar. Ou acaba se enrolando com obrigações, trabalho, escola.

Seu alvo principal naquele dia morava no número 1207 da South Greenwood. Se esse não desse certo, uma segunda opção estava a apenas um quarteirão a leste, no número 1243 da South Hydraulic. Havia um beco atrás desse endereço, um lugar para se esconder. E, se esses alvos não rendessem, ele tinha outro reserva, e mais outro. Seguira diversas mulheres, alternando a vigilância entre uma e outra durante semanas, tomando notas, analisando rotas de fuga. Suas, não delas.

Ele sabia que uma das três jovens na casa da Hydraulic se chamava Cheryl. Era uma mulher promíscua, em sua opinião; ele a vira beber e festejar no Blackout, um bar universitário. Depois a seguira até sua casa, e a espionara, junto com as colegas com quem morava, por semanas. Projeto Blecaute, ele a denominou.

• • •

Cheryl Gilmour morava com uma amiga, Judy Clark. A terceira "mulher" que Rader notara era a irmã de dezesseis anos de Judy, Karin, que se hospedava na casa com frequência.

Duas casas depois, no número 1311 da South Hydraulic, havia outra mulher, com três filhos. Rader não a tinha selecionado. Ela apenas morava na vizinhança. Seu nome era Shirley Vian, e ela e todos os filhos estavam gripados. Quando os filhos ficaram com fome na hora do almoço, ela ligou para o mercado Dillons, que ficava a um quarteirão de distância, e informou que estava mandando um de seus garotinhos para comprar comida.

Steven, de seis anos, comprou sopa e voltou para casa, onde sua mãe lhe disse que ele tinha comprado a lata errada.

Ele voltou ao Dillons e comprou a sopa que ela queria. Um pouco antes de chegar em casa, um homem alto com uma maleta o parou e lhe fez uma pergunta.

• • •

O alvo principal no número 1207 da South Greenwood não deu certo; ninguém atendeu quando Rader bateu. Ele ficou parado um instante, segurando a maleta. Pensou em arrombar a porta, como tinha feito na casa de Bright, mas decidiu que não queria se arriscar a amarrotar suas belas roupas. Decidiu ir à casa do Projeto Blecaute, e caminhou até a South Hydraulic. Quando chegou lá, viu um menininho carregando uma lata de sopa andando em sua direção.

Era hora de bancar o detetive. Ele sacou uma foto da esposa e do filho.

Você viu essas pessoas?, perguntou ele.

O menino olhou para a foto.

Não, respondeu.

Tem certeza?

Sim.

O menino se afastou.

Rader o observou por um instante e então foi até a porta do Projeto Blecaute. Voltou a dar uma espiada na rua e pegou o menino olhando para ele.

Rader bateu à porta do Projeto Blecaute. Quando ninguém atendeu, foi até a casa do menino.

• • •

Seu irmão e sua irmã estavam brincando quando Steven chegou em casa; Bud tinha oito anos, e Stephanie, quatro. Steven se enfiou na cama com a mãe. Instantes depois, ouviu uma batida e disparou até a porta. Bud também; eles gostavam de disputar corridas. Steven ganhou de Bud dessa vez e abriu a porta, mas apenas uma fresta. Ele deu uma espiada. Era o homem da maleta.

A mãe de Steven vestiu o roupão e foi até a porta. O homem se erguia acima das crianças enquanto espiava através da fresta. Quando viu a mãe, empurrou a porta para abri-la.

Sou um detetive, informou ele.

Ele mostrou a Shirley um cartão de visitas falso. Deu um passo para dentro, depois outro. Então fechou a porta e sacou a arma.

Não machuque a gente, pediu Shirley.

Rader falou algumas coisas para tranquilizar Shirley, parecidas com as que dissera aos Otero e aos Bright. Mas então embelezou sua história: ele tinha um problema com fantasias sexuais. Iria amarrá-la, fazer sexo, tirar algumas fotos. Não seria agradável, afirmou, mas todos ficariam bem.

Ele viu que Shirley usava um roupão azul por cima de uma camisola rosa e parecia doente. Ela tinha acendido um cigarro. Ele a olhou com desgosto: estava acabada. As crianças estão doentes, ela avisou; estamos doentes há dias. Ela tentou convencê-lo a ir embora enquanto ele fechava as cortinas. Rader falou com severidade. Não tem mais volta, afirmou.

O telefone tocou.

Alguém estava ligando para ver como ela estava, informou Shirley, porque estava doente e não levara as crianças para a escola.

Podemos atender?, perguntou Steven.

Não, mandou Rader.

Eles deixaram tocar. Isso o deixou nervoso; quem estava telefonando poderia decidir passar por lá. Teria que agir depressa agora. Avisou a mãe que amarraria as crianças.

Não faça isso, pediu ela.

Eu preciso, argumentou ele, abrindo a maleta — seu kit de ataque, conforme o chamava. Tirou a corda e começou a amarrar o menino mais velho, que reagiu gritando.

Frustrado, ele mandou que a mãe o ajudasse a trancar as crianças no banheiro, que tinha duas portas. Ele fechou a porta da esquerda amarrando-a pelo lado de dentro, enrolando o fio em volta da maçaneta e o amarrando embaixo da pia. Havia brinquedos no chão da sala de estar: um avião, um caminhão de bombeiros, um carrinho. Rader os largou no chão do banheiro para as crianças e jogou cobertores e travesseiros para dentro. Para confortá-los, conforme explicou mais tarde. Vocês ficam aqui dentro, falou às crianças. Elas pareciam assustadas, mas ele falava baixinho para manter todos calmos.

Levou a mãe para dentro do quarto dela, fechou a porta da direita do banheiro e posicionou a cama na frente da passagem para bloqueá-la. Quando terminasse com a mãe, talvez enforcasse a menininha, se houvesse tempo, mas ele estava aborrecido com o telefone tocando. Alguém sempre o interrompia.

Ele tirou as roupas da mulher.

Ah, estou muito doente, queixou-se ela.

Ele enrolou fita isolante em volta dos antebraços e panturrilhas de Shirley. Havia uma sequência no que ele fazia: primeiro prendia as pessoas com fita, porque isso as deixava sob controle com rapidez. Então poderia se demorar enquanto as amarrava com fios com vários nós.

Rader atou os punhos dela com fio e uma meia de náilon, em seguida atou os tornozelos com fio. No banheiro, as crianças gritavam, batendo na porta. "Deixe minha mãe em paz, deixe minha mãe em paz, vá embora daqui!", berrava Steven. "Eu vou fugir daqui!"

Não acho que você vai querer fazer isso, gritou Rader em resposta. Vou arrebentar sua cabeça!

Com as cortinas fechadas, estava escuro no quarto ao meio-dia. Ele forçou a mulher a se deitar de bruços na cama, a cabeça virada para o pé da cama. Amarrou os pés à grade da cabeceira de metal e passou um fio longo até a garganta.

Ela vomitou no chão.

Ah, bem, pensou Rader. *Ela disse que estava doente.* E ele avisara que aquilo não seria agradável. *Não para ela, pelo menos.*

Rader se dirigiu até a cozinha e pegou um copo d'água para ela, para confortá-la, ou pelo menos foi o que disse mais tarde. Ele se considerava um cara legal. Quando Julie Otero reclamara que suas mãos estavam ficando dormentes por causa das amarras, ele as ajustara. Quando Joe dissera que seu peito doía de ficar deitado no chão com as costelas quebradas, ele buscara um casaco para colocar sob seu corpo. E naquele momento, no quarto escuro da casa na Hydraulic, deu um gole de água para a mulher doente.

Em seguida apanhou uma sacola plástica de seu kit de ataque e a enfiou na cabeça da mulher. Pegou o fio amarrado à cama e passou uma das pontas em volta do pescoço dela quatro ou cinco vezes, por cima da camisola cor-de-rosa.

E puxou. Ele enrolara o fio de modo que, quanto maior fosse a resistência dela, mais o aperto se intensificasse. As crianças gritavam mais alto e batiam as mãos na porta de madeira enquanto a mãe morria.

Ele se levantou, decepcionado.

Queria fazer mais — sufocar os meninos, enforcar a menina. Mas o telefonema o preocupava.

Antes de sair, roubou duas calcinhas da mulher.

PROFILE

profile

BTK
DENNIS LYNN RADER
ROY WENZL / TIM POTTER / HURST LAVIANA / L. KELLY

Março de 1977

9. UM DEBATE INTENSO

Bud, de oito anos, pegou um objeto pesado e estilhaçou a vidraça inferior da janela do banheiro. Eles ainda estavam gritando, e Steven ficou com medo de que Bud levasse bronca por ter quebrado a janela. Mas, depois que Bud se arrastou para fora, Steven o seguiu, saltando para o chão. Eles correram para a porta da frente, depois para o quarto da mãe.

Descobriram que o homem tinha ido embora, e encontraram a mãe amarrada, com uma sacola na cabeça. Ela não estava se mexendo.

• • •

Às 13h, a central da polícia mandou uma mensagem enigmática via rádio para o policial Raymond Fletcher. "Me ligue de volta de um telefone." Operadores da central de polícia solicitavam um telefonema em ocasiões nas quais queriam uma conversa particular em vez de fazer uma transmissão através dos canais da polícia. Quando Fletcher ligou, o operador lhe passou um endereço e contou que havia uma denúncia de homicídio.

Na South Hydraulic, James Burnett acenou para que Fletcher parasse e informou que dois dos filhos da vizinha tinham aparecido em sua casa aos gritos. Sharon, sua esposa, tinha corrido até a casa dos garotos. Na sala de estar, viu uma menininha sentada no chão, chorando. No quarto, Sharon Burnett encontrara a mãe morta.

James Burnett levou Fletcher até a casa de Shirley Vian. Uma ambulância estava a caminho. Fletcher, um ex-paramédico, tentou sentir seu pulso assim que a viu, do mesmo modo que fizera quando foi o primeiro dos dois policiais a entrar na casa de Kathryn Bright. Notou um tremor sob a ponta dos dedos da vítima, não uma pulsação, mas um latejar fraco. Fletcher arrancou o fio e a camisola, mas tomou cuidado para deixar os nós intactos. Iniciou o procedimento de reanimação cardiopulmonar, fazendo pressão no tórax da mulher. Os bombeiros estavam entrando. Pediu a eles que preservassem os nós — eram provas.

Estava tão escuro, com as cortinas fechadas, que eles mal conseguiam enxergar. Carregaram a mulher para a sala de estar e recomeçaram a RCP.

Era tarde demais.

Fletcher passou um rádio para a central. Mande os investigadores, pediu. É um homicídio.

Na sala de estar, Fletcher viu a menina sentada em um sofá, ainda chorando.

Colocou os nós de lado com cuidado e analisou os cômodos e o corpo. Não lhe ocorreu que aquele assassinato pudesse ter sido cometido pelo mesmo sujeito que matara Kathryn Bright. Além de um filete escorrendo da orelha de Shirley, não havia sangue. Mas algo naquela cena lhe parecia familiar: os nós e as amarras múltiplas, a sacola por cima da cabeça da vítima. Havia visto coisas assim nos relatórios sobre o caso Otero. E se lembrava de que Josie Otero fora violentada sexualmente. Fletcher fez uma busca pela casa, procurando manchas de sêmen. Não encontrou nenhuma, mas ligou para a central.

"A coisa aqui está parecida com o caso Otero."

• • •

Muitos dos policiais que apareceram na casa de Shirley Vian pensaram o mesmo. Bob Cocking, o sargento encarregado de isolar a cena do crime, expressou isso em alto e bom som para os investigadores assim que chegaram. Recebeu como resposta que não sabia o que estava falando. Sentindo-se insultado, Cocking virou as costas e foi embora.

Mas os investigadores não estavam discutindo apenas com policiais. Estavam se desentendendo também entre si. Os supervisores mandaram que parassem de tentar adivinhar e trabalhassem com as provas disponíveis. Se o BTK tivesse assassinado Shirley Vian, isso significava que se tratava de um assassino em série, e o alto-comando não queria tirar conclusões precipitadas nem espalhar o pânico.

Alguns policiais já estavam vazando informações que apareceriam no jornal do dia seguinte. Os supervisores então foram para fora da casa e anunciaram que as evidências de uma ligação entre os crimes eram incertas.

O repórter policial do *Eagle*, Ken Stephens, não engoliu a explicação e escreveu uma matéria destacando as similaridades entre os casos Otero e Vian.

• • •

Bill Cornwell, investigador-chefe do departamento de homicídios, visitara a cena de Vian "apenas para ter certeza de que não era o assassino dos Otero outra vez". Ele, em particular, assinalou toda uma variedade de diferenças entre os casos: não havia sêmen, e a linha telefônica da casa de Shirley não fora cortada. Os filhos dos Otero morreram; os de Shirley sobreviveram. Mas seu instinto lhe dizia que o criminoso poderia, sim, ser o mesmo.

Cornwell e LaMunyon também ponderaram por um instante se aquele caso poderia estar ligado não apenas ao dos Otero, mas também ao assassinato não solucionado de Kathryn Bright. A maioria dos investigadores ainda achava que outra pessoa tinha matado Bright. Assim como Fletcher, o primeiro a atender os chamados nas cenas dos crimes que vitimaram Bright e Vian.

• • •

Os filhos de Shirley tentaram ajudar a polícia.

Steven, de seis anos, desmoronou, chorou e contou tudo o que tinha visto. Saíra para comprar sopa, conversara com um homem com uma maleta a respeito de uma fotografia, depois o deixara entrar. Ele se culpava por isso. Tinha permitido o acesso do assassino de sua mãe a sua casa. Disse que o sujeito estava vestido com bastante elegância. Descreveu um homem na casa dos trinta ou quarenta anos, com cabelos escuros e uma barriga saliente. Mas, enquanto o menino falava, um policial uniformizado se aproximou.

O menino apontou.

O bandido se parecia com aquele homem, disse o menino.

Os investigadores se viraram para o policial: alto, na casa dos vinte anos, com um corpo esbelto e atlético. Nada de barriga saliente. Os detetives trocaram olhares e fecharam os cadernos. A descrição do menino era inútil.

...

Àquela altura, os investigadores, e também Cornwell, já haviam rejeitado a teoria à qual se apegaram por bastante tempo: a hipótese de que os Otero foram mortos por vingança de traficantes de drogas.

Bernie Drowatzky, um dos melhores detetives de Cornwell, vinha propondo uma outra ideia. Alguns de seus chefes não lhe deram muita atenção, mas Drowatzky dizia que eles talvez estivessem lidando com um pervertido sexual que escolhia suas vítimas ao acaso. E, se o sujeito que matou os Otero tivesse também vitimado Shirley Vian, isso queria dizer que era um assassino em série.

Não, não, argumentavam outros policiais. Segundo o FBI, os assassinos em série eram raríssimos.

LaMunyon não era um detetive, mas seu instinto lhe dizia que era o mesmo sujeito. Parecia óbvio. Mas declarar isso em público poderia causar pânico. Caso as evidências comprovassem o fato, ele se posicionaria diante dos repórteres de jornal e das câmeras de TV e daria a notícia. Seria embaraçoso admitir que não era capaz de proteger a população, mas, se essa fosse a verdade, era necessário alertar as pessoas.

Nos dias que se seguiram ao assassinato de Shirley, LaMunyon e os detetives revisaram todas as similaridades e as diferenças. O assassino dos Otero os tinha confrontado com ousadia. Esse criminoso havia surpreendido Shirley e seus filhos. O assassino dos Otero amarrara as mãos das vítimas atrás das costas, assim como no novo caso. O assassino dos Otero atara os tornozelos de Joe Otero ao pé da cama; no caso de Shirley, os pés foram presos à grade da cabeceira. Em ambos os crimes, o assassino enfiara uma sacola plástica na cabeça de uma mulher.

Os policiais não encontraram nenhuma impressão digital útil em nenhuma das casas.

Alguns detetives argumentaram que não havia evidências suficientes para ligar os assassinatos. E as diferenças?

As diferenças pareciam pequenas, segundo LaMunyon.

Os investigadores chamaram atenção para outra coisa: segundo os especialistas, assassinos em série não conseguiam parar uma vez que tivessem começado. O FBI começara a estudar esse tipo de criminoso de um modo aprofundado fazia pouco tempo, mas garantia que nenhum assassino em série aguardava um intervalo de três anos para atacar de novo. Era provável que não fosse o mesmo sujeito.

No fim das contas, com base no conselho de alguns de seus detetives e em seu próprio desejo de ter mais certeza antes de se arriscar a provocar pânico, LaMunyon decidiu não fazer uma declaração desse tipo. Considerou que a publicidade poderia inspirar o BTK a matar de novo. Mas o chefe de polícia tomou sua decisão com um pensamento soturno: o estrangulador provavelmente faria com que fosse necessário rever sua opinião.

• • •

Steven Relford, o filho mais novo de Shirley Vian, viria a se tornar um adulto amargo, bêbado e drogado, que pagaria artistas para cobrir seu corpo com tatuagens de crânios. Ele sempre se lembraria dos gritos.

O BTK também se lembrava dos gritos — mas isso não o incomodava.

PROFILE

profile

BTK
DENNIS LYNN RADER
ROY WENZL / TIM POTTER / HURST LAVIANA / L. KELLY

Segundo semestre de 1977

10. UMA REVIRAVOLTA

Em 1977, os moradores de Wichita já não se sentiam seguros, nem mesmo com seus vizinhos. Para sua infelicidade, estavam se tornando mais acostumados com crimes violentos. A geração mais velha culpava a cultura do sexo, drogas e rock and roll dos anos 1960. A geração mais nova rebatia dizendo que Wichita ainda era um fim de mundo tão conservador que a década de 1960 só chegaria lá depois do fim dos anos 1970.

Alguns meses depois de Shirley Vian ser assassinada, Kenny Landwehr testemunhou um crime violento em primeira mão. Estava com 22 anos, e era um estudante de história na UEW. Cinco anos depois de se formar do ensino médio, ainda não conseguira seu diploma universitário. Sua mãe, Irene, diria mais tarde que Kenny era um jovem tão curioso que frequentou mais disciplinas do que precisava, adiando, assim, o aprendizado dos pré-requisitos do método científico para escrever a dissertação que lhe valeria o diploma de graduação.

Ele trabalhava na Beuttell's, uma loja de roupas na esquina da Twenty-first com a Broadway, no norte de Wichita, que vendia macacões para agricultores, batinas para padres e itens descolados para os clientes negros: sapatos com saltos altos, longos casacos de pele e "ternos casuais" com lapelas largas e calças boca de sino.

Landwehr gostava do dono, Herman Beuttell, que distribuía charutos para os funcionários. Kenny logo os trocou pelos cigarros, porque eram mais fáceis de fumar durante os intervalos.

Certo dia, enquanto saía para almoçar, Landwehr deu um passo para o lado para deixar dois homens entrarem na loja. Algo nas expressões deles chamou sua atenção. Pareciam... nervosos. Landwehr dobrou uma esquina e viu um Cadillac e um terceiro homem atrás do carro, encostado na parede. E também parecia apreensivo.

Carro de fuga, pensou Landwehr. *Ladrões de estabelecimentos comerciais. Estamos sendo roubados.* Ele deu meia-volta, andou de volta à loja e se viu diante do cano de um revólver. Os homens tinham ocultado os rostos com meias de náilon, mas eram os mesmos dois que encontrara na porta, e não se limitariam a cometer furtos. Um deles o empurrou até a caixa registradora.

"Deita no chão."

Landwehr obedeceu. Os ladrões amarraram seus braços e suas pernas com fios elétricos embaixo da registradora. Fizeram o mesmo com os outros dois vendedores. Um criminoso enfiou a mão embaixo da registradora e encontrou a pistola calibre .45 semiautomática de Beutell. Ele se posicionou acima de Landwehr e deslizou o mecanismo da arma, *sha-shink*, colocando um cartucho na agulha. Landwehr pensou que seria executado.

Mas não atiraram nele. Estavam procurando dinheiro. Conforme clientes entravam, os homens os amarravam com gravatas. O assalto durou apenas alguns minutos, mas para Landwehr pareceu se arrastar por uma eternidade.

Depois que eles foram embora, um Landwehr bastante abalado contou à polícia que um dos assaltantes chamava o outro de "Butch". Pelo nome e pela descrição de Landwehr, os detetives concluíram que se tratava Butch Lee Jordan, um ladrãozinho insignificante.

A polícia foi até a casa de Jordan, mas, quando não o encontraram lá, deixaram de procurar em outros lugares, o que foi um erro. Jordan assaltou uma loja de bebidas alguns dias depois e baleou o policial Hayden Henderson no braço.

Quando Landwehr soube do incidente, ficou aborrecido e decepcionado; irritado com Jordan por ter atirado em um policial, e desapontado com os policiais por não terem ido atrás do criminoso com mais empenho.

Essa decepção levou Landwehr a tomar uma das decisões mais cruciais de sua vida.

A família de Landwehr estava precisando cortar gastos e economizar. Seu irmão mais velho, David, um aluno de alto desempenho, fora eleito o segundo melhor de sua turma na Escola Secundária Católica Bishop Carroll. Kenny também fora um estudante de destaque, ganhando medalhas em debates, tirando notas boas, participando do time de basquetebol e do grupo de teatro.

Sua mãe contou mais tarde que, mesmo quando era criança, duas coisas se destacavam em Kenny: ele era uma das pessoas mais inteligentes que conhecia, e um espertalhão incorrigível. Ela esperava que a inteligência do filho o conduzisse a uma carreira que lhe trouxesse segurança.

Landwehr reconsiderou a questão do FBI depois do assalto à loja Beutell's. O departamento federal de investigações recrutava pessoas que estudaram contabilidade e designavam seus agentes principalmente para perseguir criminosos de colarinho branco.

Landwehr tivera os braços e as pernas amarrados e fora mantido refém à mão armada por ladrões de rua.

Queria proporcionar justiça para pessoas comuns, como ele.

• • •

Para os jovens cidadãos de Wichita em 1977, o shopping center no sudeste da cidade era o local de lazer mais popular. O shopping era como o mercado de uma cidade antiga, onde as pessoas se reuniam para comprar, vender e fofocar. O ambiente era refrigerado no verão e aquecido no inverno.

Em dezembro, uma jovem conseguiu um emprego de meio período na joalheria Helzberg Jewelers do shopping. Era nascida em Wichita, tinha 25 anos e parecia fazer novos amigos com facilidade. Demonstrava um raciocínio rápido e conversava de modo direto, sem rodeios. Seu nome era Nancy Fox. Já trabalhava em tempo integral como secretária para o Law Company, um escritório de arquitetura. Arrumara o emprego na Helzberg's para ganhar um dinheiro extra para os presentes de Natal dos parentes.

Nancy já tinha presentes para o sobrinho de dois anos, Thomas, que ela adorava; chegara inclusive a colocar uma fantasia de coelho para surpreendê-lo na Páscoa. Naquele mês de dezembro, também já deixara um sinal para comprar um anel para a irmã mais velha,

Beverly Plapp. As irmãs tinham onze meses de diferença de idade, e em tempos recentes vinham se tornando amigas, depois de cresceram competindo uma contra a outra enquanto dividiam o mesmo quarto. Elas tinham três irmãos mais novos.

Nancy tocara flauta no ensino médio e cantava no coral da Igreja Batista Parkview, na zona sul da cidade. Era dona de um automóvel Opel azul-claro e sempre fora cuidadosa com roupas, maquiagem, unhas e cabelo — fazia luzes nos cabelos loiros e gostava de usar echarpes em volta do pescoço. Tinha uma leve mania de limpeza. Quando brigava com o namorado, ela dava vazão à irritação fazendo faxina.

Ela e as amigas socializavam em algumas casas noturnas de Wichita. A Scene Seventies, na esquina da Pawnee com a Seneca, era um point favorito nas noites de sexta-feira e de sábado. Nancy namorava o chefe de segurança de lá. Aos domingos, dirigia seu Opel até a casa da mãe, onde era recebida pelo cheiro de frango frito na cozinha. Era a comida favorita de Nancy.

Nancy não se importava de morar sozinha. Costumava dizer à mãe que nada aconteceria com ela.

PROFILE

profile

BTK

DENNIS LYNN RADER

ROY WENZL / TIM POTTER / HURST LAVIANA / L. KELLY

8 de dezembro de 1977

11. NANCY FOX

Rader tinha passeado pelos arredores de onde Nancy Fox morava e percebeu que era um bairro de classe média baixa, com moradias de aluguel barato disponíveis, o que atraía mulheres solteiras que viviam sozinhas. Assim que compreendeu isso, ele passou a pescar pelo local com frequência. Esteja preparado, como dizem os escoteiros.

Ele a viu pela primeira vez certo dia enquanto ela entrava em seu apartamento privativo, que ficava em uma casa com a fachada de um tom alegre de cor-de-rosa. Notou que ela era baixinha e bonita e que parecia passar bastante tempo cuidando dos cabelos e das roupas. Ele valorizava esse tipo de capricho. Seguiu-a até o trabalho no escritório de arquitetura, até o emprego noturno na Helzberg's e até chegar em casa. Na Helzberg's, comprou joias baratas, deu uma conferida de perto nela, voltou a segui-la até o local onde morava, então descobriu seu nome ao olhar os envelopes em sua caixa de correspondências enquanto ela estava no trabalho.

Nancy morava no sudeste de Wichita, no número 843 da South Pershing, não muito longe do shopping. Pelo que Rader pôde ver, ela não tinha nenhum homem em sua vida e nenhum cachorro. Quando verificou o lado oposto da casa com dois apartamentos privativos onde ela vivia, descobriu que o outro estava vago — não havia nenhum vizinho de parede para ouvi-la gritar.

Ele a espionava ao mesmo tempo que seguia outras mulheres. Pescar tinha se tornado quase um trabalho em tempo integral, em paralelo ao seu verdadeiro emprego na empresa de segurança. Rader costumava combinar as duas atividades — pescava mulheres e então as seguia, enquanto dirigia a van da ADT.

Ele era um sujeito ocupado. Além de ser chefe de equipe na ADT, ainda frequentava as aulas noturnas na UEW e tinha uma esposa e um filhinho em casa.

Ainda assim, escolheu uma data: 8 de dezembro.

• • •

Rader dissera à esposa que estaria na biblioteca da UEW naquela noite, o que era verdade; havia atividades para entregar, pesquisas para concluir. Ele sabia exatamente quando Nancy iria embora da Helzberg's. Portanto, fora à biblioteca uma ou duas horas antes para se dedicar a um trabalho acadêmico. Pouco antes das 21h, deixou a biblioteca, vestiu roupas escuras e dirigiu o Chevelle 1966 vermelho da esposa até o bairro de Nancy. Estacionou a alguns quarteirões do apartamento, pegou sua sacola de ferramentas, foi andando até a porta da frente e bateu na porta. Se ela aparecesse, sua desculpa seria que tinha ido ao apartamento errado. Mas ninguém atendeu.

Ele bateu na porta ao lado, se certificou de que o apartamento vizinho ainda estava vago e correu até os fundos. Não tinha ido embora da biblioteca tão cedo quanto queria, então estava ficando atrasado. Cortou o fio da linha telefônica de Nancy, e em seguida quebrou uma janela. Então aguardou, agachado. Estava temeroso de que, quando os carros passassem pelas curvas da Lincoln Street, ali perto, os faróis iluminassem o apartamento e o expusessem. Sempre de olho nas luzes dos veículos, entrou pela janela.

Que moça asseada e organizada era Nancy Fox: tudo estava arrumado e limpo. Era um apartamento minúsculo, menor do que sua casa, com apenas 55 m² ou 65 m². Encontrou as luzes da árvore de Natal acesas. Fotografias de pessoas sorridentes estavam dispostas de modo organizado em prateleiras do lado de fora do quarto. Ele gostou de tudo que viu. *Aquela tal de Vian era* tão desleixada.

Rader pegou um copo no armário da cozinha de Nancy, bebeu um pouco de água, limpou o copo e o colocou de volta no lugar. Pegou o telefone para se certificar de que estava mudo. Ainda estava com o aparelho na mão quando a porta da frente foi aberta.

...

Saia da minha casa.

Nancy tinha acabado de entrar, vestia um casaco e carregava uma bolsa. Ela avançou para apanhar o telefone.

Vou ligar para a polícia, avisou ela.

Não vai adiantar nada, disse ele. Eu cortei o fio.

Ele se aproximou e mostrou a arma.

Por que você está na minha casa?

Ela era corajosa; ele gostou disso. Sequer parecia apreensiva.

O que você vai fazer?, ela quis saber. O que está acontecendo aqui?

Sou um cara mau, disse ele. Eu quero sexo. Vou ter que amarrar você para tirar fotos.

Saia daqui.

Não.

Você precisa sair daqui agora mesmo.

Não, respondeu ele, bem sério. Não tem mais volta.

Você é doente, falou ela.

Sim, eu sou doente, concordou ele. Mas é assim que as coisas vão ser.

Ela o encarou. Tirou o casaco — uma parca branca — e o dobrou sobre o sofá. Estava usando um suéter rosa.

Preciso de um cigarro, disse ela.

Ela acendeu um, sem deixar de observá-lo.

Rader esvaziou a bolsa dela sobre a mesa da cozinha e pegou alguns troféus. Encontrou sua carteira de motorista. Ele continuou falando para desarmá-la, contando a mesma história, com algumas variações, que usara com os Otero, os Bright e Shirley Vian: tinha um problema sexual, mas não era bandido. Ela ficaria bem.

E agora ela o encarava de frente — ou pelo menos foi assim que ele se lembraria do acontecido depois.

Vamos acabar logo com isso para que eu possa chamar a polícia.

Ele concordou.

Preciso ir ao banheiro, informou ela.

Rader inspecionou o interior do banheiro, se certificando de que não havia nenhum objeto afiado que ela pudesse transformar em uma arma.

Ok, disse ele. Trate de sair já quase sem roupa.

Ele manteve a porta aberta com um pedaço de pano, então se sentou na cama para esperar. Olhou em volta com admiração; roupas, armário, caixa de joias — tudo organizado. Quando saiu, ela ainda estava usando o suéter rosa, o sutiã e a calcinha roxa. Viu que ele estava segurando algemas.

Qual é a necessidade disso?, ela quis saber.

Faz parte da coisa, explicou ele. É isso que me deixa excitado.

Por que está usando luvas?

Sou procurado em outros estados e não quero deixar nenhuma digital.

Isso é ridículo!, exclamou ela. É conversa fiada!

Ela continuou falando, mas ele mal a ouvia. Puxou as mãos dela para trás, prendeu as algemas nos pulsos e a fez se deitar de bruços na cama. Em seguida subiu em cima dela. Àquela altura, ele próprio já estava meio despido, esperando que isso passasse a impressão de que pretendia estuprá-la. Rader abaixou a calcinha dela.

Seu namorado já fez sexo com você por trás?

Disse isso para iludi-la; ele na verdade não queria sexo anal.

Ela não respondeu; já estava amordaçada.

Ele tirou o cinto de couro e o passou em volta dos tornozelos de Nancy; descobriu que já tinha uma ereção. De repente, arrancou o cinto dos tornozelos e o passou em volta da garganta — e o apertou com força, pressionando com uma das mãos onde o cinto passava pela fivela e puxando o cinto com a outra. Nancy se debateu embaixo dele, encontrou seus testículos com as mãos algemadas e cravou os dedos. Isso o machucou, mas ele gostou.

Como sempre, a vítima demorou algum tempo para desmaiar; quando Nancy enfim apagou, Rader soltou o cinto e deixou que ela recuperasse um pouco o fôlego.

Anos mais tarde, ele declararia que esse foi seu ataque perfeito. Não havia homem, nem cachorro, nem filhos para interromper, ninguém tentou matá-lo, as criancinhas não estavam gritando e ameaçando sair do banheiro para confrontá-lo.

Quando Nancy recobrou a consciência, ele se curvou e aproximou a boca dos ouvidos dela.

Sou procurado, revelou. Matei quatro pessoas daquela família, os Otero. E matei Shirley Vian. Eu sou o BTK. E você é a próxima.

Ela se debateu freneticamente embaixo de Rader enquanto ele apertava o cinto outra vez. Dessa vez manteve a pressão até que ela morresse.

Depois, ele apanhou uma camisola e se masturbou em cima da peça de roupa.

PROFILE

profile

BTK
DENNIS LYNN RADER
ROY WENZL / TIM POTTER / HURST LAVIANA / L. KELLY

9 de dezembro de 1977

12. "VOCÊS VÃO DESCOBRIR UM HOMICÍDIO"

Na manhã seguinte, Rader ainda estava tão exultante com o que fizera que queria contar a alguém. Em um intervalo do trabalho, dirigiu a van da ADT até o Organ's Market do centro da cidade e foi a pé até um telefone público no lado de fora do mercado. Às 8h18, a central de emergências do condado de Sedgwick recebeu um telefonema.

"Vocês vão descobrir um homicídio no número 843 da South Pershing. Nancy Fox".

"Sinto muito, senhor", o operador da central respondeu. "Não entendi. Qual é o endereço?"

Outro operador, na mesma linha, se manifestou. "Acredito que seja número 843 da South Pershing."

"Isso mesmo", confirmou o homem.

Os operadores tentaram fazer mais perguntas, mas o homem já havia largado o telefone. Os operadores permaneceram em silêncio, tentando compreender o que tinham acabado de ouvir. Quarenta e sete segundos depois, outra pessoa pegou o telefone. Os operadores ainda estavam na linha.

Quem é você?, perguntaram.

O homem respondeu que era um bombeiro de Wichita, de folga. Só queria fazer uma ligação.

Quem estava usando o telefone antes de você?, perguntaram os operadores.

Um homem que deixou o telefone pendurado, foi a resposta.

• • •

O policial John Di Pietra chegou ao número 843 da South Pershing minutos depois, às 8h22. Ninguém atendeu quando bateu, e a porta estava trancada. Nos fundos, ele viu o fio da linha telefônica cortado, balançando sob a brisa. A cobertura externa da janela tinha sido removida, e o vidro interno estava quebrado. Ele não conseguia enxergar através das cortinas.

"Tem alguém em casa?"

Di Pietra afastou as cortinas e viu uma mulher seminua imóvel, deitava de bruços na cama, os tornozelos amarrados com um pedaço de tecido amarelo. Estava usando um suéter rosa.

Depois de arrombarem a porta da frente aos pontapés, o policial e o detetive Louis Brown entraram no que Di Pietra mais tarde descreveria como a casa mais arrumada que já tinha visto. Mas então notou sinais de desordem: havia um cigarro pela metade em um cinzeiro ao lado de uma cadeira. Uma bolsa tinha sido esvaziada em cima da mesa da cozinha. O telefone jazia no chão. Os conteúdos de caixas de joias estavam espalhados sobre a cômoda do quarto.

Os policiais viram uma camisola azul em cima da cama, ao lado da cabeça da mulher. Havia manchas no tecido.

• • •

Foi uma má ideia, dar aquele telefonema, e Rader sabia disso. Durante várias semanas depois disso achou que seria preso. Havia uma gravação de sua voz agora, e a polícia sabia qual telefone público ele tinha usado; alguém poderia tê-lo visto largando o fone pendurado e entrando na van da ADT.

Mas estava tão feliz. De todos os seus assassinatos, aquele era o seu favorito — o único que tinha saído de acordo com o roteiro. Depois que Nancy morreu, ele tirou as algemas, amarrou os pulsos dela com meias de náilon, removeu o cinto da garganta e amarrou outra meia no lugar. Roubou a carteira de motorista de Nancy, algumas lingeries — belos itens de seda. Ele gostava de brincar com roupas femininas.

Quando pegou o colar de pérolas de Nancy, achou que poderia dá-lo para a esposa.

• • •

A mãe de Nancy, Georgia Mason, era gerente da lanchonete do Hospital St. Joseph, não muito longe do apartamento de sua filha. Por volta das 10h30 do dia 9 de dezembro, estava se preparando para abrir o estabelecimento, quando recebeu o telefonema de um vigia.

No escritório do serviço de segurança do hospital, ela viu dois detetives da polícia de Wichita, dois vigias, o ex-marido — o pai de Nancy, Dale Fox — e um capelão. Temos más notícias, disse alguém. Georgia achou que alguma coisa tinha acontecido com Kevin, seu filho mais novo, que tinha dezesseis anos. Ele vinha matando aula.

Não é o Kevin, disse alguém.

É a Nancy.

Georgia, do alto de seus 1,50 m de altura, bateu os punhos contra o peito de um vigia, então desmaiou em um sofá.

• • •

Os detetives mostraram ao chefe de polícia LaMunyon as fotos da cena do crime e a gravação feita do interior do apartamento. Estrangulamento, linha telefônica cortada, sêmen na camisola — LaMunyon tinha certeza de que o responsável era o BTK. Notou também que os óculos de Nancy tinham sido postos de modo cuidadoso sobre a cômoda ao lado da cama.

LaMunyon teve outra vez que decidir se faria ou não um anúncio sobre o BTK ao público. Estava inclinado a isso. Não protegiam ninguém mantendo a existência dele em segredo.

Alguns detetives continuavam céticos quanto à possibilidade de ter sido um ataque do BTK. E daí que a linha telefônica foi cortada? Alguns arrombadores faziam isso. E daí que o cara deixou sêmen? Outros assassinos tinham feito o mesmo.

Eles ouviram a gravação da ligação para a central.

O homem que ligou tinha uma dicção lenta em staccato. Quando falou: "Vocês vão descobrir um homicídio no número 843 da South Pershing", pronunciou homicídio como "hom-e-cídio", como se não soubesse dizer a palavra da maneira correta. Poderia ser um estrangeiro?

Os detetives tinham conversado com o bombeiro que pegara o telefone pendurado. Ele afirmou não ter visto direito a pessoa que usara o telefone antes. Achava que o sujeito tinha por volta de 1,80 m de altura, que usava um tipo de uniforme cinza de operário e que dirigia uma van com um logotipo pintado. Sua impressão era de que o sujeito tinha cabelos loiros.

• • •

A mãe de Nancy foi ao St. Francis para identificar o corpo da filha. Um membro da equipe do hospital afastou o lençol. O rosto de Nancy passava a impressão de que a provação a tinha envelhecido. O funcionário perguntou se aquele era o corpo de Nancy Jo Fox.

"Sim", respondeu Georgia. Então saiu correndo da sala.

Georgia ajudou a planejar o funeral. Nancy tinha sido batizada na Igreja Batista Parkview, onde cantara no coral. Agora a igreja se encheu de enlutados. Uma fileira de carros serpenteava rua abaixo até o Harper, o cemitério da cidade.

Beverly Plapp tirou uma folga do trabalho como enfermeira para retirar do apartamento os pertences da irmã. Georgia não conseguia suportar a ideia de ir até lá.

• • •

LaMunyon recorreu outra vez ao FBI. Deveria contar ao público a respeito do BTK? O chefe de polícia achava que sim, mas alguns detetives o alertaram que isso poderia encorajá-lo a matar de novo. Ele deveria tentar se comunicar com o BTK? O alto-comando estava dividido. Os rapazes do FBI não conseguiam se decidir. A ciência comportamental era incipiente, explicaram. Não tinham coletado nem interpretado dados suficientes. Eles não assumiram nenhuma posição. LaMunyon hesitou — sua impressão era a de que mais gente morreria, independentemente de sua decisão. Mais uma vez, resolveu esperar.

Não precisou fazer isso por muito tempo.

• • •

O irmão mais novo de Nancy parece ter sido quem mais ficou abalado com a morte dela. Nancy gostava de levar Kevin para comer hambúrgueres; deixava que ele dirigisse seu carro. Ele nunca voltou a estudar. Apenas 27 anos depois conseguiu falar sobre o assassinato da irmã.

O médico de Georgia deu autorização para que ela voltasse ao trabalho apenas três meses depois. Quando isso aconteceu, seus colegas de trabalho no hospital foram vê-la um por um. Ela passara a vida toda reprimindo os sentimentos, mas quando a abraçavam começava a chorar. Seu médico a aconselhara a chorar o quanto quisesse.

Após a morte de Nancy, sua mãe olhava pela janela aos domingos, desejando que a filha chegasse em seu Opel. Levaria muito tempo até que Georgia conseguisse fritar frango de novo.

Na reunião de Natal da família, um dos presentes abertos foi um caminhãozinho de brinquedo, para o pequeno Thomas. Nancy o tinha escondido embaixo da cama onde morreu.

• • •

Ninguém apareceu para prender Rader, para sua surpresa.

Sua arrogância voltou com tudo.

Rader escreveu um poema sobre Shirley Vian em uma ficha de anotações, certa noite, mas, enquanto rabiscava, sua esposa chegou em casa e ele tratou de enfiar o papel nas dobras de sua poltrona. Mas se esqueceu de reaver a ficha mais tarde e escondê-la.

Sua esposa a encontrou alguns dias depois.

O que é isso?

Bom, disse ele. É, eu escrevi isso, na UEW estamos fazendo uns trabalhos, umas redações sobre os assassinatos do BTK para a aula de criminologia.

Paula engoliu a mentira.

Mais tarde, ele revisou o poema e o reproduziu em uma ficha de anotações usando um conjunto de carimbos infantis de borracha com as letras do alfabeto. No dia 31 de janeiro de 1978, ele o colocou no correio.

A ficha de anotações chegou ao *Wichita Eagle* um dia depois.

CACHOS DA SHIRLEY! CACHOS DA SHIRLEY!
TU SERÁS MINHA?
TU NÃO GUITARÁS
TAMPOUCO SE LIBETARÁS DO FIO
PORÉM JAZERÁS SOBRE ALMOFADAS
E PENSARÁS EM MIM E NA MORTE
E EM COMO ELA SERÁ.
   B.T.K.

POEMA PARA FOX POR VIR

Nenhum dos responsáveis pela correspondência do *Eagle* fez mais do que apenas lê-lo de relance naquele dia. Parecia uma mensagem para uma seção especial de Dia de São Valentim dos classificados — a data comemorativa dos namorados seria dali a algumas semanas. A ficha nunca chegou à sala da redação. Foi encaminhada para o departamento de classificados do *Eagle*. Não havia nenhum dinheiro acompanhando a mensagem, portanto, o pessoal dos classificados a colocou no arquivo morto. Os dias se passaram; o *Eagle* não publicou nada. O autor do poema ficou irritado.

O que preciso fazer, desenhar para eles?

SHIRLEY LOCKS

LOCKS! SHIRLEY LOCKS
YOU BE MINE?
ALT NOT SCREEN
ET FEE THE LINE
ON CUSHION
NK OF ME AND BATH
W ITS GOING TO BE

B.L.K.

OP FOR NEXT

PROFILE

profile

BTK

DENNIS LYNN RADER

ROY WENZL / TIM POTTER / HURST LAVIANA / L. KELLY

10 de fevereiro de 1978

13. NOTÍCIA URGENTE

A carta passou pela porta da frente da KAKE-TV como um cão raivoso, com os dentes à mostra. Quando a recepcionista abriu o envelope, encontrou um poema intitulado "OH! MORTE A NANCY". À esquerda do poema, o remetente datilografara "B.T.K." quatro vezes, e ao lado de cada assinatura ele acrescentou pequenas forcas. Havia um desenho a lápis de uma mulher amarrada e amordaçada e um bilhete de duas páginas com centenas de palavras, muitas delas com erros ortográficos.

> Eu acho que não teve graça o jornal não ter iscrito sobre o poema sobre Vain. Um pequeno parágrafo teria sido suficente. Seique não é culpa da imprensa. O chefe de policia ele mantém tudo em segredo e não quer que o púbico saiba que existe um psicopata por aí estrangulando principalmente mulheres, tem 7 pessoas debaixo da terra; quem será a próxima?
> Quantas eu tenho que Matar antes que eu tenha meu nome no jornal ou alguma atenção nacional. Será que os tira acham que todas essas mortes não estão relacionadas?

• • •

Larry Hatteberg, um fotojornalista da KAKE, ligou para a casa de seu diretor de jornalismo alguns minutos depois. Ron Loewen ainda dormia profundamente; havia um bar no centro da cidade chamado Looking Glass, onde os jornalistas bebiam depois do trabalho, e ele passara bastante tempo lá na noite anterior.

Você precisa vir para cá agora, disse Hatteberg.

Por quê?

Recebemos uma carta.

Por que isso é importante?

Parece que pode ser do BTK.

Loewen correu para a KAKE, com as roupas ainda fedendo a cerveja choca. Ele pulara a parte de tomar banho.

• • •

A mulher no desenho estava deitada de bruços em uma cama de casal, amordaçada, tornozelos e coxas amarradas, mãos atadas às costas.

Loewen sabia quem era o BTK: o sujeito que alegava ter assassinado os Otero. Mas era relativamente novo em Wichita, então algumas partes da carta o deixaram confuso. Quem era Nancy?, perguntou o jornalista. Que é "Vain"? Hatteberg explicou que eram Nancy Fox e Shirley Vian, duas vítimas de assassinato no ano anterior.

Alguém já tinha relacionado os assassinatos dos Otero aos homicídios de Fox e Vian?, perguntou Loewen. Hatteberg respondeu que não.

Com as mãos começando a tremer, Loewen se deu conta de que, se a carta fosse autêntica e se o BTK tivesse matado Nancy Fox e Shirley Vian, isso fazia dele um assassino em série. Tratava-se de algo sobre o qual o público não tinha ouvido falar antes.

Ele continuou lendo:

> Josephine, quando eu a enforquei realmente me deixou com tesão; ela implorando por misericórdia depois a corda aperta, ela indefesa; me encarando com olhos cheio de terror a corda apertando mais e mais.

Loewen tinha apenas trinta anos. Nunca se deparara com uma história daquela magnitude. Sentiu-se enojado e desamparado, como se tivesse acabado de ser transportado para o lado mais distante da lua. O que deveria fazer a respeito da carta? Continuou lendo, sobre os filhos de Shirley Vian:

Eles tiveram muita sorte; telefone salvou eles. Eu ia amarra
os meninos com fita e colocar sacola plásticas nas cabeças
como fiz com Joseph e Shirley. E depois enforcar a menina.
Deus-ah Deus que alívio sexual isso ia te sido.

Na carta, o BTK reivindicava outra vítima — a número cinco — cujo
nome não mencionou.

7 já foram e muitomais por vir.

O BTK estava ameaçando matar de novo. Ele ressaltou esse ponto,
afirmando que deixaria um bilhete com as letras "BTK" na sua próxima vítima.

Precisamos ligar para a polícia, disse Loewen. Ele pegou o telefone.

Ele se perguntou se os policiais sabiam que o BTK era um assassino
em série e tinham ocultado a informação. E se o BTK por acaso não
estaria seguindo as apresentadoras dos noticiários da KAKE.

• • •

Hatteberg e Loewen foram de carro à prefeitura enquanto Loewen
expressava sua agitação em voz alta: E se for mesmo o BTK, mas La-
Munyon nos dispensar e se recusar a falar? Como vamos confirmar
que é mesmo o BTK?

Hatteberg não sabia o que responder.

E se a carta for real, mas existir um acobertamento?, perguntou
Loewen. Tudo o que eles têm que fazer é negar que a carta seja autêntica. Ou pior ainda, eles poderiam enrolar... dizer que precisam
analisar a carta... mostrá-la a especialistas... enquanto isso existe um
assassino à solta que prometeu matar de novo...

Hatteberg disse que era necessário produzir uma matéria independentemente do que acontecesse, para alertar a população.

Ah, nós vamos levar essa história ao ar, garantiu Loewen. Não importa o que LaMunyon disser.

• • •

LaMunyon e o subchefe de polícia Cornwell leram a carta devagar,
sentados lado a lado, virando as páginas. Mal tinham dito palavra
desde que Loewen e Hatteberg chegaram.

LaMunyon se levantou.

Vocês poderiam nos dar licença por alguns minutos?, pediu ele. Precisamos conversar sobre isso em particular.

Cinco minutos se passaram, depois dez. Loewen ficou impaciente.

LaMunyon retornou.

É do BTK?, perguntou Loewen.

Sim, é, respondeu LaMunyon. E quero conversar com vocês.

Esta é a hora em que eles vão tentar nos dizer para não divulgar a história, pensou Loewen.

Vou contar toda a história, informou LaMunyon. Vou revelar tudo.

O chefe de polícia parecia aliviado, como se tivesse acabado de chegar a uma decisão bem difícil.

Nós acreditamos que temos um assassino em série aqui, começou LaMunyon. Acreditamos que já matou sete pessoas. Não levamos isso ao público. Temos conhecimento desse indivíduo há algum tempo, sabemos que é provável que tenha matado os Otero e os demais, e o único motivo de não revelarmos isso ao público é que alguns de nossos colegas acham que a publicidade pode levá-lo a matar de novo.

Loewen foi logo se preparando: É agora que a discussão começa, pensou.

Sabemos agora que é hora de falar, afirmou LaMunyon. Pelo bem de todos, é hora de contarmos o que sabemos. Temos que alertar as pessoas.

Loewen se recostou, aliviado; LaMunyon queria que o segredo fosse revelado.

•••

Loewen contou que a KAKE transmitiria a reportagem no noticiário das 18h. Ele pediu que LaMunyon fosse à emissora para dar uma entrevista exclusiva ao vivo. LaMunyon concordou, mas disse que também convocaria uma entrevista coletiva em seguida para informar os outros meios de comunicação.

O diretor disse ainda que pretendia contar pessoalmente a história do BTK. Estava preocupado que o assassino resolvesse perseguir quem quer que aparecesse na reportagem, e não queria pedir a ninguém que passasse por isso. Ele não tinha família; no seu caso, havia menos a perder. Talvez o BTK já estivesse seguindo o pessoal da KAKE, especulou Loewen. LaMunyon concordou que isso era uma possibilidade. O BTK perseguia mulheres e poderia fazer isso com as âncoras da KAKE.

Quando Loewen e Hatteberg foram embora, Cornwell entregou ao diretor de jornalismo da KAKE um revólver da polícia e munição, e o aconselhou a andar com a arma no porta-luvas do carro.

• • •

De volta à emissora, Loewen tentou ele mesmo escrever a reportagem. Mas aquele dia estava uma loucura; ele estava conversando com o gerente da KAKE a respeito da história, se comunicando com a polícia, e ainda tentando dirigir uma redação. Ele se esforçou para redigi-la pessoalmente. No fim, Hatteberg escreveu por ele.

Os dois âncoras do noticiário do início da noite da KAKE eram Jack Hicks e Cindy Martin. Loewen ligou para Martin e pediu que fosse para lá mais cedo — "agora".

Quando a apresentadora chegou, ele contou que ela não entraria no ar naquela noite e explicou por quê. Ele e Hicks divulgariam a notícia. Martin ficou furiosa; Loewen se manteve firme. O interesse do BTK em mulheres e na KAKE levou LaMunyon a pedir proteção policial para Martin, para a âncora dos fins de semana, Rose Stanley, e para Loewen, ainda que o BTK não tivesse feito nenhuma ameaça à imprensa. A polícia seguiu Martin até sua casa naquela tarde e verificou se o BTK já estivera lá.

• • •

O dia passou depressa. Loewen se sentou em uma das cadeiras dos âncoras do noticiário das 18h, olhou para a câmera e começou a relatar de maneira pragmática que um assassino em série estava perseguindo pessoas na cidade. Loewen parecia nervoso na transmissão, e por um bom motivo: LaMunyon deveria estar sentado ao seu lado, mas estava atrasado. Loewen já tinha lido diversas frases do roteiro no ar quando LaMunyon entrou no estúdio. O funcionário da KAKE que estava girando a manivela do teleponto, distraído pela entrada de LaMunyon, acabou se interrompendo. Loewen parou de falar no meio de uma frase. Ele se esquecera de que tinha uma cópia física do roteiro de Hatteberg nas mãos. Ficou sentado, congelado, por alguns instantes, se desculpou e informou à audiência que recomeçaria a história do início. E foi assim que fez.

LaMunyon, já sentado ao seu lado, parecia calmo e convicto. Quando Loewen fez perguntas sobre o BTK, LaMunyon respondeu de forma direta aos telespectadores que a polícia não sabia quem era o assassino nem como detê-lo.

Um pouco mais tarde, LaMunyon convocou uma coletiva de imprensa e fez seu próprio pronunciamento. Repórteres chocados correram de volta aos escritórios dos jornais e às emissoras de televisão e começaram a datilografar suas matérias.

• • •

A polícia seguiu Loewen até sua casa naquela noite, como continuaria fazendo ao longo do mês seguinte. Sozinho em seu apartamento, Loewen olhou para a arma que Cornwell lhe emprestara.

Como sou tonto, pensou Loewen. *Vou acabar atirando sem querer em mim mesmo no escuro.* Ele descarregou a arma e a escondeu.

Martin voltou ao trabalho no dia seguinte. Durante as semanas seguintes, sempre que chegava em casa depois de apresentar o noticiário das 22h, ela via uma viatura estacionada atrás de seu prédio. Quando se afastava do carro, o policial piscava os faróis, como se estivesse dizendo boa-noite.

PROFILE

profile

BTK
DENNIS LYNN RADER
ROY WENZL / TIM POTTER / HURST LAVIANA / L. KELLY

1978

14. TEMORES E FRUSTRAÇÕES

Assim que viu a carta enviada para a KAKE, LaMunyon tinha decidido que precisava comunicar a existência do BTK à população. Mas, naqueles poucos instantes depois que Loewen lhe entregou a carta, LaMunyon fez alguns telefonemas rápidos para os psicólogos. Perguntou se a publicidade em torno do BTK poderia instigá-lo a se comunicar mais, visto que ele já parecia inclinado a conversar com a mídia.

Nada que os psicólogos disseram o dissuadiu. Portanto, LaMunyon começou a planejar sua coletiva de imprensa, e como iria contar a meio milhão de pessoas na região de Wichita que um assassino em série vivia entre elas.

Não revelaria o conteúdo da carta repleta de erros de ortografia, porque não queria incentivar a ação de imitadores, mas diria que era provável que o BTK não se parecesse em nada com um monstro, e sim com um cidadão comum. O próprio BTK afirmara que estava escondido à vista de todos.

Não perco meu sono por causa disso. Depois de uma coisa como Fox eu cchego em casa e vop cuidar da vida como qualquer outro.

Seria embaraçoso admitir que a polícia estava de mãos atadas, mas LaMunyon precisava pedir às pessoas para tomarem cuidado. Alguns de seus comandantes ainda o aconselhavam a não fazer isso, mas o BTK tinha apontado o óbvio.

Minha nossa, sim o modus operandi é diferente em cada um,
mas veja um padrão está se desenvolvendo As vítimas são
amarradas—a maioria foi mulheres—telefone cortado—traz
algumas tendencias sádicas na qestão de amrração—nenhuma
luta, afora a hora da morte—nenhuma tetesmunha exceto os
Filhos da Vain. Eles tiveram sorte; telefone salvou eles.

LaMunyon estudou a carta por bastante tempo, tentando discernir quem a polícia estava caçando.

O BTK parecia meticuloso. O desenho de Nancy Fox sobre a cama era bastante preciso. LaMunyon cogitou que o BTK poderia tirar fotos instantâneas e desenhava a partir delas. E também se perguntou por que o assassino decidiu não mencionar o nome da quinta das suas sete vítimas. Era provável que estivesse criando enigmas para a polícia, fazendo joguinhos. LaMunyon acreditava que a vítima desconhecida era Kathryn Bright, embora houvesse outras duas ou três candidatas.

Ficou claro, com base naquele bilhete e na carta de 1974, que o BTK ansiava por atenção e queria fama, como os assassinos em série de outros tempos.

Você não entende essas coisas porque cê não tá soba influência do
fator x). A mesma coisa que fez, Filho de Sam, Jack o Estripador,
Havery Glatman, Estrangulador de Boston, dr. H. H. Holmes
Estrangulador da Meia-Calça DA Flórida, Estrangulador da Colina,
Ted da Costa Oeste e muitos outros personagens infames matar.
O que parece absurdo, mas não conseguimos evitar. Não existe
ajuda, nenhuma cura, exceto a morte ou ser pego e internado...
   O que você acha de alguns nome para mim, está na hora: 7 já
foram e muito maispor vir. Eu Gosto dos seguintes. E você?
   "ESTRANGULADOR B.T.K.", ESTRANGULADOR DE WICHITA",
   "ESTRAGUNLADOR POETA", "O ESTRANGULADOR DAS AMARRAS."

• • •

LaMunyon convocou uma coletiva de imprensa na prefeitura depois de sair da KAKE. Seus comandantes tinham expressado suas preocupações em alto e bom som: "Se formos contar às pessoas, como faremos? Subir em uma tribuna e dizer: 'Existe um cara por aí que diz que vai matar de novo e não temos como detê-lo'?"

"É", respondeu LaMunyon. "É basicamente isso que vamos dizer."

Seu pronunciamento foi o choque que LaMunyon sabia que seria. A manchete do dia seguinte no *Eagle* foi: 'ESTRANGULADOR BTK' ALEGA TER MATADO 7 NA CIDADE. Embora o parágrafo de abertura do repórter Casey Scott soasse um pouco sensacionalista, também era verdadeiro:

> Um assassino reivindicando a responsabilidade por
> sete assassinatos em Wichita — pelos menos seis deles
> estrangulamentos — ainda está na região e ameaçou atacar
> novamente, alertou o chefe de polícia Richard LaMunyon em
> um pronunciamento conciso e bombástico na sexta-feira.
> "Sei que é difícil pedir para que as pessoas permaneçam calmas,
> mas estamos pedindo exatamente isso", disse LaMunyon. "Quando uma
> pessoa desse tipo está à solta em nossa comunidade, são necessárias
> precauções especiais e atenção especial por parte de todos."

Foi a notícia mais perturbadora que a população de Wichita poderia ter recebido. Alguém estava perseguindo mulheres e crianças em sua cidade e as estrangulando. Pais de toda a região de Wichita tiveram que decidir se iriam contar isso aos filhos.

Nola Tedesco, de 26 anos, uma novata advogada de acusação da promotoria do condado de Sedgwick, certo dia, se viu examinando uma cópia do desenho que o BTK fizera de Nancy Fox. Tedesco processava criminosos sexuais, portanto se acostumara a ver materiais como aquele, mas o desenho e a ideia de alguém na cidade estar perseguindo jovens mulheres lhe dava arrepios. À noite, alguns de seus colegas — Richard Ballinger, Steve Osborn, entre outros — a levavam até seu carro. Quando chegava em casa, ela verificava o telefone.

Laura Kelly, então aluna do último ano do ensino médio, conhecida como "L." na East, a escola onde estudava, recebeu um pedido da melhor amiga para ir à sua casa e passar a noite lá. Elas se revezaram enquanto dormiam, como dois soldados em patrulha em uma zona de combate. A amiga estava assustada demais para dormir sozinha. Tinha chegado à conclusão de que o formato do telhado de sua casa facilitaria a entrada do BTK pela janela do quarto, no segundo andar. Nenhum argumento era capaz de acalmá-la.

Engraçadinhos aumentavam o medo ao ligarem para mulheres dizendo: "Aqui é o BTK. Você é a próxima." A mãe de Kelly, Barbara, estava sozinha em casa quando recebeu um desses telefonemas. *E se não for um trote?* Ela ligou imediatamente para o disque-denúncia do BTK para reportar o acontecido. Quando um detetive começou a conversar com ela, o telefone ficou mudo. Todos em Wichita sabiam que o BTK cortava os fios das linhas telefônicas. Em pânico, ela correu entre as portas da frente e dos fundos, sem saber ao certo qual saída escolher. Desesperada, agarrou o telefone de novo — e ouviu um tom de discagem. Trêmula, voltou a discar o número do disque-denúncia. O detetive se desculpou — ele tinha se atrapalhado com o aparelho telefônico e a desconectado. Mesmo assim, ela exigiu que alguém fizesse uma busca em sua casa. O policial, que chegou solicitamente, apontou que fechar as cortinas do chuveiro e as portas dos closets proporcionaria esconderijos para um invasor. O medo do BTK mexeu tanto com suas emoções que por muitos anos ela fez outras pessoas, incluindo a filha adolescente, verificarem se estava tudo em ordem na casa antes que pudesse criar coragem para ela mesma entrar.

Mas, se muitos civis se sentiam alarmados, a história com os policiais passou a ser outra. Estava tudo às claras, e não havia mais debates sobre o BTK ser ou não um assassino em série. Todos sabiam que era, sim.

E também que ele seria muito mais difícil de capturar do que a maioria dos assassinos. A maioria dos homicidas matava pessoas que conhecia, por motivos tão antigos quanto Caim e Abel: raiva, ciúme, vingança, ganância. Assassinatos com motivações palpáveis nem sempre eram fáceis de resolver, mas seguiam uma lógica interna. Caim matou Abel porque ficou com ciúme. Macbeth matou Duncan para tomar o trono. Booth atirou em Lincoln em nome dos sulistas.

Mas assassinos em série não seguiam nenhuma lógica; havia poucos pontos para ligar. O BTK matava pessoas desconhecidas, ao acaso, provavelmente longe de seu bairro. Ele planejava suas ações, limpava a cena do crime, usava luvas.

O FBI estava apenas começando a estudar assassinos em série com mais atenção, mas seus especialistas diziam que um assassino em série era muito mais difícil de capturar. Na maioria das vezes, era preciso esperar que ele matasse de novo e torcer para que cometesse um erro.

O BTK matara cinco pessoas em 1974 — os quatro membros da família Otero e Kathy Bright. Então parou porque ficou mais ocupado com o trabalho e a escola, e depois sua esposa ficou grávida de seu primogênito.

Ele voltara a matar em 1977: Shirley Vian, depois Nancy Fox.

Em seguida parou de novo. Ao longo dos anos seguintes, os policiais ficaram se perguntando por quê.

A filha dele, Kerri, nasceu em junho daquele ano.

1978

15. AJUSTANDO O FOCO

A frase de abertura da carta à KAKE — *"Eu acho que não teve graça o jornal não ter iscrito sobre o poema sobre Vain"* — instigou os policiais a ligarem para o *Eagle*. Alguém do departamento de classificados logo encontrou o poema do BTK chamado "Cachos da Shirley" no arquivo morto do jornal. A pessoa o entregou à polícia sem fazer uma cópia para a redação.

Era a segunda vez que o *Eagle* deixava escapar uma chance de analisar uma comunicação original do BTK. O assassino tinha ligado para o jornal pela primeira vez em 1974, quando deixou a carta a respeito dos Otero em um livro da biblioteca.

Um dos repórteres policiais, Ken Stephens, estava cansado de ver o *Eagle* ficar para trás em uma história que, em sua opinião, o jornal deveria ter nas mãos. Ele começou a manter arquivos permanentes em vez de jogar fora anotações e comunicados de imprensa. Escreveu memorandos de antecedentes, instruiu outros repórteres policiais a fazerem o mesmo e reuniu todos os relatórios de necropsia das vítimas conhecidas do BTK. Davis "Buzz" Merritt, o editor do *Eagle*, em certo sentido já tinha sugerido essa ideia de compilar arquivos. Dentro em breve os policiais vão capturar esse cara, disse Merritt, e o jornal deve estar preparado para contar a história por trás da história.

Parte dessa história — desconhecida de todos a não ser de um punhado de funcionários do *Eagle* — envolvia o relacionamento singularmente próximo que não demorou muito a se desenvolver entre o jornal e o chefe de polícia de Wichita.

Ken Stephens, Casey Scott ou Craig Stock conversavam com LaMunyon todos os dias, mas não em busca de informações para publicação. O chefe de polícia simplesmente os mantinha atualizados sobre o status da investigação, além de fazer confidências aos repórteres, como o fato de que não estava conseguindo dormir muito e que sua esposa estava "preocupadíssima" com a possibilidade de se tornar a próxima vítima do assassino.

Desde o começo, de acordo com um memorando interno no arquivo de Stephens, houve

muito debate a respeito de como lidar com o relacionamento com a polícia, mas sem nenhuma discordância quanto a ser melhor cooperar do que tentar obter um grande furo jornalístico no curto prazo. Medo de provocar outro assassinato ou de estragar as chances de a polícia capturar o btk foi expressado. Merritt decidiu que, desde que não sejamos enganados nem sentirmos que estamos sendo usados de maneira injusta, nós vamos cooperar com a polícia. A polícia se preocupa com a maneira de pôr as cartas na mesa, quais cartas usar e quando jogá-las. Eles confiam bastante nos conselhos dos psiquiatras, revelou LaMunyon. O chefe de polícia tem medo de que, se o btk matar de novo, algumas pessoas culpem a ele e à imprensa por promoverem e incentivarem o btk. Há muitos sentimentos de impotência por parte dos policiais, das pessoas do jornal. É uma situação para os policiais e para nós. [...] O jornal tomou providências especiais para verificar a correspondência que chega e receber telefonemas. O humor negro habitual na redação, bastante predominante na maioria dos casos, está notavelmente reduzido neste. São poucas as piadas sobre a situação, talvez porque neste caso o jornal tem o seu papel. Merritt expressa sua preocupação sobre tentar passar a perna em uma mente perturbada. Não está feliz em adaptar os critérios jornalísticos para tentar apaziguar um assassino, mas não está disposto a desafiar o sujeito a matar outra vez. Até mesmo os menores detalhes são questionados, analisados a ponto de dar nó na cabeça tentando imaginar se vão provocar o assassino ou estragar a estratégia da polícia. [...] "Este é um caso no qual não vale a pena tentar o lance da competição." Merritt diz que não adianta tentar obter um furo antes que os outros. Os repórteres e editores estão divididos. O desejo por um furo e de revelar tudo aos leitores está em conflito com o desejo de tentar evitar que aconteça outro assassinato. Ninguém tem certeza de que ele ou ela está tomando a decisão certa. [...] A brutalidade e a estranheza do caso estão deixando todos assustados, mesmo aqueles que já lidaram com histórias estranhas.

Um benefício de fazer a cobertura de histórias policiais, apontou Stephens para os amigos, era poder ver a vida e a morte nuas e cruas. Isso ensinava lições: a vida pode ser curta, então aproveite-a. Mas também o fazia se sentir mais seguro do que as outras pessoas. Ele sabia que o BTK não podia matar todo mundo e que não havia motivos para ficar com medo o tempo todo. As chances de morrer em um acidente automobilístico eram muito maiores do que as de ser assassinado, ainda assim, a maioria dirigia sem medo.

Ser repórter policial também lhe ensinou o valor do humor negro. Como grande parte dos policiais e muitos repórteres, Stephens fazia piada sobre o perigo, ainda que algumas de suas amigas solteiras se sentissem particularmente apreensivas.

Certa noite, Stephens saiu para ver um filme com Janet Vitt, uma redatora. Eles foram a um cinema no shopping onde Nancy Fox tinha trabalhado na noite em que morreu. Depois da sessão, Stephens e Vitt foram tomar uma cerveja no apartamento dela. Ela morava na zona leste de Wichita, perto do Centro Médico Wesley e não muito longe de onde os Otero e os Bright foram atacados. Quando abriu a porta, ela estendeu o braço, pegou o telefone e conferiu se estava com linha. Aquele era seu ritual noturno, revelou. Se o telefone estivesse mudo, ela desceria correndo para fugir do BTK. Stephens achou isso engraçado.

Quando entraram, ela começou a verificar os cômodos.

"Janet, por favor", falou Stephens. "Se ele estivesse aqui, já seria tarde demais. Nós nunca sairíamos vivos."

Naquele instante, eles ouviram alguém abrir a porta externa do prédio.

Ouviram passos na escada: *Clomp. Clomp. Clomp.*

Stephens saiu para confrontar quem quer que estivesse subindo. Ele viu um grandalhão se aproximando da porta de Vitt. Carregava o maior grifo que Stephens já vira na vida.

O homem pareceu surpreso quando deu de cara com o robusto Stephens. "Encanador!", avisou ele, levantando a ferramenta.

Stephens e Vitt deram boas risadas depois disso, mas ele decidiu que nunca mais faria piadas sobre os medos do BTK. Ficara com medo na escadaria daquele prédio. Ao longo dos meses seguintes, ficou tão obcecado com o BTK que as pessoas na redação começaram a brincar que talvez *ele* fosse o assassino.

Stephens disse aos outros repórteres policiais que dali em diante, sempre que fizessem a cobertura de algum homicídio, eles deveriam perguntar: a linha telefônica foi cortada? A vítima foi estrangulada? Estava amarrada?

Anotações eram acrescentadas a esse arquivo mês a mês.

• • •

No dia 10 de março, um mês depois da coletiva de imprensa, a polícia prendeu um homem suspeito de ser o BTK. Ele se encaixava no perfil esboçado pelas autoridades, tinha ligações com algumas das vítimas e comprou uma corda de varal certo dia enquanto os policiais o vigiavam.

LaMunyon estava tão confiante de que estavam com o homem certo que afirmou aos repórteres do *Eagle* na sala de imprensa da prefeitura que aquele era o cara. Entregou informações sobre os antecedentes do sujeito e disse que testes estavam sendo feitos para provar que seu tipo sanguíneo era compatível com o do sêmen encontrado na casa dos Otero.

Os repórteres começaram a escrever em um ritmo frenético, supondo que estavam dando o furo jornalístico mais incrível da história da cidade. Mas LaMunyon deu uma passada na redação naquela noite.

"Não é ele", informou LaMunyon.

Todos pararam de datilografar.

"O teste sanguíneo o descartou."

• • •

Como os dois detetives que estiveram dispostos a visitar a casa dos Otero acompanhados de uma médium, àquela altura, LaMunyon estava disposto a não descartar nenhuma ideia que aparecesse. Logo depois da coletiva de imprensa, com a ajuda da nova equipe da KAKE, tentou se comunicar com o BTK por meio de sugestões subliminares. A polícia de Wichita jamais tentara isso antes, e nunca mais voltaria a fazer algo do tipo.

Além da carta, o BTK tinha enviado o desenho de Nancy Fox; era tão detalhado que mostrava os óculos de Fox dispostos sobre uma cômoda perto da cama. A polícia desconfiou que isso poderia ser importante.

A maioria das vítimas do BTK usava óculos. Em sua primeira carta, ele mencionara em que lugar da casa os óculos de Josie Otero haviam sido deixados. Talvez os óculos tivessem algum significado para ele.

Na época, a polícia chegou a pensar que talvez o BTK perseguisse mulheres em parte com base na cor dos olhos. Ou talvez fosse a cor do cabelo ou a idade, segundo alguns.

LaMunyon agendou uma aparição pessoal no noticiário da KAKE para conversar sobre o BTK. E, enquanto falava, uma imagem piscava na tela por apenas uma fração de segundo: um desenho de um par de óculos, com as palavras: "Agora ligue para o chefe de polícia".

O BTK não fez isso.

Outras pessoas sim; a polícia recebeu centenas de pistas. Nenhuma delas rendeu frutos.

● ● ●

No dia 2 de outubro de 1978, o departamento de polícia contratou um novo patrulheiro. Era natural de Wichita, da conflituosa zona oeste. Tinha se formado seis anos antes na Escola Secundária Católica de Bishop Carroll e ainda precisava de alguns créditos para se graduar em história na UEW.

O assalto na loja de roupas quase um ano antes ainda pesava na mente de Kenny Landwehr. Ele decidira não se candidatar para o FBI.

No funeral de um familiar, ele puxou de canto seu pai, Lee, para uma conversa. Contou que largaria a faculdade para entrar para a academia de polícia de Wichita. Queria combater o crime nas ruas.

Lee Landwehr suspirou.

"Ok", disse seu pai. "Mas não vamos contar para sua mãe ainda."

Quando Landwehr deu a notícia para ela, alguns dias depois, sua mãe não reclamou. No entanto, ficou mais assustada do que deixou transparecer.

Na entrevista de candidatura, um supervisor da polícia fez a Landweher, então com 23 anos, uma pergunta padrão: O que você ambiciona em termos de carreira?

A resposta padrão dos recrutas entusiasmados era: Quero ser chefe de polícia um dia.

Mas aquele recruta disse: "Quero trabalhar no departamento de homicídios".

O entrevistador ficou surpreso: Você não quer ser chefe de polícia?

"Não", respondeu Landwehr. "Quero comandar a unidade de homicídios um dia."

PROFILE

profile

BTK

DENNIS LYNN RADER

ROY WENZL / TIM POTTER / HURST LAVIANA / L. KELLY

1979

16. EMBOSCADA E ÁLIBI

No dia 28 de abril de 1979, mais de um ano depois da última carta do BTK, uma viúva de 63 anos chamada Anna Williams chegou em casa por volta das 23h após ter saído para dançar quadrilha. Encontrou a porta de um quarto de hóspedes escancarada, uma gaveta da penteadeira aberta e roupas pelo chão. Alguém tinha roubado joias, roupas e uma meia na qual ela escondera 35 dólares.

Quando descobriu que a linha telefônica estava muda, fugiu correndo.

• • •

Semanas depois, no dia 14 de junho, uma atendente que abria a agência dos correios no centro da cidade, perto da esquina da Central com a Main, encontrou um homem esperando por ela às 4h. Ele lhe entregou um pacote.

"Coloque isto na caixa da KAKE", instruiu ele.

A atendente mais tarde o descreveu como um homem bem-barbeado, branco, por volta de 1,75 m de altura e na casa dos trinta anos. Vestia uma jaqueta jeans, calças do mesmo tecido e luvas. O cabelo era cortado curto acima das orelhas, e ele tinha falhas nos dentes.

A atendente não sabia, mas o homem tinha enviado um pacote parecido para Anna Williams.

• • •

O envelope para Williams estava endereçado em letras de forma. Dentro havia uma de suas echarpes e uma de suas joias. Havia um desenho de uma mulher amordaçada, apenas de meias, deitada na beirada de uma cama. As mãos e os pés estavam amarrados a uma vara do mesmo modo como caçadores de safáris levam para casa grandes caças nos filmes; ela estava atada de tal maneira que apertava as amarras ainda mais conforme se debatia. A correspondência também continha um poema salpicado de erros ortográficos e ameaças sexuais. O nome Louis tinha sido riscado e substituído por "Anna" e "A".

> *oh, anna por quê você não apareceu*
> *Foi um plano perfeito de prazer pervertido tão*
> *audacioso naquela noite de primavera*
> *Meu centimento interno ardendo com a*
> *propensão da nova estação que despertava*
> *Quente, úmido com medo e êxtase internos, meu prazer*
> *de enredamento, como novas vinhas tão apertadas.*
> *Oh, A — Por Que Você Não Apareceu*
> *Gota de medo fresca da chuva primaveril rolaria por sua*
> *nudez para perfumar a febre intensa que arde dentro.*
> *Naquele pequeno mundo de anseio, medo, arrebatamento e*
> *desespero, os jogos que jogamos, chegam aos ouvidos do diabo.*
> *A fantasia salta adiante, atinge uma fúria*
> *tempestuosa, então o inverno calmo no fim.*
> *Oh, A — Por Que Você Não Apareceu*
> *Sozinho, agora em um outro tempo me deito com doces*
> *vestuários encantadores sobre pensamentos mais particular.*
> *Cama de grama úmida primaveril, pura antes do sol,*
> *escravizada pelo controle, vento quente perfumando o ar, a luz*
> *do sol reluz em lágrimas em olhos tão profundos e límpidos.*
> *Sozinho outra vez eu caminho por antiguas lembranças de*
> *espelhos, e me pergunto por que você a número oito não foi.*
> *Oh, A — Por Que Você Não Apareceu.*

E havia uma estranha assinatura: um B virado de lado para parecer óculos, com um T e parte de um K conjugados para ficarem parecidos com um sorriso mais abaixo. A assinatura era estilizada, como se o autor estivesse orgulhoso de si mesmo. Era a primeira vez que ele marcava uma mensagem dessa maneira.

A polícia se perguntava por que o BTK tinha escolhido Williams como alvo. A maioria de suas vítimas era composta de mulheres, mas todas tinham menos de quarenta anos. Talvez o BTK na verdade estivesse atrás da neta de 24 anos de Williams, que costumava ficar com ela.

Williams não esperou que a polícia desvendasse a questão. Decidiu ir embora do Kansas.

• • •

LaMunyon pediu ao editor do *Eagle*, Buzz Merritt, para dar uma olhada nas fotos da cena do crime dos Otero. Ciente de que jamais publicaria imagens de conteúdo tão forte, Merritt não queria vê-las. LaMunyon propôs um acordo: os repórteres do *Eagle* teriam acesso a algumas partes dos arquivos investigativos secretos em troca de uma promessa de não divulgarem o que vissem antes que o BTK fosse capturado. LaMunyon foi insistente e parecia ansioso.

Isso elevaria o relacionamento entre o departamento de polícia e o jornal a um novo patamar. Merritt achava que em pouco tempo, talvez antes do final de 1979, o BTK seria capturado. Dar uma olhada no arquivo ajudaria a adiantar uma parte da apuração e cobertura jornalística. Ele foi ver as fotos, e em seguida combinou de enviar os repórteres também. Doze dias depois de o BTK enviar o poema sobre Williams, LaMunyon mostrou as cartas do assassino e uma apresentação de slides com as fotos dos crimes dos Otero para Ken Stephens e Casey Scott. Stephens copiou a assinatura do BTK em seu caderno; a KAKE entregara fechado para os policiais o pacote que recebera, mas o *Eagle* foi informado sobre o que havia dentro.

LaMunyon só viria a explicar aos jornalistas por que queria que eles vissem os arquivos muito mais tarde: ele e os outros membros do alto-comando esperavam que novos olhos encontrassem novas pistas.

Não encontraram.

• • •

A carta para Williams instigou os investigadores não apenas a se esforçarem mais, mas também a terem novas ideias. Ao longo dos dois anos seguintes, os detetives Arlyn Smith, Bernie Drowatzky, Al Thimmesch e outros tentaram rastrear a copiadora que o BTK usou para as cartas enviadas para a KAKE e para Williams. Tinham notado algo interessante. A primeira mensagem do BTK — a carta na biblioteca em 1974 — foi um documento original. Desde então, o assassino passara a enviar cópias de fotocópias para encobrir seus rastros. Os rolos das copiadoras deixam "impressões digitais" de ranhuras nas bordas de cada folha que processam. O BTK se dava ao trabalho de inclusive aparar as margens de suas mensagens.

Os detetives decidiram rastrear as cópias mesmo assim. Investigaram a fundo cada uma das copiadoras de Wichita; havia centenas. Os colegas de Smith o consideravam um sujeito inteligente. Décadas depois, ainda era capaz de recitar de cabeça os nomes das peças de uma copiadora e os componentes da tinta. Aprendeu que os fabricantes de celulose usavam uma mistura de cicuta do norte, abeto e pinheiro em papel para copiadoras. Sabia quais quantidades de quais sais minerais apareceriam em diferentes marcas de papel — o produto de cada plantador de árvores de acordo com o uso de diferentes proporções de fertilizantes.

Certo dia, Smith levantou o olhar depois de uma reunião e se deparou com dois representantes da Xerox Corporation, de ternos azuis e maletas nas mãos, querendo conversar. Informaram que a empresa tinha um laboratório em Rochester, no estado de Nova York, com um arquivo detalhando todos os modelos de copiadoras já fabricados. A Xerox estudava as máquinas de concorrentes. Esses recursos seriam úteis? Claro que sim, disse Smith.

Thimmesch enviou o detetive Tom Allen para Rochester com as mensagens do BTK: a carta de 1978, o poema "Oh, Anna" e o desenho. Thimmesch estava hesitante em permitir que as evidências saíssem do prédio do distrito policial. Ele disse a Allen: "Se aquele avião cair, você cobre as mensagens do BTK com o corpo para protegê-las".

Os especialistas da Xerox e a polícia afinal concluíram que era provável que o BTK tivesse copiado a carta para Williams na biblioteca do centro da cidade. E com certeza a carta para a KAKE fora reproduzida em uma copiadora no edifício de biologia da Universidade Estadual Wichita.

Isso significava que ele era um aluno da UEW?

Os policiais já tinham compilado diversas listas: criminosos sexuais, ladrões de residências que com o tempo se tornaram criminosos violentos, funcionários da Coleman, entre outros. Então cruzaram esses nomes com as listas de alunos da UEW — e também de agentes da força policial, por causa do jargão que o BTK usava nas mensagens.

Smith e seu parceiro, George Scantlin, também recrutaram o psicólogo infantil Tony Ruark para desenvolver um perfil comportamental do BTK. Mostraram cópias dos escritos do assassino e fotos das cenas dos crimes. Diga qual é a motivação dele, pediu Smith. Que tipo de indivíduo deveríamos procurar? Ruark analisou a ortografia e os erros de datilografia. Alguns policiais tinham sugerido que o BTK escrevia daquela maneira para disfarçar uma dicção mais sofisticada.

Ruark discordou dessa tese. Achava que o homem poderia até ser cuidadoso, mas era burro ou tinha algum transtorno de aprendizagem. Como o BTK era tão perturbador e perturbado, Ruark também se perguntou se poderia encontrar seu nome verdadeiro no Centro de Aconselhamento Infantil de Wichita. Talvez o BTK tivesse passado por tratamentos em razão de problemas emocionais quando criança.

Ao longo de dois anos, Ruark estudou arquivos de crianças durante seu horário de almoço. Smith tinha lhe passado a faixa etária do BTK: entre vinte e trinta anos. Ruark selecionou antigos pacientes dessa idade que tinham problemas sexuais. No total, forneceu ao investigador mais de uma dúzia de nomes. Smith os comparou com as listas compiladas pelos investigadores.

Nada batia.

Àquela altura, a polícia já havia gastado centenas de milhares de dólares dos contribuintes, feito pesquisas cruzadas com milhares de nomes e eliminado centenas de homens com álibis sólidos. A atendente dos correios que viu o BTK foi até colocada sob efeito de hipnose. Nada foi descoberto. No fim das contas, havia apenas duas coisas boas sobre o BTK ter invadido a privacidade de Anna Williams.

Uma era que Williams sobrevivera.

A outra era que Ken Stephens tinha um álibi.

As más línguas da redação do *Eagle* vinham fazendo insinuações em tom de brincadeira com tanta frequência sobre a obsessão de Stephens pelo BTK que alguns policiais suspeitavam dele de verdade. Mas o repórter pôde provar que, durante as horas em que o criminoso esperava de tocaia na casa de Williams, ele estava cuidando do bar no show de paródias anual da imprensa de Wichita, o "Gridiron". LaMunyon era o Convidado Misterioso no palco naquela noite.

"Você foi meu álibi", disse o jornalista para LaMunyon.

"E você foi o *meu*", respondeu o chefe de polícia.

• • •

No dia 17 de dezembro daquele ano, o policial Kenny Landwehr e seu parceiro de patrulha, Reginald Chaney, rastrearam um adolescente suspeito de invasão domiciliar até o encontrarem em uma casa. O suspeito bateu a porta dos fundos duas vezes sobre o braço de Landwehr, quebrando o vidro. Landwehr sacou a arma quando pensou ter visto o adolescente estender a mão para pegar alguma coisa. Mas, enquanto fazia pontaria, de repente ficou paralisado — viu um jato de sangue esguichando de seu pulso direito, respingando na manga esquerda do casaco. O vidro o tinha cortado.

Chaney derrubou o adolescente no chão e chamou uma ambulância — "policial ferido". Landwehr, sangrando profusamente, tirou a gravata e a amarrou em volta do antebraço, como um torniquete.

No hospital, uma enfermeira disse que uma visitante estava pedindo para falar com ele.

"Quem é?", perguntou Landwehr.

"Sua mãe", revelou a enfermeira.

Irene Landwehr tinha ouvido a história toda em seu rádio da polícia. O filho, sabendo o quanto ela se preocupava com ele, havia presenteado a mãe com o rádio quando se juntou ao departamento, esperando que o fato de poder ouvir o que acontecia enquanto trabalhava fosse provar para ela que não se tratava de um emprego perigoso.

PROFILE

17. O INSTALADOR

Um instalador de alarmes da companhia de segurança ADT se tornou um grande amigo de Dennis Rader desde que começaram a trabalhar juntos, na década de 1970. Eles compartilhavam muitas histórias e risadas, e até mesmo cuidavam dos filhos um do outro quando um dos dois precisasse sair. Havia noites em que o instalador e sua esposa chegavam em casa e se deparavam com Rader embalando o filho do casal nos braços.

Para o instalador, que não quis seu nome usado neste livro, Rader parecia normal, acessível e educado.

...

Depois que se tornou supervisor, Rader proibiu que os demais funcionários falassem palavrões ou contassem piadas de mau gosto na frente das mulheres.

Mas ele também tinha suas esquisitices. O instalador achava que Rader às vezes era inflexível e um pouco controlador. Por exemplo, o supervisor se recusava a entregar novos rolos de fita isolante a não ser que os instaladores lhe mostrassem os cilindros de papelão dos rolos usados. Isso parecia estranho.

Rader usava sapatos cinza da Hush Puppies e no inverno aparecia com o mesmo tipo de chapéu com abas do Hortelino nos desenhos do Pernalonga. Conversava bastante sobre sua igreja e sua família. Era sempre agradável com a esposa, Paula, e falava com orgulho sobre os dois filhos.

Também era competente no trabalho. Em certa ocasião, um proprietário de uma residência no opulento bairro de Vickridge que costumava sair de casa várias vezes por dia perguntou se poderia ser instalado um alarme de tal maneira que não fosse obrigado a desarmá-lo toda vez que chegasse. Rader então inventou um engenhoso mecanismo de espera e um temporizador que eliminava a necessidade de reiniciar o alarme constantemente.

O instalador andava com Rader nas caminhonetes da ADT. O supervisor sempre carregava consigo uma bolsa de ginástica azul-escuro. Parecia estranhamente cuidadoso com ela; o instalador não sabia ao certo por quê. No trabalho, Rader às vezes desaparecia por algumas horas, dizendo que precisava de peças ou equipamentos.

Os instaladores da ADT por vezes trabalhavam em Hutchinson, Salina e Arkansas City, cidadezinhas localizadas a quilômetros de Wichita. A ADT permitia que passassem a noite nesses lugares, mas Rader sempre voltava no mesmo dia, sob a justificativa de que precisava ir às aulas na UEW.

Rader andava com um bipe e às vezes precisava trabalhar até de madrugada.

Fora do trabalho, o instalador e Rader gostavam de cerveja, piadas, pescaria, jardinagem e caça. Foram caçar codorna juntos certa vez no reservatório Marion.

Um dia Rader perguntou se o instalador conhecia uma maneira de amarrar pés de tomates para que se tornassem mais produtivos. O instalador recomendou meia-calça — um material forte, flexível, fácil de amarrar. Rader mais tarde disse que a meia-calça tinha funcionado bem.

• • •

Rader começara a trabalhar na ADT em novembro de 1974, quando Jim Wainscott era o gerente da filial de Wichita. Rader tinha 29 anos à época. Wainscott administrava o serviço de vigias da ADT e cuidava de algumas instalações e vendas de dispositivos de alarme.

Assim como o instalador, Wainscott se lembraria dele como uma pessoa normal.

Na entrevista de emprego, Rader não puxou seu saco nem tentou se supervalorizar. Prestava bastante atenção enquanto Wainscott descrevia o trabalho. Wainscott, a princípio, pensou que Rader estava tentando entendê-lo melhor para que pudesse dizer o que o entrevistador queria ouvir, mas quando Rader respondeu às perguntas, pareceu bastante franco a respeito do que era capaz de fazer.

Wainscott levantou a possibilidade de ele preencher uma vaga como vigia. Rader disse não. Queria ser policial algum dia, "com todas as forças", mas trabalhar como segurança à noite não daria certo — ele estava frequentando as aulas noturnas para concluir o curso de administração do sistema judicial na Universidade Estadual de Wichita.

• • •

Os instaladores da ADT bebiam em um bar chamado Play Pen na South Washington. Eles tinham um código secreto. Mandavam um rádio uns aos outros: "PP30". Isso significava: "Encontro você no Play Pen às 16h30". Rader adorava pequenos códigos espirituosos.

Às vezes, os dois amigos bebiam mais do que o recomendável. Rader algumas vezes bebia bastante, mas nunca até cair.

Algumas vezes, o instalador recebeu telefonemas de Paula Rader tarde da noite, perguntando se ele sabia onde Dennis poderia estar.

1980 a 1982

18. HISTÓRIAS DE POLÍCIA

Arlyn Smith se tornou superior imediato de Landwehr em 1980, quando LaMunyon o promoveu de detetive a tenente de patrulhas. Smith diria mais tarde que Landwehr era o policial mais inteligente que já tinha supervisionado. E uma figura peculiar também. Smith tinha uma teoria a respeito disso: o humor canaliza o estresse. Como se trata de um trabalho que às vezes é brutalmente estressante, o humor policial pode ser cruel ou macabro em determinadas situações.

Smith costumava começar o turno noturno com Landwehr em uma lanchonete Denny's na West Kellogg. Landwehr o chamava de Smitty.

Certa noite não havia mais ninguém na Denny's, exceto um casal com um bebê choroso. Enquanto os policiais saíam e passavam pela criança barulhenta, Landwehr brincou com Smith: "Eles não fazem isso depois que você segura suas cabeças embaixo d'água por algum tempo". Landwehr saiu, com Smith logo atrás. Do lado de fora, Smith o confrontou.

"E se aquela família tivesse ouvido você? Sou seu tenente. O que eu deveria dizer se eles ficassem indignados?" Landwehr abriu um sorriso largo e andou até o carro.

Após uma longa carreira, Smith concluiu que os policiais, até os mais gentis, usam o humor para extravasar, em especial depois de testemunhar crueldades em cenas de crime. Landwehr já tinha visto um bocado.

Smith encarava o humor policial como terapia.

"Quero meus detetives relaxados", diria Smith mais tarde. "Quero que contem piadas e quero que vão para casa à noite e durmam bem, caso algum dia tenham que entrar em uma cena de crime. Por quê? Porque, quando você não está todo emotivo, quando tem uma boa noite de sono, é aí que trabalha melhor. Kenny Landwehr era esse tipo de policial."

O problema dessa conclusão no caso de Landwehr era que não era verdade. Outras pessoas que o conheciam diziam que ele usava piadas e brincadeiras para esconder uma sensibilidade à flor da pele. Irene Landwehr, por exemplo, tinha certeza de que o suposto distanciamento do filho era fingimento. Ela notara que, quando criança, ele parecia ficar magoado com facilidade quando os adolescentes nas reuniões de família deixavam os pequenos de fora das brincadeiras. Quando ele próprio chegou à adolescência, incluía os menores em tudo. Seu apego a crianças, em especial vítimas de crimes ou deficientes, continuou o mesmo depois que se tornou policial. Inclusive era voluntário na Special Olympics, uma iniciativa de caridade para a qual continuou trabalhando ao longo de sua carreira.

Certa noite, quando Landwehr era patrulheiro, Irene o viu sentado à mesa de jantar em um silêncio pouco característico, incapaz de comer. Demorou um pouco para que desabafasse, mas ele por fim lhe contou por quê.

Mais cedo naquele dia, enquanto estava sentado em sua viatura, ele ouvira um grito distante.

Dirigiu por dois quarteirões e encontrou a origem: um menino de oito anos que levava para casa a irmã de cinco tinha desviado o olhar por apenas um instante enquanto atravessavam a rua de mãos dadas. Um caminhão de lixo deu ré nesse momento, esmagando a menina.

Landwehr chamou os paramédicos pelo rádio da viatura e começou a gritar a localização. Smith, estacionado a alguns quarteirões de distância, ao perceber sua angústia, pensou por um momento que o próprio Landwehr tinha atropelado a criança.

Landwehr conduziu o menino até sua viatura e fez a única coisa que conseguiu pensar para ajudá-lo: mentiu para ele.

"Eles vão fazer tudo o que puderem por ela", garantiu.

Mais tarde, na casa da mãe, ficou sentado, em choque.

Já naquela época, depois de noites no trabalho, ele às vezes bebia para esquecer.

PROFILE

profile
BTK
DENNIS LYNN RADER
ROY WENZL / TIM POTTER / HURST LAVIANA / L. KELLY

1984

19. OS CAÇA-FANTASMAS

Dez anos depois de os Otero terem sido assassinados, os representantes do conselho administrativo da cidade abordaram o chefe de polícia LaMunyon certo dia e passaram a fazer perguntas sobre o BTK. Quanto mais falavam, mais surpreendiam LaMunyon.

Ninguém tinha notícias do BTK havia cinco anos, mas as pessoas ainda estavam assustadas. Gene Denton, o administrador executivo da cidade, e Al Kirk, um comissário municipal, queriam que algo fosse feito. Perguntaram o que seria necessário para capturar o BTK.

"Dinheiro e um efetivo do qual não posso abrir mão", respondeu LaMunyon.

Para espanto do chefe de polícia, Kirk afirmou que a intenção era tornar isso possível.

A prefeitura não direcionou mais verbas a LaMunyon, mas lhe deu uma concessão temporária para remanejar o orçamento do qual dispunha. Denton disse que a polícia poderia receber um computador. Computadores pessoais eram uma novidade; LaMunyon se deu conta de que esse recurso poderia economizar milhares de horas de trabalho fazendo cálculos, armazenando enormes quantidades de dados e permitindo aos policiais fazer pesquisas cruzadas em listas de suspeitos com bastante rapidez.

Quando surgiu uma complicação para a obtenção de um computador para a polícia, Ray Trail, um alto funcionário da prefeitura, emprestou o seu.

LaMunyon planejou a investigação mais sofisticada da história da cidade, empregando não apenas o processamento de dados, mas também as novas teorias do FBI sobre ciência comportamental e os então recentes desenvolvimentos no campo da genética. Os policiais tinham o DNA do BTK — no sêmen ressecado armazenado em um envelope desde as mortes dos Otero.

LaMunyon escolheu a dedo os membros da força-tarefa depois de conversar com o alto-comando.

"Me digam quem são seus melhores homens", pediu ele.

• • •

Alguns dias depois, o supervisor de Landwehr o mandou ao escritório de LaMunyon para um novo serviço. O policial sentiu uma pontada de insegurança, perguntando-se o que poderia ter feito de errado. Quando chegou ao escritório do chefe de polícia, Landwehr viu diversos homens que conhecia: o capitão Gary Fulton, o tenente Al Stewart e os policiais Paul Dotson, Ed Naasz, Mark Richardson e Jerry Harper. Haveria mais um, ele descobriu: Paul Holmes, um policial ferido junto com o parceiro, Norman Williams, em um tiroteio no Instituto de Fonoaudiologia, perto da esquina da Twenty--first com a Grove, em 1980.

O chefe de polícia LaMunyon informou que estava montando uma força-tarefa secreta.

"E vocês são ela."

Eles formavam um grupo incomum. Holmes, que matara um homem, era baixo, magricelo e falava com um tom de voz suave. Fazia anotações meticulosas em minúsculas letras de forma; era muito organizado. O chefe de polícia vinha monitorando a recuperação de Holmes depois do tiroteio e descobriu que ele e Harper tinham trabalhado no caso do BTK por conta própria durante oito anos, estudando arquivos e entrevistando testemunhas.

Stewart sabia mais sobre computadores do que a maioria das pessoas.

Dotson, sagaz e pensativo, logo se transformou em um dos melhores amigos de Landwehr. Os dois se aproximaram em parte porque ambos eram ambiciosos, perfeccionistas cheios de dúvidas em relação a si mesmos e adeptos de um senso de humor macabro.

LaMunyon vinha acompanhando a situação de Landwehr desde seu ferimento no braço e sabia que ele ajudara a fazer com que a Special Olympics se transformasse na iniciativa de caridade oficial do departamento. Ouvira falar que Landwehr tinha o costume de cair na farra, mas também era bastante talentoso.

A não ser por Holmes e Fulton, nenhum dos homens reunidos para a força-tarefa participara da caçada ao BTK, mas para LaMunyon era melhor assim. Ele acreditava que estava na hora de obter novas perspectivas.

"Não contem para ninguém o que estão fazendo", ordenou LaMunyon. "Nem para suas esposas, nem mesmo para os meus subchefes."

O acesso à sala onde trabalhavam era permitido apenas para LaMunyon e membros da força-tarefa. Certo dia, quando um subchefe de polícia tentou entrar, Holmes fechou a porta na cara dele. O subchefe berrou: "Me deixe entrar *agora!*"

"Não", Holmes respondeu simplesmente.

• • •

No final de 1984, a equipe de repórteres policiais do *Eagle* tinha um novo membro. Hurst Laviana fora contratado pelo jornal dois anos antes, saído da universidade com um diploma em matemática. Era quieto, observador e gostava de ficar sozinho.

Não sabia nada a respeito do BTK. Certa noite, foi fazer a cobertura de um homicídio. O crime acabaria se mostrando um assassinato corriqueiro. Enquanto Laviana saía, Stephens gritou para ele:

"Não se esqueça de perguntar aos tiras se a linha telefônica foi cortada."

"Por quê?", perguntou Laviana.

• • •

Algumas das provas dos casos envolvendo o BTK tinham dez anos àquela altura. Para armazená-las, a prefeitura as enviara para o subsolo, para câmaras de antigas minas de sal escavadas embaixo de Hutchinson, no Kansas, 80 km a noroeste de Wichita. O governo municipal armazenava seus antigos registros ali. No primeiro dia em que Holmes foi até lá, ele pensou: "Uau, vou ter a oportunidade de entrar em uma antiga mina de sal". No dia seguinte, já havia desenvolvido um receio de entrar nas cavernas geladas e sombrias.

Os arquivos do BTK e as caixas de provas não estavam agrupados. Holmes começou a reuni-las e a indexar tudo: registros dos casos, brinquedos da casa de Vian, milhares de páginas de relatórios sobre o assassino guardadas em fichários vermelhos e verdes. Havia pelo menos cinco caixas com anotações dos investigadores.

"Nós lemos tudo aquilo", Stewart contaria mais tarde. "Durante o primeiro mês, não fizemos nada a não ser ler relatórios."

Eles também mantinham contato com especialistas em perfis do FBI. Os policiais da força-tarefa de Wichita estavam começando a achar que deveriam se comunicar com o BTK, caso ele algum dia reaparecesse, e o pessoal da ciência comportamental do FBI, com quem se aconselhavam, também estava chegando a essa mesma conclusão.

Anos antes, detetives mais velhos que investigaram o BTK tinham criado um enorme arquivo de fichas pautadas contendo nomes de suspeitos descartados. A nova força-tarefa analisou essas fichas, questionando se aqueles homens deveriam voltar a ser investigados. Isso significaria centenas de horas de trabalho. Eles decidiram que sim.

Eles organizaram suas próprias listas indexadas. A partir de registros do estado, do condado e da cidade, compilaram uma lista de habitantes do sexo masculino da região de Wichita que tinham entre 21 e 35 anos em 1974. Dezenas de milhares de nomes.

Havia uma lista à parte de estudantes, professores e funcionários da UEW, uma lista de pessoas que trabalharam na Coleman, outra do efetivo da Base McConnell da Aeronáutica, outra da companhia de eletricidade local. Foram compiladas listas de abusadores de animais, voyeurs, pervertidos sexuais, presidiários, entre outros.

A intenção dos policiais era encontrar nomes que apareciam em mais de uma lista. Uma boa ideia, mas falível. Eles não sabiam disso na época, mas o homem que estavam procurando estava ali, na lista da UEW. Porém não tinha antecedentes criminais. Jamais estivera na McConnell. E, embora tenha trabalhado na Coleman, como incontáveis outros operários de Wichita, isso foi antes dos ataques a Julie Otero e aos irmãos Bright; os investigadores estavam procurando um colega de trabalho. Milhares de pessoas apareciam em pelo menos duas das listas, o que tornava todos suspeitos até que fossem inocentados pela análise de amostras de sangue. Os policiais também inseriram os próprios nomes no sistema — e Paul Holmes, que tivera atuação heroica em um tiroteio, apareceu em *quatro* listas. Sua amostra de sangue o inocentou.

O BTK se gabara da existência de outra vítima, até então não identificada — a número cinco de seus sete assassinatos. Após semanas de debates, a força-tarefa concluiu que se tratava de Kathryn Bright. Os policiais acrescentaram todos os arquivos sobre Bright e os sacos plásticos com provas referentes ao caso às evidências relacionadas ao BTK, inclusive uma das balas que atingiram Kevin Bright na cabeça.

Como o BTK tinha baleado Kevin com uma pistola semiautomática Colt .22, que se acreditava ser um modelo Targetsman ou Woodsman, foi elaborada uma imensa lista de pessoas que tinham comprado tais armas.

Programas de computador específicos foram instalados para fazer pesquisas cruzadas nas listas.

Em determinado ponto, os policiais conseguiram reduzir a lista de suspeitos de dezenas de milhares para trinta homens em Wichita e outros 185 que moravam em outros lugares. Holmes disse à força-tarefa que seria necessário obter amostras de sangue e de saliva de todos eles.

"Como diabos você vai convencer esses homens a te darem uma amostra de sangue?", perguntou LaMunyon.

"Eu vou procurá-los e pedir", respondeu Holmes.

Para encontrar esses homens, os detetives percorreram quase todos os estados do país, viajando em duplas de acordo com itinerários pré-definidos, por exemplo para Tulsa, depois Dallas, Houston e assim por diante. Espetaram vários dedos para tirar sangue e esfregaram inúmeras línguas em papel para coletar saliva. Certa noite, em Hutchinson, Holmes conversou com um suspeito e sua esposa. "Seu nome apareceu em uma lista de suspeitos de serem o BTK e eu quero tirar você dela", informou Holmes. "Preciso de amostras do seu sangue e da sua saliva."

"Não dê porcaria nenhuma para esses caras", disse a mulher para o marido.

"Então vou ter que interrogar seus empregadores e seus vizinhos e fazer uma verificação completa de seus antecedentes", avisou Holmes.

"Não dê *nada* para essa gente", insistiu a mulher.

"Me dê uma licencinha, policial", pediu o homem de repente.

Ele se voltou para a esposa.

"Cale a boca, vagabunda", repreendeu ele. Em seguida se voltou de novo para Holmes. "Pegue o quanto de sangue que quiser."

Os policiais rastrearam ex-esposas de suspeitos.

Sinto muito perguntar isso, diziam eles, mas o seu ex-marido gostava de amarrá-la durante o sexo? Gostava de penetrar por trás? Gostava de sexo anal? Essas perguntas eram feitas porque o BTK havia destacado as nádegas das mulheres em seus desenhos.

A princípio, os policiais achavam que as pessoas ficariam na defensiva ou recusariam seus pedidos de amostras e informações. Mas quase todos cooperaram. "A maioria da população é composta de cidadãos cumpridores da lei que querem ajudar a polícia a fazer seu trabalho", concluiu Stewart.

Todos os suspeitos foram descartados; a química de seus fluídos corporais não era compatível com a do BTK. Isso surpreendeu a força-tarefa. Os policiais começaram a elaborar novas listas.

• • •

Em outubro de 1984, os especialistas em perfis criminais do FBI, entre eles Roy Hazelwood, forneceu à polícia suas primeiras impressões detalhadas sobre o BTK. Hazelwood acreditava que o BTK praticava *bondage*[1] na vida cotidiana, que era um sádico sexual obcecado por controle, incapaz de interagir com outras pessoas além de um nível superficial. "Você o conhece, mas não o conhece de verdade." O especialista acreditava que, embora o BTK pudesse ter uma boa carreira profissional, não gostava de ninguém lhe dizendo o que fazer. "Ele adora dirigir. [...] As pessoas o associariam a veículos motorizados."

Hazelwood também acreditava que o BTK colecionava itens relacionados à prática de *bondage* e lia romances policiais e revistas sobre investigações. Isso chamou a atenção da força-tarefa. As revistas sobre investigações eram vistas pela polícia como manuais de instruções sobre como se safar de um assassinato. Depois que Hazelwood lhes comunicou isso, sempre que entrava na casa de alguém, Holmes olhava em volta à procura desse tipo de publicações.

Havia ocasiões em que os policiais da força-tarefa trabalhavam sete dias por semana. "É horrível", disse Landwehr mais tarde. "Você fica acordado por uma semana e apaga por três porque não tem ninguém que possa ser um bom suspeito e não sabe onde ele pode ter se enfiado. Tem vezes em que você não quer nem ir para o trabalho."

---

1   *Bondage* é uma palavra francesa para "servidão". É uma das técnicas do BDSM (um acrônimo para Bondage e Disciplina, Dominação e Submissão, Sadismo e Masoquismo) que considera a submissão sexual como uma das maiores fontes de prazer durante o sexo. Envolve imobilização e amarração do parceiro e pode ou não ter penetração. [NT]

Depois do expediente, eles iam atrás do remédio mais tradicional para o estresse policial.

"Precisávamos ficar bêbados", contou Stewart. "Os caras estavam trabalhando doze, quatorze horas por dia isolados de todo mundo."

Certo dia, pouco depois do início da força-tarefa, Holmes ouviu um policial perguntar: "O que aqueles caras ficam fazendo naquela sala fechada?"

"Caçando fantasmas", respondeu alguém.

Um pôster foi colado na porta da sala deles. Era parte do material de divulgação de um filme com Bill Murray sobre pseudocientistas que perseguiam fantasmas em Nova York.

Os Caça-Fantasmas.

O nome pegou.

Mas os Caça-Fantasmas não pegaram ninguém.

• • •

Em 1985, Ken Stephens arrumou um emprego no *Dallas Morning News*. Ele fez uma cópia do arquivo do BTK e levou consigo. O arquivo original já tinha sido mostrado para Laviana fazia tempo.

"Você precisa estudar isto aqui", avisou Stephens, "caso ele volte."

Se o BTK algum dia voltar a enviar uma mensagem para o *Eagle*, Laviana deveria levá-la para a polícia, mas apenas depois de fazer uma cópia, instruiu o repórter veterano.

Logo depois de Stephens partir, o BTK voltou a matar.

PROFILE

26 e 27 de abril de 1985

20. MARINE HEDGE

Marine Hedge tinha pouco mais de 1,50 m de altura e pesava por volta de 45 kg. Era uma avó de 53 anos com um sotaque sulista que escorria de sua língua como melado pingando lentamente de uma colher.

Gostava de joias, de se vestir com esmero e de encher o armário com sapatos que combinavam com todas as roupas. Ela fazia com que ser baixinha fosse elegante. Preferia cozinhar tudo do zero e ensinava às jovens noras a fritar bolinhos e bagres do jeito que aprendeu quando ainda era a pequena Marine Wallace, uma garotinha do Arkansas.

Seu marido, um funcionário da empresa de aviação Beechcraft, morrera em 1984, o que a fazia se sentir solitária em sua casa no número 6254 da Independence, na cidadezinha suburbana de Park City, na região de Wichita. Lidava com a perda se dedicando aos outros: aos amigos, ao filho, às três filhas e aos netos. Gostava de ver os clientes que costumava atender na cafeteria do Centro Médico Wesley, onde trabalhou por mais de dez anos no turno da tarde e da noite. E havia o bingo e as amizades na Igreja Batista de Park City.

• • •

Rader cronometrava as idas e vindas de Hedge, ficava atento à presença de homens por perto e até mesmo visitava a cafeteria do Wesley, onde descobriu que ela entrava às 14h e saía por volta da meia-noite.

Ele sabia que poderia ser uma má ideia matar alguém que morava a seis casas de distância da sua. Porém estava mais preguiçoso do que na época em que perseguira Nancy Fox e, depois de estudar o que se sabia até então sobre os assassinos em série, queria ridicularizar o trabalho dos especialistas em perfis do FBI.

Provavelmente são solitários. Não costumam ser pais de família. Assassinos em série não conseguem parar de matar.

Nada disso se aplicava a ele. Então provaria que estavam errados de novo. Mataria em sua própria vizinhança, no quarteirão onde morava, vitimando uma senhorinha que conhecia bem o bastante para cumprimentá-la quando ele e a esposa passavam pela casa dela no caminho para a igreja.

Os especialistas em perfis estavam certos sobre uma coisa: assassinos em série sentiam compulsões. Nos onze anos desde que matara os Otero, Rader seguira centenas de mulheres, em Wichita e em cidadezinhas por todo o estado do Kansas, enquanto viajava a serviço da ADT — e como viria a fazer em 1989, quando trabalhou para o US Census Bureau como supervisor de pesquisa de campo do serviço de recenseamento na região de Wichita.

Em 1985, estava cansado de sair para pescar, de explorar becos, de planejar rotas de fuga. Escolheu uma vizinha em parte porque ela era conveniente.

Mas nunca tinha se cansado da empolgação que esses projetos lhe proporcionavam. Portanto, ainda estava disposto a não poupar esforços para transformar a fantasia em realidade. Para aquele assassinato — o Projeto Cookie —, ele planejou um álibi elaborado. Usaria uma viagem de escotismo com o filho como fachada.

• • •

No acampamento TaWaKoNi, a mais ou menos 32 km de casa, eles armaram as barracas. Tinha chovido, e o terreno estava encharcado. O filho adorava coisas de escoteiro. Anos depois, viria a dizer que o pai sempre tinha sido seu melhor amigo.

No acampamento, depois do cair da noite, Rader disse aos demais pais dos escoteiros que estava com dor de cabeça. Vou cedo para a cama, informou. Assim, conseguiu se esgueirar para longe, deixando o filho com os outros escoteiros e os respectivos pais.

• • •

Ele dirigiu mais ou menos 5 km para o oeste, no sentido de sua casa. Em uma estrada vicinal perto de Andover, a leste de Wichita, parou para retirar o kit de ataque de sua sacola de boliche. Despiu o uniforme de escoteiro e vestiu roupas escuras. Em seguida, rumou para o nordeste de Wichita. Perto das lojas do Brittany Center, estacionou na frente de um boliche e fingiu se embebedar. Espirrou cerveja no rosto e nas roupas e depois chamou um táxi. Colocou sua sacola com o kit de ataque ao seu lado no assento.

Eu estava na farra com o pessoal, contou ao motorista. Não tenho como ir dirigindo para casa.

Quando chegaram a Park City, pediu ao motorista para deixá-lo em West Parkview, um quarteirão a leste da Independence.

Preciso dar uma caminhada, disse ao motorista. Transpirar para me livrar de todo esse álcool.

Estava falando enrolado para enganar o motorista. Se aquela viagem, por acaso, fosse mencionada em uma investigação, o taxista se lembraria apenas de um jogador de boliche bêbado usando roupas escuras, e não do pai de um escoteiro que dormia em uma barraca em TaWaKoNi, 32 km a leste dali. Se fossem interrogados, os pais dos escoteiros diriam que ele ficou na barraca a noite toda por causa da dor de cabeça.

Ele pagou o motorista e caminhou pela própria vizinhança; saberia como andar por ali até dormindo. Atravessou um parque, depois passou pelo quintal dos fundos dos sogros — e então foi até a casa de Marine Hedge.

Ver o carro dela o incomodou — Marine já devia estar em casa. Sua intenção era se esconder dentro da casa e surpreendê-la quando ela chegasse. E esperava que estivesse sozinha.

Ele cortou o fio da linha telefônica com um alicate e não se apressou na hora de executar o arrombamento, tentando agir em silêncio. Conseguiu abrir a porta pouco a pouco, com uma chave de fenda de cabo longo. Quando se esgueirou para dentro, descobriu que ela não estava em casa.

Alguns minutos depois, porém, ouviu a porta de um carro bater, e em seguida, vozes — a dela e a de um homem. O BTK se escondeu em um closet, praguejando contra sua má sorte. Esperou por uma hora, enquanto os dois conversavam. O homem foi embora; Marine foi se deitar.

Ela acordou quando Rader subiu em sua cama.

• • •

O chefe de polícia de Park City, Acé Van Wey, e um agente do controle de zoonoses chamado Rod Rem a encontraram nove dias depois. Seu corpinho fora escondido sob a vegetação rasteira em uma vala úmida na Fifty-third Street North, na parte nordeste de Wichita. O cadáver estava se decompondo e fora atacado por animais.

O Monte Carlo furtado de Marine fora encontrado no Brittany Center, em Wichita. Sua bolsa, sem nenhum documento de identificação, estava a quilômetros de distância. Ela fora estrangulada. Um laço feito com uma meia-calça cheia de nós foi encontrado perto do corpo. Quando os policiais de Wichita tomaram conhecimento do caso, pensaram no BTK, cujo último assassinato fora cometido em dezembro de 1977. Mas, até onde a polícia sabia, o BTK nunca matara ninguém fora de Wichita, nunca atacara ninguém com mais de 38 anos, nunca levara um corpo para fora de casa. Além disso, parecia se concentrar em endereços com o número 3; Marine morava no número 6254 da Independence, em Park City. O fio do telefone cortado chamou a atenção, mas aquele caso não batia com as informações que tinham sobre o BTK.

• • •

Depois que o corpo de Marine foi encontrado, os vizinhos de Rader em Park City começaram a expressar seus temores em suas conversas. Ele se perguntou o que aquelas pessoas teriam pensado caso soubessem da história toda — o que fizera com Marine depois de matá-la. Rader arrastara o corpo nu até o carro dela, embrulhado em colchas. Era uma mulher bem miudinha, mas ele quase não foi capaz de levantá-la. Depois que a enfiou no porta-malas, dirigiu até sua própria congregação religiosa, a Igreja Luterana de Cristo, onde passara inúmeros domingos fingindo ser um cristão.

Prendeu plástico preto nas janelas com fita, para bloquear a lanterna que acendeu. Tinha escondido o plástico na igreja antes de viajar para o acampamento dos escoteiros.

Dentro da igreja, ele brincou de Deus: manipulou seu corpo, calçou sapatos de salto alto em seus pés frios, posicionou seu cadáver em posições obscenas e tirou fotos das quais poderia desfrutar mais tarde.

Só então a levou até um local isolado e a descartou.

Àquela altura, já estava perto de amanhecer, e ele precisava correr de volta para os escoteiros. Largou o Monte Carlo dela no Brittany Center com um certo pesar — era um carro bacana — e dirigiu o próprio veículo de volta ao acampamento. Rader se levantou naquela manhã junto com todos os outros.

Quando ouviu boatos entre os vizinhos dizendo que talvez o namorado de Marine Hedge a tivesse matado, ele se pronunciou.

Não, foi o que disse. Não pode ter sido ele.

PROFILE
profile
BTK
DENNIS LYNN RADER
ROY WENZL / TIM POTTER / HURST LAVIANA / L. KELLY

16 de setembro de 1986

21. VICKI WEGERLE

O trabalho de Landwehr na força-tarefa dos Caça-Fantasmas lhe rendeu uma promoção para detetive em 1986.

No dia 16 de setembro daquele ano, ele dormiu até depois do meio-dia — estivera trabalhando até tarde. Caso tivesse acordado e saído para a varanda, poderia ter visto o homem que procurava sair de um Monte Carlo dourado 1978.

• • •

Rader tinha sido atraído para a vizinhança de Landwehr três semanas antes, quando viu uma moça entrando naquele automóvel. O veículo o fazia se lembrar do carro de Marine Hedge. Depois que começou a seguir a jovem residente de Wichita, viu que ela tinha um marido, mas passava bastante tempo sozinha em casa. Às vezes, enquanto ficava vigiando a movimentação do lado de fora da casa, o BTK ouvia um piano.

Rader achava que ela tocava lindamente.

• • •

Durante os primeiros anos em que Landwehr morou em seu pequeno apartamento de solteiro no condomínio Indian Hills Apartments, o zelador era um homem chamado Bill Wegerle. Landwehr considerava Bill um cara legal, de temperamento tranquilo. Já outras pessoas que conheciam Bill diziam que ele não demonstrava seus sentimentos.

• • •

A esposa de Bill, Vicki, costumava ficar em casa durante o dia tomando conta do filho de dois anos, Brandon, em sua casinha no número 2404 da West Thirteenth. Passava bastante tempo com Brandon e com Stephanie, a filha de nove anos.

Também cuidava eventualmente do filho recém-nascido e da filha de dois anos de Wendi Jones, uma amiga. Vicki gostava de bebês. Ela se oferecia como babá na Igreja Luterana St. Andrews, a paróquia que frequentava, e na Igreja Metodista Unida de Asbury, que ficava em seu bairro. Wendi achava que Vicki tinha instinto materno e uma presença tranquila — ela nunca levantava a voz, nem mesmo quando os bebês testavam sua paciência. Algumas vezes, quando chegava à casa de Vicki para buscar os filhos, Wendi puxava uma cadeira e elas conversavam, vendo as filhas brincarem.

• • •

Rader gostou do que viu: uma mulher jovem e loira sozinha durante o horário comercial. Gostava tanto de ouvi-la tocar que a chamou de "Projeto Piano" em suas anotações.

• • •

Depois que Bill saiu do emprego de zelador no condomínio Indian Hills Apartments, passou a trabalhar como pintor de paredes. No dia 16 de setembro, avisou Vicki que estava pintando uma casa não muito longe dali e que passaria em casa para almoçar — precisava fazer uma pausa para deixar a primeira demão secar. Ele apreciava o tempo que ficava com Vicki e Brandon, que agora engatinhava por toda a casa. Era um lar agradável para voltar: esposa, filhos, música. Às vezes ela tocava piano enquanto Brandon tirava um cochilo.

• • •

Rader tinha modificado um cartão de visitas para que se parecesse com um crachá de identificação de uma companhia telefônica. Ele tinha um capacete de proteção amarelo, fornecido pela ADT. Recortara uma parte da capa de um manual de manutenção da Southwestern Bell e a colara em seu capacete, esperando se passar por um funcionário de manutenção de telefones. A maleta que levaria parecia oficial, mas continha os suprimentos do kit de ataque — corda, fio, faca, arma. Ele colocara algo novo dessa vez: cadarços de couro para botas amarrados no que chamava de cordame de estrangulamento. "Descendo o couro", era como o apelidara. Rader achava que o couro, fino e resistente, poderia fazer com que o estrangulamento fosse mais rápido. Tinha atado nós nos cadarços para que pudesse ter uma pegada melhor.

Ele estacionou a van da companhia de segurança no estacionamento do Indian Hills Shopping Center, colocou o capacete de proteção e atravessou a rua na direção da casa da mulher loira. Mas primeiro foi à casa de seus vizinhos idosos. Eles o deixaram entrar, e Rader fingiu verificar a linha telefônica. Queria que a mulher loira, se o visse, pensasse que fosse apenas um funcionário de manutenção de linhas telefônicas trabalhando na vizinhança. Ele entrou em muitas casas desse modo.

Ao deixar a casa do casal idoso, andou até a porta da mulher loira. Ouviu o piano. Quando bateu, a música parou.

À porta, ela o olhou desconfiada.

Preciso verificar sua linha telefônica, anunciou. Ele viu um menininho na sala de estar.

Ela perguntou se era necessário entrar. Ele precisaria ir ao quintal dos fundos para inspecionar a ligação da linha telefônica? O cachorro estava lá fora, mas ela poderia levá-lo para dentro.

Não, não, disse ele, argumentando que precisava conferir o estado da instalação dentro da casa.

De acordo com as recordações dele, a mulher não gostou disso, mas o deixou entrar mesmo assim. Ela lhe mostrou o telefone da sala de jantar. Ele abriu a maleta e começou a jogar conversa fora, retirando um aparelho que montara para que se parecesse com um verificador de telefones. Ficava mexendo no aparelho e conversando. Não parecia haver nenhum homem por perto.

Bom, disse ele, parece que está funcionando. Em seguida colocou o verificador falso dentro da maleta e sacou a arma.

Vamos para o quarto, mandou.

Ela começou a chorar. E meu filho?, perguntou.

Ele deu de ombros. Sei lá o seu filho.

Meu marido vai chegar em casa daqui a pouco, avisou ela.

Espero que não chegue tão cedo, rebateu ele.

Rader achava provável que ela estivesse mentindo, mas ele observara a casa o bastante para saber que havia "um tal marido". Agora precisaria se apressar, e isso o aborreceu.

Ele a obrigou a se deitar no colchão d'água enquanto ela chorava e tentava argumentar. Rader atou os pulsos e os tornozelos da mulher com cadarços de couro. Vicki começou a rezar em voz alta. De repente, ela puxou as mãos, rompeu as amarras e começou a resistir, e então tudo se transformou em barulho e medo. O cachorro no quintal os ouviu brigando através da janela aberta e começou a latir. O BTK golpeou Vicki no rosto repetidas vezes, depois a agarrou pela garganta. Ela reagiu, arranhando-o no pescoço com uma unha. Os dois caíram da cama no lado mais distante da porta.

Rader tentou usar seu cordame de estrangulamento, mas não conseguiu uma boa pegada depois que o passou em volta da garganta dela. Viu um par de meias-calças ali perto. Deu certo, assim que o passou em volta do pescoço dela.

No entanto, ficou decepcionado. Queria passar algum tempo com ela, mas não havia tempo para se masturbar.

Pegou a câmera Polaroid, posicionou a mulher a seu gosto, levantou a blusa para expor partes dos seios e tirou uma foto. Mais duas vezes ele mexeu nas roupas e pressionou o obturador. Então guardou as coisas, entrou no Monte Carlo dela e foi embora.

Ela morreu no vão entre a cama e o rack da televisão. Alguém que desse uma olhada no quarto a partir da porta não conseguiria vê-la.

PROFILE

profile

BTK

DENNIS LYNN RADER

ROY WENZL / TIM POTTER / HURST LAVIANA / L. KELLY

Setembro de 1986

22. PRINCIPAL SUSPEITO

Bill Wegerle voltou mais cedo para casa para almoçar, conforme planejado. Na esquina da Thirteenth com a West Street, um Monte Carlo passou por ele na direção oposta. Bill achou que era o carro da esposa, mas então viu um homem alto ao volante.

Quando chegou em casa, o Monte Carlo não estava lá. Vicki tampouco. Isso o aborreceu — o filho deles estava sozinho. Bill não conseguia imaginar por que Vicki sairia de carro e deixaria uma criança de dois anos sozinha; talvez tivesse saído para fazer uma comprinha rápida. Bill pegou Brandon nos braços e esperou. Fez um sanduíche e o comeu. Começou a andar de um lado para outro.

O tempo passou; ele foi ficando intrigado. Precisava voltar ao trabalho. Andou pela casa outra vez. Quarenta e cinco minutos se passaram antes que a encontrasse.

Instantes depois, um operador da central de emergências ouviu a angústia em sua voz. "Acho que alguém matou minha esposa", disse ele. O operador o ouviu gemer. "Vicki, Vicki, Vicki, Vicki, Vicki, ah Deus, ah não não não não."

• • •

Rader tinha partido com o Monte Carlo para o oeste, e em seguida dirigiu na direção norte por mais ou menos 1,5 km, até a Twenty-first Street. Em uma lixeira do lado de fora de uma sorveteria Braum's, descartou a maleta. Em uma lata de lixo do lado de fora de uma loja de escapamentos, se livrou do capacete de proteção — depois de arrancar o adesivo da Southwestern Bell. Além do adesivo, guardou as fotos polaroides. Depois voltou à rua da mulher, estacionou o Monte Carlo ao lado de um açougue e andou até sua van, estacionada em frente à casa dela.

Ele ouviu sirenes.

. . .

Dois bombeiros, Ronald Evans e o tenente Marc Haynes, encontraram Bill Wegerle socando a parede da varanda. "Se eu tivesse chegado cinco minutos mais cedo, poderia ter feito alguma coisa", disse a eles.

A esposa foi encontrada no quarto. Havia um canivete ao lado de sua cabeça. Bill contou mais tarde que o usara para cortar os cadarços de couro e a meia de náilon em volta da garganta dela. Não havia espaço para prestarem o socorro, portanto a carregaram para a sala de jantar.

Uma ambulância chegou. Uma paramédica de 28 anos, Netta Sauer, viu Bill no jardim da frente, conversando com um policial e segurando um menininho. A criança parecia calma.

Na sala de jantar, Netta encontrou os bombeiros começando a RCP, embora Vicki parecesse morta. O rosto exibia manchas escuras, e a causa era óbvia, dada a marca de ligadura envolta do pescoço. As mãos estavam amarradas às costas; o couro tinha deixado marcas profundas na pele. Também havia cadarços em volta dos tornozelos. Olhando ao redor, Netta viu brinquedos espalhados. O assassino fizera aquilo na frente do menino. *Será que ele tinha chorado? Será que o assassino o tinha machucado?*

Netta e outros paramédicos insistiram na tentativa de reanimar Vicki por mais dez minutos, depois a colocaram na ambulância. Uma equipe de televisão os filmou.

Enquanto Netta a levava embora, viu o marido ainda parado no jardim segurando o filho, conversando com a polícia.

No pronto-socorro do Hospital Riverside, os médicos declararam a morte de Vicki. Netta ouviu alguém dizer que os policiais desconfiavam que o marido poderia ter cometido o crime.

• • •

Os detetives que investigam a morte de uma esposa em casa costumam suspeitar primeiro do marido. É um procedimento padrão: descartá-lo imediatamente como suspeito ou estabelecer a culpa. Portanto, os detetives fizeram perguntas diretas a Bill: Que horas você disse que viu o Monte Carlo? Por quanto tempo ficou em casa antes que percebesse que sua esposa estava no quarto? Quarenta e cinco minutos? Por que demorou tanto tempo?

Bill não demonstrou muitas emoções. Seus amigos sabiam que ele se comportava assim porque era reservado; mas, para aqueles policiais, naquelas circunstâncias, Bill transmitiu uma impressão de insensibilidade.

Os detetives estavam tentando agir com rapidez. A primeiras horas de uma investigação de homicídio são cruciais. As chances de capturarem o assassino aumenta se os policiais se mobilizarem já a partir da primeira hora e mantiverem o ritmo por grande parte da primeira noite, seguindo rastros e interrogando testemunhas. Quanto mais horas se passam, mais as pistas esfriam.

Eles levaram Bill à delegacia e o interrogaram: Você estava tendo um caso? Ela estava tendo um caso? Sobre o que vocês discutiram? Os investigadores não ficaram satisfeitos com o relato de Bill sobre as ruas pelas quais passara para voltar para casa, onde vira o Monte Carlo da esposa seguindo direção oposta. E ele ficou em casa durante 45 minutos antes de a encontrar? Como assim?

Os detetives sugeriram um teste com um polígrafo.

Bill concordou. Ele era inocente, afinal de contas.

• • •

O médico que realizou a necropsia viu que o assassino tinha estrangulado Vicki com tanta força que havia hemorragia interna na garganta. Ela fora espancada — havia arranhões na orelha direita, na bochecha e na mandíbula. O legista encontrou também uma marca profunda na mão esquerda e na junta de uns dos dedos, que inchara pouco antes da morte. Isso indicava que ela tinha reagido.

Havia também um pedaço de pele embaixo de uma das unhas. Ela conseguira arranhar o agressor.

O médico procurou por evidências de violência sexual; não havia nenhuma. Coletou amostras da vagina e as conservou, caso apresentassem fluído masculino.

• • •

Polígrafos registram frequência cardíaca, pressão arterial e transpiração. A teoria é que uma pessoa culpada exibe sinais físicos quando mente. Mas os policiais usam esse tipo de teste apenas como uma ferramenta suplementar. A maioria dos tribunais não os considera confiáveis.

Tempos depois, os detetives de Wichita chegariam à conclusão de que testes de polígrafos nunca devem ser aplicados em um cônjuge ou familiar próximo logo depois de um assassinato. Se um marido acabou de perder a esposa, suas emoções podem acusar uma falsa culpabilidade. Mas essa percepção ainda não estava formada àquela altura. No dia da morte de Vicki, os detetives interrogaram Bill duas vezes com o polígrafo— ele falhou em ambos os testes.

Os policiais passaram a pegar realmente pesado depois disso. Começaram a elevar o tom de voz. Estavam interrogando Bill no sexto andar do prédio da prefeitura e tinham permitido que a família dele permanecesse por perto. Os parentes de Bill ouviram algumas das perguntas. E ficaram indignados.

Bill disse aos interrogadores que precisava ir ao banheiro. Ele saiu da sala, e seus parentes puderam vê-lo. Um deles gritou: Pare de responder às perguntas e arrume um advogado.

Bill disse aos detetives que não tinha mais nada a dizer.

De acordo com a lei, era um direito seu.

Ele foi liberado.

• • •

A polícia nunca acusou Bill Wegerle pelo assassinato da esposa, mas ao longo das duas décadas seguintes ainda havia detetives que diziam em conversas privadas que era provável que ele a tivesse matado. Esse boato se espalhou pela cidade. As outras crianças nos parquinhos às vezes falavam aos filhos de Wegerle que a mãe deles tinha sido morta pelo pai.

Bill nunca reclamou sobre isso em público, mas se recusou a continuar em contato com a polícia.

Isso prejudicou a investigação. Um marido inocente é a melhor fonte de um investigador, porque tem a chave para incontáveis pistas: conhece os familiares e amigos da esposa, as lojas onde ela fazia compras, o garoto que contratava para cortar a grama.

Bill amava a esposa — ele e Vicki tinham feito amor na noite anterior à morte dela. Mas sua cooperação acabou assim que ele saiu daquela sala.

• • •

Horas após a morte de Vicki, o investigador Caça-Fantasma Paul Holmes ligou para Landwehr e informou que um carro que pertencia a uma vítima de homicídio fora encontrado a uma pequena distância do apartamento dele. Landwehr saiu para a sacada e viu um Monte Carlo dourado estacionado no outro lado da rua.

Três dias após a morte de Vicki, Landwehr e Holmes receberam ordens para ir à casa de Wegerle. E isso os colocou em uma posição delicada.

Eles analisaram a cena do crime, as amarras, os relatórios. A ideia era que dessem uma rápida olhada no local. Mas isso bastou para convencê-los de que Bill era inocente.

Landwehr e Holmes compartilharam o que tinham visto com Paul Dotson, outro Caça-Fantasma. Ele chegou à mesma conclusão: era mais provável que não tivesse sido Bill. Inclusive, poderia ser obra do BTK. Isso ia contra o que os detetives trabalhando no caso Wegerle acreditavam. O irmão de Paul Dotson, John, era o capitão que supervisionava a unidade de homicídios. Landwehr e Holmes decidiram não tentar impor suas conclusões aos outros detetives. Landwehr não queria contradizer os detetives responsáveis pelo caso com base em seu rápido exame de evidências incompletas.

No entanto, o filho de dois anos de Bill tinha contado à polícia: "Homem machucou a mamãe". Nenhuma criança, na opinião de Landwehr, diria "Homem machucou a mamãe" se tivesse visto o próprio pai fazer isso.

Landwehr também achava improvável que Bill fosse estrangular Vicki na frente de Brandon. Bill sabia que o filho sabia falar algumas palavras e poderia contar o que viu.

A prova mais convincente da inocência de Bill, na opinião de Landwehr, era que o assassino tinha roubado a carteira de motorista de Vicki, deixando para trás dinheiro e cartões de crédito.

Para Landwehr, não era uma atitude condizente de um marido que matara a esposa. Era um pervertido sexual roubando um troféu.

Landwehr lamentava muito por Bill, sentia-se mal por sua esposa ter sido assassinada e alguns policiais acreditarem que ele a matara. Mas também achava que Bill deveria ter permanecido na sala de interrogatório, mesmo depois da prensa a que foi submetido no interrogatório. "Se minha própria esposa tivesse sido assassinada", disse Landwehr muito mais tarde, "aqueles tiras precisariam ter me *arremessado* para fora daquela porra de sala para me obrigar a parar de falar com eles. Eu nunca teria me calado, simplesmente teria continuado a jogar ideias para eles até descobrirem quem tinha feito aquilo."

Mas não foi assim que as coisas aconteceram.

PROFILE

profile

BTK
DENNIS LYNN RADER
ROY WENZL / TIM POTTER / HURST LAVIANA / L. KELLY

1987 e 1988

23. FRACASSOS E AMIZADES

Se o governo municipal soubesse que o BTK tinha voltado a matar, os Caça-Fantasmas teriam permanecido juntos. Mas, na época em que Vicki Wegerle foi morta, LaMunyon já havia começado a reduzir o contingente.

No ano seguinte, 1987, a maioria dos membros Caça-Fantasmas fora realocada; apenas Landwehr permaneceu.

Ele guardou os arquivos em um armário e em 37 caixas, que acabaram no porão da prefeitura.

LaMunyon permitiu que o *Wichita Eagle* entrevistasse os Caça-Fantasmas. Bill Hirschman passou horas gravando entrevistas com Landwehr, o capitão Al Stewart e os demais membros. As transcrições revelavam frustração. Stewart desmoronou e chorou quando falou sobre Josie Otero; achava que tinha falhado com ela.

"Dá para sentir a frustração dos investigadores só de ler os relatórios", contou Landwehr a Hirschman. "Isso nunca vai deixar de ser assim: por que não conseguimos encontrá-lo?"

Eles testaram todas as ideias que tiveram: por exemplo, Landwehr fora incumbido de especular sobre a teoria de que o BTK não estava mais vivo. Para fazer isso, pegara uma lista de todos os homens brancos que tinham morrido em Wichita desde 1980 e verificara seus

antecedentes. Era um trabalho entediante. A força-tarefa dos Caça-
-Fantasmas gastou milhares de horas de trabalho e despendeu centenas de milhares de dólares dos contribuintes, o que impunha uma
tremenda pressão sobre eles e suas famílias.

Paul Dotson nunca conseguiu se livrar da decepção. "Quando pen-
so nos Caça-Fantasmas, tudo o que consigo pensar é no fracasso que
aquilo foi, e no que eu não fiz, e que poderia ter feito mais, se ao menos tivesse sido mais inteligente."

Valeu a pena?, perguntara Hirschman.

Provavelmente sim, falou Landwehr. Se o BTK reaparecesse algum
dia, Landwehr saberia muitas coisas a seu respeito. Conhecia uma
falha importante do assassino — a arrogância. Isso poderia vir a ser
útil. Os Caça-Fantasmas tinham descartado centenas de potenciais
suspeitos, portanto, caso o BTK agisse outra vez, a polícia não precisaria recomeçar do zero.

O que o mantém motivado a seguir em frente neste caso?, perguntou Hirschman.

"Eu ainda acredito que ele pode ser capturado", respondeu Landwehr. "Ainda acredito que ele está por aí." Ele especulou que o BTK
poderia estar na prisão por um pequeno delito, e se fosse o caso, "provavelmente sairá mais cedo ou mais tarde, e eu acredito que, se chegar mesmo a sair, ele não vai parar".

Landwehr demonstrava a mesma determinação em conversas particulares. Quando compartilhou com Landwehr a decepção pelo fracasso, Dotson ficou surpreso com o que o amigo disse em resposta.

"Não se preocupe com isso", disse Landwehr em um tom bem sério.

"Mas por quê?"

"Porque ainda podemos pegá-lo." Landwehr destacou que graças à
força-tarefa havia um plano que tinham aperfeiçoado naqueles dias
em que não chegaram a lugar nenhum: se o BTK algum dia reaparecesse, usariam de maneira deliberada a imprensa para mexer com
seu ego e mantê-lo enviando mensagens até que acabasse se compli-
cando sozinho. Landwehr também lembrou Dotson de que o estudo
da genética humana ainda estava em desenvolvimento. O BTK tinha
deixado amostras de DNA em três de seus homicídios.

Mesmo com toda a conversa otimista de Landwehr sobre encontrar o BTK, porém, Dotson podia ver que a investigação tinha co-
brado seu preço. Landwehr passou a duvidar tremendamente de si
mesmo; Dotson podia ver tensão e a fadiga no rosto do amigo. Eles
tentavam afastar o mau humor brincando um com o outro. Mas, na

hora de dormir, Landwehr com frequência se via incapaz de pegar no sono. Andava bebendo mais.

Pouco antes do final de 1987, o departamento de polícia de Wichita, que o tinha promovido a detetive no ano anterior, transferiu Landwehr para a unidade de homicídios, um trabalho que ele almejava fazia nove anos.

Os Caça-Fantasmas nunca debandaram de verdade. LaMunyon disse que isso só aconteceria se eles provassem que tinham esgotado todas as pistas. Portanto, mesmo enquanto quando passou a investigar outros casos, Landwehr ainda pensava no BTK todos os dias.

• • •

No último dia de 1987, uma mulher chamada Mary Fager, que estivera fora da cidade visitando parentes, chegou a sua casa no número 7015 da East Fourteenth e descobriu que o marido e as filhas estavam mortos.

Sherri, de dezesseis anos, fora afogada na banheira de hidromassagem. Kelli, de nove, fora estrangulada horas depois e jogada na água junto com a irmã. O pai delas, Phillip, fora baleado nas costas.

Landwehr foi designado para auxiliar o detetive principal, Jim Bishop. Os corpos das garotas tinham ficado de molho por mais de um dia. Quando Landwehr voltou para casa e se despiu depois de analisar a cena do crime, o odor de carne cozida estava impregnado em suas roupas. Pelo resto de sua vida, o cheiro de água morna e cloro das banheiras o faria se lembrar da casa dos Fager.

Em Stuart, na Flórida, alguns dias depois, a polícia rastreou William T. Butterworth, o empreiteiro de 33 anos que tinha acabado de construir o solário que abrigava a banheira de hidromassagem.

Os policiais estavam certos de que Bill Butterworth era o assassino. Tinha dirigido para longe da casa dos Fager no carro da família, feito uma parada no shopping Towne East para comprar roupas novas, e então seguido para a Flórida. Butterworth contou à polícia que ficou tão traumatizado quando encontrou os corpos que fugiu desorientado por um surto de amnésia. Ninguém acreditou nele.

As provas que ajudou a reunir contra Butterworth pareceram ser um gol de placa para Landwehr.

• • •

Poucos dias depois de o marido e as filhas terem sido assassinados, a viúva Mary Fager abriu a correspondência e leu a primeira linha de um poema desconexo e zombeteiro de um remetente anônimo:

UM OUTRO ESPREITA O ABISMO DE PENSAMENTOS E ATOS OBSCENOS

A mensagem vinha acompanhada de um desenho de uma moça, com as mãos atadas atrás de si e uma expressão de medo no rosto, deitada ao lado de uma banheira. No canto inferior direito da imagem havia um símbolo. A polícia notou que se parecia com a assinatura usada pelo BTK em seu desenho fantasioso de Anna Williams: uma letra B virada de lado. Dessa vez, contudo, as pernas do K formavam uma carranca.

O autor não alegava ter assassinado os Fager. Em vez disso, escreveu para demonstrar admiração pelo assassino:

AH DEUS ELE COLOCOU KELLI E SHERRI NABANHEIRA
SOL E CORPO FREVENDO COM ÁGUA_SUADA, INOCÊNSSIA FEMININA
O CONSTRUTOR IRÁ BATIZAR A BANHEIRA COM DOZELAS VIGENS...

Landwehr constatou que o esboço, ao contrário do desenho que o BTK tinha feito de Nancy Fox, era impreciso — feito por alguém que não estivera no local do homicídio.

Ninguém tivera notícias do BTK desde sua carta a Anna Williams, vítima de invasão domiciliar em 1979, mais de oito anos antes. O BTK não matara ninguém, até onde sabiam, desde Nancy Fox, em 1977.

Na verdade, os policiais não tinham certeza de que foi o BTK quem enviou essa carta. Mas o advogado de Butterworth, Richard Ney, apresentou moções argumentando que os assassinatos dos Fager se pareciam com os sete homicídios perpetrados pelo BTK na década de 1970. Talvez o BTK tivesse matado os Fager, especulou Ney.

Um juiz decretou que Ney não podia mencionar a carta durante o julgamento, porque não era capaz de provar essa ligação com os assassinatos mais antigos. Landwehr ficou aliviado. Mas os jornais e as estações de TV cobriram com intensidade o caso e fizeram a conexão com o BTK antes do julgamento. Portanto, embora o BTK não tivesse sido mencionado durante o julgamento, estava presente na mente de todos — inclusive na dos jurados.

Butterworth foi inocentado pelo júri, mas a polícia mesmo assim arquivou o caso como encerrado.

Nesse mesmo ano, 1988, Netta Sauer conduziu sua ambulância a uma casa onde alguém tinha sido mordido por um cachorro. O policial que trabalhou no caso a fez dar boas risadas.

Netta era uma paramédica novata no dia em que tentara salvar Vicki Wegerle, dois anos antes. Àquela altura, já tinha mais experiência, inclusive com cenas de assassinatos.

Na casa onde aconteceu a mordida de cachorro, o jovem policial começou a provocá-la de uma maneira amigável e insinuante. Ela entrou na brincadeira. O nome dele era Kelly Otis.

Eles se encontraram muitas outras vezes, ambos trabalhando em cenas de acidentes ou de assassinatos. Ao longo do tempo, isso levou a um convite para tomar café da manhã, depois encontros românticos, e então a conversas sobre casamento. Netta considerava a perspicácia um sinal de grande inteligência, e Otis era de uma sagacidade excepcional. Ela conseguia ver a personalidade que havia por trás das provocações. Ele fora criado por uma mãe solteira da classe trabalhadora. Como Netta, era viciado em adrenalina: foi por isso que se tornara um policial.

Ela não lhe contou sobre aquele dia na casa de Vicki Wegerle. Aquele homicídio estava no arquivo morto, era de interesse apenas dos investigadores, e Otis não tinha a menor intenção de se tornar detetive. Ele adorava patrulhar as ruas.

Netta conheceu o melhor amigo de Otis, um patrulheiro com expressão impassível, ombros largos e jeito de durão. O pai de Dana Gouge fora militar. A mãe era japonesa, dona de uma loja de tecidos na cidadezinha de Tonganoxie, no Kansas. Gouge parecia uma pessoa reservada, mas Netta via que isso não passava de uma máscara: na verdade, era um homem gentil e tímido — e uma das poucas pessoas engraçadas o bastante para fazer Otis cair no chão de tanto rir.

● ● ●

O veredicto de Butterworth teve consequências políticas.

LaMunyon culpou o chefe do gabinete da promotoria do distrito, Clark Owens, por designar para o caso dois promotores que LaMunyon afirmava serem inexperientes. E não era a única pessoa insatisfeita. Semanas mais tarde, Nola Tedesco Foulston, a jovem advogada durona que muito tempo antes verificava o fio do telefone e aceitava escoltas até seu carro por medo do BTK, anunciou que concorreria contra Owens pelo cargo nas eleições de novembro daquele ano. Ela declarou que o veredicto de Butterworth fora uma piada, jurou que cuidaria pessoalmente de alguns casos de homicídio e prometeu que seus assistentes iriam aos julgamentos bem-treinados e preparados. Owens era bastante conhecido em Wichita. Foulston era praticamente uma desconhecida. Mas ela o derrotou por 82.969 votos contra 55.822.

Foulston queria um novo começo para a promotoria, e solicitou a todos que se recandidatassem aos seus cargos, caso quisessem continuar trabalhando na instituição. Quando concluiu o processo seletivo, diversas pessoas envolvidas no caso Butterworth não voltaram a ser contratadas.

• • •

Landwehr desabafava sua amargura a respeito do veredicto de Butterworth em bares. Às vezes, se embebedava em casa também, e tentava afastar o mau humor lançando bolas de golfe para fora da porta da sacada de seu apartamento no terceiro andar. Outras vezes mudava um pouco de posição e mandava algumas bolas chapinhando para dentro da piscina do condomínio. Então rolava de rir.

LaMunyon ouviu boatos de que Landwehr queria se demitir por causa daquele veredicto. O chefe de polícia alertou o alto-comando: "É melhor nenhuma papelada envolvendo o contrato de trabalho de Kenny Landwehr passar pela minha mesa. Se aparecer, eu jogo tudo fora."

Landwehr, mais tarde, negou ter tentado pedir demissão. Se o chefe de polícia ouviu algo sobre isso, teria sido uma "lenda urbana". O veredicto de Butterworth não o incomodava tanto assim, segundo ele.

Mas isso também era um mito.

PROFILE

profile
BTK
DENNIS LYNN RADER
ROY WENZL / TIM POTTER / HURST LAVIANA / L. KELLY

1988 a 1990

24. O SALVADOR

Àquela altura, pessoas como Cindy Hughes haviam se esquecido do BTK, ou não se preocupavam mais. Cindy tinha outros problemas: era uma mulher divorciada com uma filha e parentes com predileção para encrenca. Seu irmão acabara de entrar para a lista de criminosos mais procurados do condado de Sedgwick.

Certa noite, uma amiga sua lhe contou a respeito de um policial de Wichita que, segundo ela, tinha uma natureza aventureira.

"Ele frequenta o Players", disse a amiga de Cindy. "Vamos lá ver se conseguimos encontrá-lo."

"Você está saindo com esse cara?", perguntou Cindy.

"Não", respondeu a amiga. "Mas quero muito isso."

Cindy também tinha uma natureza aventureira. Achava que ver a amiga correr atrás de um amor não correspondido por um policial em um bar seria uma maneira divertida de passar a noite.

No Players, sua amiga apontou para o policial, sentado de forma não muito estável em um banquinho no balcão. Cindy viu cabelos escuros espessos, o rosto bronzeado, o cigarro aceso na mão. Ele estava bêbado e gritava com uma mulher sentada ao seu lado, que, imperturbável, continuava bebericando uma bebida. O policial berrava sobre injustiça e algum cara chamado Butterworth.

Seguiu berrando até afinal cair do banquinho com um baque seco. A mulher ao lado agiu com indiferença, como se não fosse a primeira vez que aquilo acontecia. Cindy achou isso divertido.

Não conversou muito com ele naquela noite. Mas, em noites subsequentes, quando sua amiga apaixonada a levava junto, Cindy começou a observar melhor Kenny Landwehr.

Parecia ser o protótipo do beberrão sinônimo de encrenca. Landwehr frequentava bares da zona oeste: o Players, na esquina da 21st com a West, ou o Barney's, na esquina da Ninth com a West. Entrava todas as noites vestindo uma jaqueta de aviador de couro preto de 300 dólares, presente de uma ex-namorada. Pedia uma bebida, contava uma anedota, pedia outra bebida, contava outra história. Pagava bebidas para Cindy, para seus amigos, para os amigos dela. Ouvia com atenção a histórias de outras pessoas. De vez em quando alguém o provocava e mencionava Butterworth, o que o fazia berrar sobre injustiça. Depois que Cindy ouviu a história completa, entendeu o porquê.

A princípio, achava que Landwehr era apenas uma daquelas pessoas perspicazes que gostavam de contar histórias exageradas em bares, mas que não tinham muito a oferecer além disso. Parecia de fato um *bad boy*, fumando um cigarro depois do outro, enchendo a cara, contando histórias de mau gosto. Mas ela logo enxergou nuances mais profundas em sua personalidade. Ele não era como os outros homens. Landwehr era curioso, agradável e empático. Tinha o costume de se inclinar para frente e ouvir com atenção, ao contrário da maioria dos outros.

Dizia coisas ultrajantes como um mecanismo de defesa — fora magoado por algumas namoradas e queria manter as pessoas a uma certa distância. Mas essa estratégia não funcionou com Cindy, que falava coisas tão ultrajantes quanto.

"Por que você tem uma placa personalizada no seu carro que diz 'Skippy'?", perguntou Landwehr certa noite, voltando-se para Cindy com um sorriso largo.

"Porque tenho orgulho do que faço pelo meu time de softbol", respondeu Cindy. "Quer dizer que estou sempre pulando de base em base."[1]

"Papo furado", disse Landwehr. "Quer dizer que você é como a manteiga de amendoim da marca Skippy — é boa de comer."

---

[1] O verbo *to skip* significa saltar, pular, saltitar.
Skippy poder ser referir àquele que pula, salta. [NT]

"Você é mesmo um merda metido a engraçadinho", rebateu ela.

"Onde você cursou o ensino médio?", perguntou ele.

"Na South", respondeu ela.

"Sério? A gente costumava chamar as garotas de lá de as Vadias da South."

"E a gente costumava chamar o seu pessoal de os Merdas da Bishop Carroll", rebateu ela.

Cindy gostava disso. Tinha pouca paciência com pessoas que conversavam como se estivessem pisando em ovos e, embora Landwehr pudesse ser bastante reservado perto de estranhos, nunca pisava em ovos quando estava com amigos. E, depois que se tornou sua amiga, ela concluiu que apesar de todos os xingamentos e provocações, ele era "o cavalheiro mais cavalheiresco que já conheci". Mostrava curiosidade a respeito do trabalho dela com crianças nas classes de educação especial da escola do distrito. Ela ajudava a ensinar às crianças com mais dificuldades as habilidades mais básicas; trocava até as fraldas delas. Essa dedicação o emocionou.

Ela descobriu que Landwerh ia jantar na casa dos pais todos os domingos e o fizera durante toda a vida. Tinha amigos de infância que continuavam incrivelmente leais a ele. Outros policiais o admiravam sem reservas. Paul Dotson dizia que ele era brilhante, e estava falando sério.

Ainda havia ex-namoradas por perto. Cindy se deu conta de que essas mulheres se pareciam com ela: simpáticas, mas magoadas — se recuperando, como ela, de um casamento fracassado, ou de um caso de abuso, ou de uma família tóxica. Landwehr parecia atrair esse tipo de pessoa. Demonstrava uma compulsão por salvamento, concluiu Cindy.

Por fim, Cindy conheceu a mãe dele, Irene, e da mãe e do filho ouviu algumas das histórias favoritas da família sobre Kenny: Irene contou que ele era coroinha, e que na Escola Cristo Rei gostava de derrubar livros no chão e assustar a turma. Ele puxava os rabos de cavalo das meninas, então lançava olhares inocentes para as freiras para não apanhar com a palmatória. O próprio Landwehr se orgulhava de uma história sobre uma freira idosa, irmã Wilfreda Stump, que sofria de narcolepsia — ela pegava no sono do nada, às vezes no meio de uma frase. Certo dia, na sétima série, a irmã Wilfreda estava conversando com o melhor amigo de Landwehr, Bobby Higgins. Estava falando e apontando para Higgins, quando de repente caiu no sono com o dedo ainda em riste. "Rápido", disse Landwehr para Higgins. "Troque de lugar comigo." Instantes depois, a irmã Wilfreda acordou e se viu apontando para Landwehr. Ela levantou de um pulo, pegou uma palmatória e saiu correndo atrás de Landwehr, que fugiu gargalhando.

Anos mais tarde, depois do ensino médio, Landwehr foi nocauteado quando colidiu com um colega de time durante um jogo de softbol. Parecia bem quando levantou, mas depois do término da partida começou a perguntar repetidas vezes: "Estamos em qual entrada do jogo?" Landwehr recobrou a consciência no dia seguinte em um hospital, rodeado de familiares e amigos. Quando viu onde estava, seu primeiro pensamento foi que tinha batido o carro.

"Que dia é hoje?", perguntou a enfermeira.

"Segunda-feira", respondeu Landwehr.

"Não, é sexta-feira."

"O quê?", surpreendeu-se Landwehr. "Droga. É sexta-feira e eu não estou no bar bebendo?"

Seus amigos não quiseram nem ver a reação de Irene Landwehr. Trataram de escapulir porta afora bem depressa.

• • •

Quando LaMunyon se aposentou, em 1988, considerava o caso BTK sua pior decepção em doze anos como chefe de polícia.

As investigações sobre o assassino já duravam mais do que carreiras policiais inteiras . Pessoas que eram bem novas quando os Otero morreram àquela altura já tinham status de policiais veteranos. Landwehr passara de criança a vendedor de roupas, depois a patrulheiro novato, em seguida a um Caça-Fantasma, passando três anos no encalço do BTK, e naquele momento era um dos detetives que trabalhavam nos 25 ou trinta homicídios que ocorriam por ano na cidade.

Então assumiu outro cargo. O departamento o promoveu a tenente e comandante-assistente do laboratório criminalístico. Nos Caça-Fantasmas, ele já aprendera sobre os fundamentos da ciência forense, como exames de sangue, análise de tecidos e arranhões de unhas. Como tenente do laboratório, trabalhou com afinco para aprofundar seu conhecimento. As pessoas que o viam no novo emprego percebiam que ele parecia ter o dom de aplicar a ciência a casos criminalísticos.

Com o tempo, Landwehr passou a sentir como se um peso tivesse sido tirado de seus ombros. Não tinha se dado conta do quanto trabalhar com homicídios abalara seu emocional até assumir o trabalho mais imparcial do laboratório. Tornar-se um detetive de homicídios havia sido seu foco durante toda a carreira, e foi inquietante perceber o quanto aquilo era prejudicial, o quanto o sofrimento das famílias das vítimas o transtornava, o deprimia, o levava a beber cada vez mais.

Por mais que aquilo o ferisse, no entanto, ainda fazia falta em sua vida.

• • •

Mais ou menos um ano depois da aposentadoria de LaMunyon, o patrulheiro Kelly Otis atendeu a um daqueles chamados que os policiais mais temem — uma ocorrência de violência doméstica no meio da madrugada.

Às 3h11 do dia 9 de dezembro de 1989, Otis e dois outros policiais foram até o número 1828 da North Porter. No interior da residência se encontrava o jardineiro de um campo de golfe chamado Thomas H. Hathaway, de 28 anos. Sua namorada disse que ele a espancara. Quando Otis lhe perguntou se o homem tinha uma arma, ela respondeu que não, mas o tom da mulher o deixou desconfiado. Quando Otis se aproximou da porta da frente, deu um passo para o lado antes de anunciar sua presença.

A resposta que obteve foi um disparo de espingarda através do vão da porta. O homem que estava lá dentro saiu correndo, nu da cintura para cima, no frio congelante. Ele se voltou para Otis.

O policial se apoiou sobre um dos joelhos, sacou a pistola e gritou: "Largue a maldita arma!" O medo distorcia os sentidos de Otis: tanto ele quanto o perpetrador pareciam se mover em câmera lenta. O homem levou a espingarda ao ombro e mirou no rosto de Otis. O cano lhe pareceu grande o bastante comportar um homem adulto dentro dele. Otis disparou e sentiu um novo temor — sua arma quase não emitiu nenhum som. Aterrorizado, achou que sua arma tinha falhado, mas o outro caiu no chão como um saco de batatas.

Otis ficou perplexo por um momento: no estande de tiro, sua pistola 9 mm sempre estrondeava como um canhão, mas dessa vez o único som foi um fraco estalo. Hathaway, porém, dessangrava no chão, com ferimentos de bala no tronco.

Otis estava tão assustado que sequer ouvira o barulho da própria arma.

• • •

Em um distrito do corpo de bombeiros a alguns quarteirões de distância, a paramédica que se apaixonara por Otis no ano anterior agora ouvia a voz dele no rádio da polícia. "Temos um tiroteio com um policial envolvido", disse Otis. Netta Sauer pulou para dentro de sua ambulância. Sabia que o endereço que Otis passou não ficava na área atendida por sua equipe de socorro, mas ela disparou para lá mesmo assim, temendo que ele tivesse sido baleado.

Alguns momentos depois, alguém no rádio informou que Otis não estava ferido.

Ela dirigiu de volta ao corpo de bombeiros.

• • •

Otis tentou descarregar as balas restantes da sua pistola, mas suas mãos tremiam tanto que não conseguiu. Outro policial se curvou por cima de Hathaway e contou os buracos de bala. Os cinco ferimentos eram resultado de dois disparos. Havia três ferimentos de entrada e dois de saída, pois um dos projéteis atravessara o torso e o braço de Hathaway. Otis tinha disparado duas vezes, do modo como aprendera no estande de tiro: atire duas vezes no alvo, então faça pontaria para novos tiros, se necessário. É o que se chama de "tiro duplo". Otis se sentiu grato pelo treinamento; quando a pessoa está assustada, o reflexo adquirido no treinamento assume o controle.

Hathaway sobreviveu. Otis voltou para o trabalho algumas semanas depois. Passado pouco tempo, Otis e outros policiais quase esvaziaram os pentes de suas armas em um traficante que abriu fogo contra eles. Otis também ficou trêmulo de medo nessa ocasião.

• • •

Na reunião de turma de antigos formandos da Escola Secundária South, cinco anos depois, Netta Sauer e Otis encontraram Cindy Hughes, uma ex-colega de sala. Cindy estava com Kenny Landwehr, que parecia entediado. Landwehr se animou quando descobriu que o marido de Netta era policial. Ele estendeu a mão para Kelly Otis.

"Ótimo", disse Landwehr, provocando Cindy. "Alguém com quem eu posso conversar, em vez de todos esses fracassados da South."

PROFILE

profile

BTK

DENNIS LYNN RADER

ROY WENZL / TIM POTTER / HURST LAVIANA / L. KELLY

18 de janeiro de 1991

25. DOLORES DAVIS

Dolores "Dee" Davis gostava de levar consigo lencinhos umedecidos para esfregar os rostos dos netos e outras superfícies que abrigavam germes. Escondia fósforos em cima da geladeira para que crianças desobedientes em visita à sua casa não os encontrassem e se sentissem tentadas a pôr fogo em alguma coisa e acabar provocando um incêndio. Em dias quentes, com crianças no carro, abaixava as janelas apenas uma fração de centímetro. Uma janela aberta poderia fazer com que as crianças fossem sugadas pelo vento do lado de fora.

"Vovó!", gritavam os pequenos. "Você pode abrir um pouquinho mais?"

"Não", respondia ela. Então cantarolava uma música.

Ela vivia sozinha nos limites de Park City. A vista de sua casa abarcava o campo aberto da zona rural. Foi criada como uma garota de fazenda, nos arredores de Stella, no estado de Nebraska, portanto não temia a noite nem a solidão.

Dee trabalhava havia mais de 25 anos como secretária para a Lario Oil & Gas Company. Também vendia cosméticos Mary Kay; gostava do fato de a empresa não testar seus produtos em animais. Em casa, mantinha dúzias de revistas e informativos sobre grupos de direitos dos animais, como Doris Day Animal League e People for the Ethical Treatment of Animals.

A última vez em que se reunira com a família fora em 1990, no Natal. Como anfitriã, Dee quis que tudo fosse perfeito. No dia em que todos chegaram — o filho Jeff e a família dele da Flórida, a filha Laurel e a família do Colorado —, ela fez quatro viagens ao mercado Leeker's até comprar tudo de que precisava.

Fez tanta questão de preparar o jantar com capricho que eles foram comer só depois das 21h. Em seguida, assistiram *Todos os Cães Merecem o Céu*. Alguns membros da família choraram. Foi uma noite agradável.

Jeff e a mãe tiveram um relacionamento um tanto distante desde cedo. Os pais se divorciaram em 1961 depois de doze anos de casados. Ele foi morar com o pai. A irmã ficou com Dee. Jeff passava a maioria dos fins de semana com Dee, mas a atmosfera era tensa. Mais tarde, eles conseguiram se aproximar mais, telefonavam um para o outro todos os fins de semanas e conversavam por horas.

Dee era aposentada da empresa de gás fazia apenas alguns meses na noite de inverno em que ouviu um farfalhar no lado de fora da janela e viu um de seus gatos batendo no vidro. Os outros felinos também pareciam estar assustados.

Dee ligou para Jeff. Podia haver alguém lá fora, disse ela.

• • •

Rader olhara através das cortinas da janela durante diversas noites. A casa dela, no número 6226 da North Hillside, ficava a aproximadamente 1,5 km da sua, tão perto que ele podia vigiá-la até quando saía para andar de bicicleta. Estava ficando preguiçoso. Matar outra vizinha era um risco — mas por que não? Nove mortos até então, e os policiais ainda não tinham nenhuma pista.

Ele usara o acampamento dos escoteiros como eventual álibi para o assassinato de Marine Hedge. Faria o mesmo dessa vez. Tinha amigos de longa data nesse meio. George Martin, um líder escoteiro, tinha a melhor opinião do mundo a seu respeito. George chegava a verter lágrimas ao conversar sobre o que o escotismo fazia pelos rapazes. Era uma boa cobertura ter um amigo como ele, e Rader gostava de ajudá-lo.

No entanto, sabia que Martin e outros líderes escoteiros teriam opiniões negativas a seu respeito se o tivessem visto se masturbando — nu e algemado — na picape durante uma expedição dos escoteiros. Quando não conseguiu retirar as algemas, ficou desesperado. Ter que gritar por ajuda seria vergonhoso. Para seu grande alívio, estava tão suado devido ao medo que conseguiu deslizar as algemas até removê-las.

O que Martin teria achado daquilo?

• • •

No dia em que o gato de Dee ficou assustado por aquela presença ao redor da casa no início de janeiro, Kelly Otis já era um dos patrulheiros mais condecorados de Wichita. Sobrevivera a dois tiroteios e participara de operações antidrogas e perseguições em alta velocidade. Enquanto fazia sua ronda certa noite, Otis viu um homem se movendo de uma maneira esquisita no interior de um carro estacionado. Otis encostou — e assim impediu um estupro. O departamento mais tarde o nomeou Policial do Ano de 1991.

Apenas dez anos antes, os interesses principais de Otis eram cerveja e bilhar. Tinha largado a faculdade. Ultimamente seus amigos vinham sugerindo que ele fizesse os testes de qualificação para ser detetive.

Otis apenas bufou. Ele adorava patrulhar as ruas.

• • •

Rader vira Dee enquanto dava voltas de carro. Ele fechou no alvo, como dizia, já que gostava de usar jargões policiais. *Fechar no alvo* queria dizer se concentrar em algo. *Desligar* queria dizer parar. *Apagar* queria dizer matar. Notara um canil ao norte da casa de Dee, em Hillside, então a denominou "Projeto Dogside".

Ele a mataria durante o Encontro de Escoteiros Caçadores. Todos os anos, pais e filhos acampavam às margens de um lago ao norte de Wichita em janeiro, às vezes se arriscando a morrer congelados enquanto lançavam machadinhas e cozinhavam em fogueiras. Eles acampavam em West Park, no condado de Harvey. Isso os colocava no meio do nada, com acesso apenas por vicinais —, mas Rader tinha notado que as estradas ao leste levavam à cidadezinha de Newton, que ficava na Interstate 135, que passava ao sul de Park City, onde tanto ele quanto Dee moravam. A viagem levaria apenas meia hora.

• • •

Naquela sexta-feira, Rader certificou-se de ser o primeiro pai a chegar no lago, e botou a mão na massa montando acampamento. Foi embora antes que os outros pais aparecessem com os filhos. A montagem estava a meio caminho andado; seu pretexto seria dizer que saiu para buscar suprimentos. Então seguiu para o sul, para a casa de seus pais, que estava vazia — eles tinham viajado para o Sul para passar o inverno. Ele se esgueirou para dentro, vestiu roupas escuras e arrumou seu kit de ataque.

Dirigiu por alguns quarteirões até a igreja batista em Park City. Quando matou Marine Hedge, tinha usado a artimanha do táxi, mas aquilo levara tempo demais, portanto, simplificaria as coisas naquela noite. Ele tinha uma chave da igreja, porque era o local onde a tropa de escoteiros se reunia. Entrou, verificou seus equipamentos, então voltou a sair e andou até a casa de Dee por plantações de trigo e um cemitério. A temperatura estava quase congelante. Seus pés doíam quando alcançou a casa.

Viu pelas cortinas que ela estava sozinha, lendo na cama. Ele aguardou, trêmulo; a mínima naquela noite chegaria ao 0° C. Dee apagou as luzes.

Rader tentou encontrar uma maneira de entrar — e simplificou as coisas ainda mais. Pouco depois das 22h30, pegou um bloco de concreto no lado de fora do barracão de Dee e o arremessou através da porta de vidro deslizante.

De acordo com seus relatos posteriores, o vidro estilhaçou, e Dee veio correndo, usando pijamas e um roupão.

O que aconteceu com a minha casa?, perguntou ela. O seu carro bateu na minha casa? Então ela o viu e recuou. Ele tinha puxado uma meia-calça por cima do rosto.

Sou procurado pela polícia, disse. Preciso do seu carro e de dinheiro.

Ela se recusou a ceder, como todas as outras, então ele tentou desarmá-la com as mentiras de sempre: Vou amarrá-la e deixá-la em paz, contou. Preciso entrar e me aquecer (isso não era mentira), depois vou pegar o seu carro e um pouco de comida.

Você não pode entrar na minha casa!, exclamou ela.

Você vai cooperar comigo, disse ele. Tenho um porrete, tenho uma arma, tenho uma faca.

Ela disse que alguém viria vê-la mais tarde — um homem.

Meu Deus, pensou ele. *Sempre tem alguém vindo.*

Ele precisaria se apressar, o que o irritou. Então a levou para o quarto, algemou-a, amarrou-a pelos pés com meias-calças que encontrou entre as coisas dela— a rotina de sempre. Em seguida, encontrou as chaves do carro de Dee, fez um estardalhaço na cozinha, abrindo caixas de cereal e fazendo barulho para fingir que pretendia apenas roubar.

Voltou, tirou as algemas e começou a amarrar as mãos dela com a meia-calça.

Você disse tem alguém vindo para cá?, perguntou.

Sim, respondeu ela. Tem uma pessoa vindo.

Então você vai ser encontrada, falou ele de modo tranquilizador. Vai ser encontrada e depois vai chamar a polícia. Já eu... eu vou dar o fora daqui.

Era outra mentira, apenas para acalmá-la. Mas então ela viu seu rosto e se encolheu de medo. Ele tinha removido a máscara de meia--calça, mostrando a cara.

Não me mate, pediu ela.

Rader pegou outro par de meia-calça.

Eu tenho filhos, disse Dee. Não me machuque. Não me machuque.

RADER QUEBROU A PORTA DO TERRAÇO DE DOLORES DAVIS COM UM BLOCO DE CONCRETO. ELA ACORDOU, ACHANDO QUE UM CARRO TINHA SE CHOCADO CONTRA SUA CASA.

PROFILE

19 de janeiro de 1991

26. NA ZONA RURAL

Pouco depois do meio-dia de sábado, um amigo de Dee Davis chamado Thomas Ray chegou para consertar o carro dela, como prometera quando a levara para jantar na noite anterior. Notou a luz da varanda acesa e as cortinas abertas. O Chevy Cavalier 1985 dela estava do lado de fora; Dee sempre o estacionava na garagem.

Ray não recebeu nenhuma resposta quando bateu à porta. Levantou o portão da garagem e viu que a porta que levava para o interior da casa estava aberta. Lá dentro, o fio da linha telefônica que ia até o plugue na parede tinha sido cortado, e um bloco de concreto rodeado de vidro jazia no chão da sala de estar. A roupa de cama tinha sumido.

Ray pegou seu carro, encontrou um telefone público e ligou para o serviço de emergência.

Ao anoitecer, o detetive Sam Houston e outros policiais da delegacia do condado de Sedgwick reuniram grupos de busca para percorrer as estradas de toda a região norte do condado de Sedgwick. Os subchefes de polícia saíram batendo de porta em porta, perguntando se alguém tinha visto Dee. Na casa dela, Houston percebeu que alguém tinha vasculhado a gaveta de lingerie. Um vizinho viu as chaves de Dee no telhado da garagem da casa. O subchefe Matt Schroeder encontrou algumas roupas de cama de Dee enfiadas em uma galeria de esgoto a quilômetros da casa. Dee, porém, não havia sido localizada.

Sua família rezava e se preparava para as más notícias. Os investigadores concluíram que alguém tinha limpado as portas e o porta-malas do carro dela.

No dia primeiro de fevereiro, treze dias depois do desaparecimento de Dee, um adolescente chamado Nelson Schock saiu para uma caminhada matinal. Acompanhado de um cachorro de rua que o seguia, ele rumou para o oeste pela 117th Street North, vários quilômetros ao norte da casa de Dee. O cão correu para debaixo de uma ponte e não quis sair quando foi chamado. Nelson desceu e viu uma colcha de cama e um corpo. Ao lado do cadáver havia uma máscara de plástico pintada.

Nelson ficou tão perturbado que, quando em disparada para casa, seguiu na direção errada por alguns passos.

Os investigadores fotografaram o corpo congelado de Dee, fizeram um diagrama da localização e analisaram o que viram: meias-calças amarradas em volta da garganta, dos pulsos e dos tornozelos. O cadáver tinha mordidas de animais.

Houston reparou nas semelhanças entre aquele assassinato e o de Hedge, ocorrido seis anos antes: ambas as mulheres tinham sido amarradas e estranguladas, e o fio das linhas telefônicas de suas casas foram cortados. Eram fatos que assemelhavam os casos aos ataques do BTK, que começara a agir dezessete anos antes.

Mas também havia diferenças significativas: as vítimas de Park City eram mulheres mais velhas e tinham sido tiradas de suas casas. O BTK não fizera isso em Wichita.

A opinião predominante ente os investigadores era que os casos de Hedge e de Davis podiam estar relacionados, mas não tinham ligações com o BTK. Houston não estava tão certo.

● ● ●

Rader arrastara o corpo de 1,65 m de altura e 60 kg de Dee para fora da casa na própria roupa de cama, e a colocara no porta-malas do carro dela.

Primeiro a levou para um lago pertencente ao Departamento de Transportes do Kansas, na esquina da Forty-fifth com a Hillside, perto da I-135, a autoestrada que divide a região leste de Wichita da oeste. Ele a escondeu entre alguns arbustos.

Queria amarrar Dee em diversas poses e tirar fotos na privacidade de um celeiro abandonado. Mas estava nevando, e a noite avançava. Ele precisaria se esgueirar de volta para o acampamento em pouco tempo. Decidiu levar o carro de Dee de volta para a residência dela. Mas primeiro dirigiu por Park City, até a Igreja Luterana de Cristo, sua própria paróquia, e enfiou a caixinha de joias e outros pertences da mulher embaixo de um barracão nos fundos. Em seguida, dirigiu de volta à casa, limpou o carro dela, jogou as chaves no telhado e caminhou várias centenas de metros de volta à igreja batista onde deixara o próprio carro. Dirigiu de volta para o lago, pegou o corpo de Dee e rumou para o norte, na direção de um celeiro abandonado que pretendia usar. O tempo estava ficando apertado. Os escoteiros perceberiam sua ausência.

Encontrou uma ponte ao longo da 117th Street North e largou o corpo lá embaixo. Fez então a longa viagem de volta ao Encontro de Escoteiros.

PROFILE

profile

BTK

DENNIS LYNN RADER

ROY WENZL / TIM POTTER / HURST LAVIANA / L. KELLY

1991

27. OSSOS

Rader era como um cão que se recusa a largar um osso: ele não queria deixar Dee em paz. Ao anoitecer do dia 19 de janeiro, o dia seguinte à invasão da casa dela, todos os policiais dos condados de Sedgwick e Harvey estavam procurando por Dee. Rader passara o dia com os escoteiros, mas estava curioso a respeito da busca e queria ver sua vítima outra vez.

Portanto, ao anoitecer, ele inventou outra mentira: Estou com dor de cabeça. Pegou o carro e foi à cidadezinha de Sedgwick, supostamente para comprar aspirina em uma loja de conveniência, mas na verdade era para ver se conseguia descobrir alguma coisa sobre a investigação.

Dirigiu pela I-135 até uma parada de descanso na fronteira do condado de Sedgwick, entrou no banheiro e começou a trocar os trajes que estava usando por roupas escuras. Um policial rodoviário do Kansas entrou, olhou feio para ele e perguntou o que estava fazendo. Policiais rodoviários eram chamados a paradas de descanso quando as pessoas viam homens se despindo e fazendo coisas estranhas.

O BTK, seminu, contou uma versão parcial da verdade: Faço parte da tropa dos escoteiros. Estou vestindo minhas roupas de escoteiro para ir ao Encontro dos Caçadores.

Se o policial pedisse para revistar seu carro, ele estaria em sérios apuros. Alguns dos pertences de Dee estavam lá dentro. Para seu alívio, o homem foi embora.

Rader acabou de se vestir, dirigiu pela neblina, encontrou o corpo de Dee e tirou fotos dela. Os seios tinham murchado. *Nada sensual*, pensou. Mas tirou fotos mesmo assim. Tinha levado uma coisa para embelezá-la: a máscara feita de plástico resistente, na qual ele pintara lábios vermelhos, cílios e sobrancelhas pretos.

Deixou a máscara por perto para impressionar a polícia.

Assim que voltou para casa depois do Encontro com o filho, escreveu em seu diário o quanto gostara de matar Dee, de vê-la implorando. Ele guardou seus troféus: a carteira de motorista e o cartão do Seguro Social de Dee, recortes de reportagens publicadas pelo *Eagle* após o assassinato. Alguns desses textos apontavam as semelhanças entre o assassinato de Dee e as mortes de Marine Hedge, dos Otero e das outras vítimas do BTK.

Rader sentia falta de sua máscara. Ele a usara uma série de vezes, quando vestia roupas femininas e se fotografava amarrado, em poses de suplício. Costumava ir para a casa dos pais quando eles não estavam, vestia as roupas de Dee e tirava fotos de si mesmo no porão.

· · ·

No dia 18 de fevereiro de 1991, apenas um mês após o assassinato de Dee Davis, uma pessoa que se exercitava correndo por um bosque ao sul da cidadezinha de Belle Plaine, no Kansas, encontrou um crânio por baixo de algumas folhas. Belle Plaine fica trinta minutos ao sul de Wichita. A polícia da cidade enviou sua equipe do laboratório criminalístico, que incluía Landwehr. Os veículos de comunicação foram notificados.

No *Eagle*, Bill Hirschman se virou para Hurst Laviana, seu colega de cobertura policial.

"Deus, espero que isso não seja o que acho que é", comentou Hirschman.

"O que você acha que é?", perguntou Laviana.

"Nancy Shoemaker."

Laviana também torceu que ele estivesse errado.

Nancy tinha nove anos de idade.

· · ·

Os detetives não demoraram a descobrir que o crânio era de Nancy. Ela desaparecera em julho do ano anterior enquanto ia a um posto de gasolina de Wichita para comprar uma 7UP para acalmar o estômago do irmãozinho. Seu sumiço desencadeou encontros de orações, buscas e uma das piores ondas de pânico na comunidade em muitos anos.

A polícia de Wichita montou um esquadrão investigativo. Dentre os detetives de outras áreas cedidos à prefeitura e ao Departamento dos Direitos da Criança e do Adolescente do condado estava Clint Snyder, um investigador de invasões a domicílios, um homem esguio e obstinado perto da casa dos trinta anos que crescera em uma fazenda de criação de rebanhos perto de Burden, a sudeste de Wichita.

Snyder foi ao local onde os ossos foram encontrados. Dentre as pessoas com quem ele conversou estava o tenente do laboratório de criminalística, Landwehr. O detetive ficou com vontade de conhecê-lo melhor.

· · ·

Paul Dotson, à época no cargo de tenente responsável pela unidade de homicídios do departamento de polícia, continuava obcecado pelo BTK. Dois meses depois do assassinato de Davis, em março de 1991, convocou uma reunião com Sam Houston e outros investigadores do departamento de polícia do condado de Sedgwick, cientistas comportamentais do FBI e Landwehr. O objetivo era reexaminar em conjunto não apenas o homicídio de Davis, mas todos os casos de assassinato não solucionados na cidade e no condado.

Os investigadores compararam arquivos e opiniões. Os especialistas do FBI destacaram que, nos assassinatos de Park City, os corpos tinham sido transportados. Disseram que assassinos em série não costumam fazer isso. Além disso, esse não era o estilo do BTK.

Para a decepção de Dotson, a reunião terminou de maneira inconclusiva. Mais uma vez, os detetives do caso BTK tentaram enxergar ligações entre os assassinatos e concluíram: "Talvez sim, talvez não".

Landwehr e Dotson tinham investigado o BTK durante sete anos. A convicção com que Landwehr falava em capturá-lo algum dia não fazia diferença. Dotson sentia apenas decepção e dúvida.

• • •

Certo dia, Snyder e o pessoal do laboratório de criminalística examinaram um carro que pertencia a um homem que a polícia estava investigando como possível suspeito no caso Shoemaker. Na ocasião, o detetive pôde conhecer Landwehr um pouco melhor. Ele aprendeu muitas coisas.

Os dois conversaram sobre o que poderia ser feito para fazer progressos em relação ao caso. Landwehr fumou um cigarro depois do outro, fez piadinhas e deu sugestões úteis, complementando com ciência forense a sabedoria que os detetives tinham das ruas.

Apesar de competentíssimo, Landwehr era despretensioso, até mesmo humilde. Nem todos no alto-comando tinham essa postura. Landwehr parecia amigável, solidário e interessado nas pessoas. Também demonstrava amar o que fazia. Isso chamou a atenção de Snyder, que queria continuar a evoluir como detetive e estava profundamente abalado com o caso Shoemaker. Ele estava interessado como investigadores que trabalhavam com homicídios em tempo integral lidavam com as emoções enquanto cumpriam sua função.

Depois do trabalho, Snyder voltava para casa e passava algum tempo com a filha, Heidi, então com apenas dezoito meses. Enquanto brincavam, ele se perguntava como os Shoemaker aprenderam a lidar com a maneira como Nancy morrera. Snyder também queria saber como os policiais conseguiam aprender a lidar com isso, em especial considerando as limitações de seus respectivos departamentos. O assassinato de Nancy o deixara horrorizado; ele não era capaz de imaginar nenhum trabalho mais valoroso do que encontrar quem matara a menina. Mas seus chefes na área de investigações de invasões a domicílios o pressionavam para voltar a trabalhar em casos de crimes contra o patrimônio, embora o caso de Nancy permanecesse sem solução.

Ele se perguntou que tipo de monstro era capaz de torturar e matar uma criança. Como tantos outros detetives, Snyder era obrigado a aprender sozinho como controlar a própria raiva. Por isso passava bastante tempo conversando sobre o assunto com a esposa, Tammy, com amigos e com Deus.

• • •

Poucos meses depois de o corpo de Nancy ser encontrado, os detetives conseguiram uma pista com um homem de Wichita que, por coincidência, no passado alugara um imóvel do qual era proprietário para uma das vítimas do BTK, Kathryn Bright. A informação passada por ele levou os policiais a um homem chamado Doil Lane, que já estava sendo investigado por outro assassinato no Texas. Apurando a história ainda mais a fundo, chegaram a um conhecido de Lane, um homem com deficiência mental chamado Donald Wacker. Snyder e um outro detetive conseguiram fazê-lo confessar que vira Lane estuprar, espancar, chicotear e estrangular Nancy. Wacker contou que ela chutou os agressores, exigiu ser libertada e lutou até o fim.

Um dos assassinatos mais tristes da história de Wichita fora resolvido. Snyder voltou a investigar casos de invasões a domicílios, grato pelo que tinha aprendido. Snyder ainda não sabia, mas Landwehr ficara impressionado com seu trabalho. Acreditava que Snyder seria um ótimo parceiro para ele algum dia.

PROFILE

profile

BTK

DENNIS LYNN RADER

ROY WENZL / TIM POTTER / HURST LAVIANA / L. KELLY

Maio de 1991

28. PEQUENO HITLER

Quatro meses depois do assassinato de Dee Davis, a prefeitura de Park City contratou um novo fiscal para recolher cachorros de rua e fazer valer as leis de zoneamento. O currículo de Dennis Rader chamou a atenção dos representantes do conselho distrital por diversos motivos. Ele era um antigo empregado da ADT com boas referências. Em seus quatro anos na aeronáutica, ele fora um instalador de fiações elétricas e antenas, servindo principalmente em Mobile, no Alabama, e Tóquio, no Japão, com postos temporários em Okinawa, Turquia e Grécia. Recebera baixa em 1970 como sargento. Era um residente de longa data de Park City que frequentava uma igreja próxima e era voluntário na tropa de escoteiros do filho. Tinha muitos amigos na cidade.

As pessoas que o conheceram depois de sua contratação assinalaram que ele mantinha o uniforme sempre impecável, as botas sempre engraxadas, e que o fiscal parecia sentir satisfação com o poder de dizer às pessoas o que fazer.

Jack Whitson, que foi supervisor de Rader durante anos, confirmou que ele tinha a tendência de mandar em vez de pedir. Ele dizia: "Você precisa preencher isto", em vez de "Você poderia preencher isto, por favor?"

Rader não era um recluso; conversava com qualquer um que puxasse assunto. Mas não ficava de bobeira — trabalho era trabalho. Durante os intervalos, nunca ultrapassava nem um minuto dos quinze regulamentares. Em vez de socializar durante os períodos de pouca atividade, ele se sentava à sua mesa e lia o *Eagle*. Quando conversava sobre algo além de trabalho, era sobre o time de futebol americano da Universidade Estadual do Kansas ou sobre os filhos. Sobretudo sobre os filhos. Quando sua filha foi estudar na Estadual do Kansas, Rader passou a frequentar os jogos de futebol americano da escola religiosamente.

Ele por fim conseguiu um escritório privativo. Quando estava por lá, sempre mantinha a porta aberta, mas a trancava quando dava o expediente por encerrado. Seu escritório tinha uma segunda porta, que dava para o lado de fora e lhe permitia ir e vir sem ser notado.

Certo dia, enquanto procurava um documento no escritório de Rader, Whitson abriu um armário de arquivos de duas gavetas onde havia fichários pretos bem-organizados, alguns com etiquetas. Ele não parou para lê-los.

Rader tinha abreviações e acrônimos para tudo. Uma vez, Whitson lhe disse: "Dennis, você precisa conversar comigo em inglês. Não entendo suas siglas". Rader tinha centenas delas. "RI", por exemplo, significava "Relatório do Investigador".

Whitson sabia que Rader era minucioso ao preparar casos de autuação contra residentes de Park City, mas também o vira ajudar pessoas a recuperar seus bichinhos de estimação quando eram apreendidos. Se os animais estivessem feridos, Rader insistia que fossem levados a um veterinário.

Certo dia, uma mulher levou um pato com uma asa machucada. Whitson disse a Rader que a ave não conseguiria sobreviver e deveria ser sacrificada. Rader lhe disse que não seria capaz de matar o animal. Ele o levou a um parque com um riacho para deixar que a natureza se encarregasse disso.

Ainda assim, seu trabalho lhe rendia críticas. Amantes de cachorros não costumam gostar de funcionários da carrocinha, e ninguém fica contente ao ouvir um homem de uniforme ameaçar emitir uma autuação.

Muitos dos residentes de Park City que o fiscal investigava em suas rondas diárias eram homens de baixa renda que eram obrigados a trabalhar em dois empregos, portanto, manter seus carros e seus quintais em ordem não estavam entre suas maiores prioridades. Eles deixavam cárteres e peças de sucatas e carros com apenas três rodas espalhados por toda parte. Ou então eram mães solteiras que, entre o cuidado com os filhos e os estudos, tinham pouco tempo para tarefas como cortar a grama.

Pouco depois de Rader assumir o cargo, as pessoas começaram a reclamar.

Diziam que ele parecia um maníaco por controle. Entrava sem cerimônia no gramado delas, enfiava uma régua no chão e dizia que a grama estava uma fração de centímetro acima da altura regulamentar. Quando animais de estimação fugiam, ele os levava embora e às vezes mandava que fossem sacrificados.

Em determinadas ocasiões, entrava nas casas de mulheres solteiras sem se anunciar e fazia perguntas detalhadas sobre seus horários em dias úteis, seus filhos, seus namorados. Parecia haver algo assustador naquele sujeito.

Aos domingos, porém, ele levava a esposa e os filhos à igreja.

1992

29. NO COMANDO DA UNIDADE DE HOMICÍDIOS

No dia 12 de março de 1992, Dennis Rader ajudou os detetives de Wichita a investigar um homicídio.

Seis dias antes, um funcionário do setor de aviônica chamado Larry A. Bryan, de 36 anos, baleou e matou Ronald G. Eldridge, de 42 anos. Eldridge era o supervisor de Bryan na Collins Avionics, perto do Wichita Mid-Continent Airport, e ao que parecia pretendia demiti-lo.

Detetives que investigam homicídios gostam de "varrer uma vizinhança". Costumam sair fazendo perguntas pela área onde o suspeito mora, assim como nos arredores do local do homicídio. Por isso, no dia 12 de março, os detetives S. L. Wiswell e Charles Koral se deslocaram até Park City para conversar com os vizinhos de Bryan. Como cortesia, fizeram uma visita ao chefe de polícia local, Ace Van Wey.

Ele sugeriu que Wiswell e Koral interrogassem o fiscal da prefeitura, Dennis Rader, que morava no número 6220 da Independence, a poucas casas de Bryan. Wiswell escreveu em seu relatório o que aconteceu em seguida:

> Eu e o detetive Koral informamos Dennis Rader de que estávamos investigando um homicídio do qual Larry A. Bryan era suspeito

e estávamos tentando encontrar algumas informações sobre os antecedentes de Larry. Dennis Rader afirma que Larry se mudou para o endereço de número 6232 da Independence aproximadamente dez ou doze anos atrás e descreveu Larry como uma pessoa tranquila. Dennis diz que uma coisa que lembra a respeito de Larry é que Larry nunca sai durante o dia e ele meio que ganhou o apelido de vampiro ao redor da vizinhança. Dennis também afirma que se lembra de Larry Bryan dirigindo o que descreveu como uma beleza de Chevelle. Pedimos a Dennis Rader que descrevesse Larry Bryan e ele declarou que Larry era educado e tranquilo. Perguntamos se alguém morava com Larry e ele declarou que achava que não, no entanto achava que uma garota passava algum tempo na residência logo que ele se mudou, mas ele não tinha visto mais ninguém na residência. Dennis Rader também afirma que Bryan tem uma fascinação pelas criancinhas da vizinhança. Ele se lembra de um incidente aproximadamente um mês atrás onde ele viu Larry Bryan correndo atrás das crianças da vizinhança com o que ele descreveu como uma máscara do Jason. Perguntei a Dennis Rader a respeito da residência de Larry Bryan e ele declarou que Larry sempre mantém as cortinas fechadas e voltou a afirmar que nunca viu mulheres na casa de Larry.

• • •

Em maio de 1992, Paul Dotson comandava a unidade de homicídios havia três anos e estava "completamente acabado", como dizia — exausto. Quando foi realocado, seus comandantes lhe disseram que ele podia nomear seu sucessor.

Dotson queria que Landwehr o substituísse, mas estava preocupado com o que o estresse do trabalho — e a necessidade de ficar de prontidão dia e noite — poderia fazer com o amigo.

"Sei que você quer esse emprego mais do que tudo", disse ele a Landwehr. "Mas precisa me prometer que não vai permitir que a pressão acabe com você."

Landwehr o encarou por um bom tempo. "Você sabe como eu realmente sou", respondeu.

O alto-comando concedeu o posto a Landwehr. Ele se empenhara por quatorze anos para alcançar aquela posição e esperava, contrariando todas as probabilidades, permanecer nela pelo resto da carreira. Estava com 37 anos. O trabalho seria incessante, ele sabia: Wichita teve 28 homicídios em 1991, dezoito em 1990, e 33 em 1989.

O novo emprego não era seu único motivo de celebração. Ele estava noivo de Cindy Hughes, a assistente de educação especial tão perspicaz e atrevida quanto ele próprio. Quando as pessoas lhe perguntavam como Cindy pôde se apaixonar por um investigador de homicídios, Landwehr simplesmente encolhia ombros. "Ela passou vários anos lidando com crianças especiais, então se sentiu qualificada para lidar comigo."

Cindy também estava feliz, mas a promoção de Landwehr a levou a fazer um pedido incomum:

"Quero que você pesquise toda a minha família no seu computador criminalístico."

"Por que você quer que eu faça isso?", perguntou ele.

"Para evitar surpresas. Meu irmão esteve na lista de Mais Procurados do condado, e não quero que você seja pego de surpresa no trabalho por causa de alguma coisa que minha família fez ou irá fazer no futuro."

"Não vou fazer isso."

"O quê?"

"Não vou fazer isso."

"Eu *quero* que você faça."

"Não."

"Quero que você faça essa pesquisa no computador para saber onde pode estar se enfiando."

Ele sorriu.

"Ora, vamos", disse Landwehr. "Eu *nunca* faria isso com a sua família."

"Besteira, Kenny. Eu sei que você já fez isso — você não é burro. Então só estou dizendo para que você saiba que por mim tudo bem."

"Mas eu não fiz nada disso."

"Você está mentindo."

"Não", garantiu ele. "Estou dizendo, eu nunca faria isso com a sua família."

"Seu *mentiroso* desgraçado."

Ele sorriu.

• • •

Cinco meses depois de Landwehr assumir a unidade de homicídios, policiais em um estacionamento perto da Twenty-first com a Amidon entraram em confronto com um suspeito de tentar matar a esposa. Quando o acusado pulou na direção da porta aberta do seu carro para pegar uma arma, os policiais abriram fogo. O médico-legista mais tarde concluiu que o homem acabara disparando contra si mesmo no instante em que os policiais atiraram nele — portanto era parte suicídio e parte tiroteio em enfrentamento com a polícia.

Os detetives do departamento de homicídios chegaram, acompanhados do novo chefe.

Landwehr decidira que na maior parte do tempo deveria ser um chefe que delegaria tarefas, cuja função seria designar investigadores para um caso, depois apoiá-los com conselhos e recursos materiais. A não ser que eles pisassem na bola, Landwehr ficaria fora do caminho. Mas decidira também que visitaria pessoalmente as cenas dos crimes, não apenas porque poderia se mostrar útil, mas porque tinha ciência de suas fraquezas. Havia ocupantes de cargos de chefia que eram capazes de olhar as fotografias de uma cena de homicídio e reconstituir a coisa toda na mente, mas ele não conseguia fazer isso. "Sou uma pessoa mais 3-D", justificava. "Tenho eu mesmo que ver tudo em dimensões inteiras."

Os detetives gostavam dele. O chefe os deixava fazer seu trabalho em paz. Não tinha um ego enorme: não dizia "eu comando a unidade de homicídios", nem sequer se referia a si mesmo como tenente. Quando ligava para as pessoas, se apresentava apenas como policial.

Landwehr chegou à Twenty-first com a Amidon e começou a perambular pelo outro lado da fita amarela da polícia usada para evitar que os repórteres se aproximassem das provas.

Hurst Laviana, do *Eagle*, viu isso como uma oportunidade. Passara oito anos cobrindo histórias de crime e queria transformar o novo chefe da unidade de homicídios em uma fonte, ganhar sua confiança.

Como sempre, Landwehr estava vestido com um terno e uma camisa branca imaculada. Existem hábitos que o Departamento de Polícia incutem nos investigadores sobre roupas e cuidados pessoais. O detetive de homicídios deve se barbear bem, usar terno e gravata e não pode sorrir nem fazer piadas em uma cena de crime. Se as câmeras dos noticiários capturarem algum sorriso, as emissoras de TV podem repassar a gravação repetidas vezes e fazer com que ele ou ela pareça indiferente.

Naquele dia, após uma breve apuração no local, o pessoal da televisão guardou os equipamentos e foi embora. Landwehr ainda caminhava pelo estacionamento. Olhou para uma parede de tijolos de um prédio ali perto. Houvera inúmeras balas disparadas. Talvez alguns projéteis tivessem atingido a parede.

Landwehr passou para o lado de fora da barreira de fita e foi andando até o edifício. Laviana não perdeu tempo. Parou a poucos metros de onde Landwehr fitava a parede. O repórter, geralmente um homem taciturno, decidiu fazer uma piada. Ele fingiu dar uma espiada pelo canto do prédio.

"Ei", disse para Landwehr. "Você já deu uma olhada nesse outro morto aqui?"

Landwehr riu. Uma importante amizade começava.

PROFILE

profile

DENNIS LYNN RADER
ROY WENZL / TIM POTTER / HURST LAVIANA / L. KELLY

1993

30. UM ANO DE MUDANÇAS

Lee Landwehr, ferramenteiro aposentado da empresa de aviação Beechcraft, morreu aos 73 anos no dia 24 de janeiro de 1993. Paul Dotson nunca vira Kenny Landwehr tão abalado. Lee fizera o filho se interessar por leitura, comprando livros sobre o detetive Sherlock Holmes. Juntos tinham trabalhado nos carros da família na entrada da garagem. Kenny não era bom em reparos, mas entregara chaves inglesas para o pai para que pudesse aprender com ele e compartilhar impressões sobre as notícias do dia.

Depois da morte de Lee, Kenny ia até a casa da mãe e trabalhava no jardim. Landwehr odiava jardinagem, mas era o jardim do lugar onde crescera, e precisava ser bem cuidado.

Algumas semanas depois da morte de seu pai, o departamento de polícia enviou Landwehr para um treinamento de uma semana oferecido pelo FBI em Quantico, na Virgínia. O tema era "vitimologia indireta" — o fato de os agentes da polícia, incluindo os detetives de homicídios, costumarem magoar a si mesmos por não saberem lidar de modo apropriado com a empatia que sentiam pelas vítimas de crimes. O que Landwehr aprendeu lhe deu muito o que pensar, e foi um golpe de sorte o curso acontecer logo depois da morte de seu pai; Kenny estava se afogando em tristeza. O que ouviu em Quantico lhe permitiu voltar à tona.

Policiais costumam se sentir tão abalados pelo sofrimento das vítimas e das famílias que passam a se dedicar às investigações como se a pessoa envolvida fosse um membro de sua própria família. Era assim que Landwehr se sentia desde que entrara para o departamento de polícia. Ele aprendeu que, se os investigadores já forem propensos a ter um comportamento autodestrutivo — isolamento, alcoolismo, melancolia, depressão —, investigar os casos lhes proporciona todas as desculpas para fazerem mal a si mesmos. A taxa de suicídio entre policiais é alta.

Em Quantico, os instrutores descreveram o relacionamento perigoso entre o estresse e a bebida. Não assuma responsabilidade por ações pelas quais você não é responsável, disseram eles. Nem todos os casos podem ser resolvidos; nem todo culpado é condenado; nem todas as vítimas encontram a justiça.

Além de fazer terapia, encontre pessoas que você conhece e goste, aconselharam os instrutores. Converse sobre tudo.

Depois que voltou para casa, Landwehr colocou em prática o que tinha aprendido. Perguntou a Cindy se poderia falar abertamente sobre seu trabalho, e ela concordou.

Os dois passaram a ter conversas frequentes para ele desabafar suas frustrações. Ela ouvia, se solidarizava, provocava e o consolava. Casar-se com ela, Landwehr disse várias vezes mais tarde, foi a melhor coisa que já tinha acontecido com ele. "Você acha que consegue lidar com tudo sozinho, mas não consegue."

Landwehr passara grande parte da vida caindo na noite. Essa tendência passou a diminuir. Ainda queria chefiar a unidade de homicídios por muitos anos, e viu que a bebedeira não o estava levando para um bom caminho. "Eu só decidi amadurecer."

• • •

Logo depois de se mudar para Park City, em 1993, Jan Elliott comprou uma filhote de cão de caça e a ensinou a brincar de ir buscar os brinquedos que ela jogava. Jessie era mansa e não incomodava ninguém. Mas, em dias de tempestade, com medo, Jessie escalava a cerca de arame de 3 m de altura da casa de Elliott ou escapava da coleira. Rader, o fiscal da prefeitura, a capturou três vezes e mandou Elliott dar um jeito naquilo — caso contrário, haveria problemas.

Rader foi arrogante ao informar Elliott que ele deveria pagar uma multa de 250 dólares para a prefeitura.

Eu não tenho todo esse dinheiro, protestou Elliott.

Então vou ter que mandar sacrificar o seu cachorro, respondeu Rader. E foi o que fez.

Elliott ficou tão transtornado que se mudou para longe de Park City. Mas algo o deixou intrigado.

Ele ouvira histórias parecidas a respeito de Rader de outras pessoas, mas também escutara coisas boas sobre o fiscal.

Alguns anos antes, sua mãe, Thelma Elliott, tivera como vizinha da frente uma pessoa ela descrevera como uma "garota maravilhosa" — Paula Dietz —, que era casada com Rader. A mãe de Elliott gostara de Rader. Dizia que ele era "uma pessoa muito gentil".

• • •

No dia 7 de abril daquele ano, os pais de Rader, William e Dorothea, comemoraram bodas de ouro. A família organizou um jantar e publicou uma nota no *Eagle*.

William Rader servira na Marinha dos Estados Unidos durante a Segunda Guerra Mundial. Durante 37 anos foi funcionário da empresa de serviços públicos Kansas Gas & Electric, até se aposentar, em agosto de 1985.

Dorothea Rader trabalhara durante 26 anos como contadora de um mercado, o Leeker's Family Foods. Estava aposentada desde janeiro de 1986. Era uma pessoa gentil, estimada pelos vizinhos e por outros que a conheciam.

O casal Rader sempre fez questão de levar os quatro filhos à igreja e a reuniões de escoteiros, além de incentivá-los a praticar atividades ao ar livre. Os pais tentavam tratar Dennis, Paul, Bill e Jeff de uma maneira justa, embora Jeff, conforme ele mesmo admitiu mais tarde, fosse um terror.

Depois de aposentados, Bill e Dorothea se mostravam contentes por Dennis, o mais velho, ser tão atencioso. Ele trabalhava perto de casa, e morava com Paula a apenas alguns quilômetros de distância. Os dois os visitavam com frequência e frequentavam a mesma igreja. A filha de Dennis e Paula, Kerri, aparecia no quadro de honra da escola fazia anos. O filho, Brian, estava se tornando um *Eagle Scout*.

• • •

Landwehr se casou com Cindy Hughes no dia 24 de abril de 1993. Paul Dotson foi o padrinho. Os Landwehr passaram a lua de mel em Cancun, no México.

No apartamento no terceiro andar onde Landwehr morou por treze anos antes do casamento, mandara tantas bolas de golfe porta afora que o seu taco *sand wedge* tinha aberto um buraco enorme no carpete. Mas Cindy estava começando a domá-lo. Costumava temer que o motivo da atração dele fosse achar que ela precisava ser salva.

Mas no fim foi ela que o salvou.

• • •

Mais tarde naquele ano, Park City ganhou sua primeira lista telefônica. Brian Rader a compilou como seu projeto para se tornar um *Eagle Scout*, que era prestar um serviço à comunidade. O líder dos escoteiros, George Martin, um amigo de longa data de Dennis Rader, fazia questão de destacar que não havia como realizar uma tarefa tão desafiadora a não ser que o garoto tivesse recebido bastante ajuda do pai.

A lista telefônica de Brian foi recebida tão bem que o *Wichita Eagle* publicou uma matéria extremamente positiva à iniciativa no dia 28 de outubro:

> Os residentes de Park City em breve estarão folheando suas próprias listas telefônicas para encontrar números de telefones locais, graças ao Comitê do Orgulho LGBT e um *Eagle Scout*.
> "Isso será útil", afirmou Cecile Cox, presidente do Comitê. "Acredito que é ótimo que uma cidade pequena tenha uma lista telefônica, porque a lista de Wichita é tão extensa que você precisa caçar as coisas."

Brian tinha coordenado dez outros voluntários e compilado a lista à mão, anotando nomes e números de fontes de informações públicas e cruzando informações de outras listas. A nova lista telefônica apresentava os nomes, números e endereços de todos os pontos comercias e moradores na cidade.

"Tivemos que usar mapas para descobrir quem mora onde e coisas assim, porque duas outras cidades têm o código de área 744", contou Brian aos repórteres. As listas foram vendidas de porta em porta, por um dólar cada, para compensar o custo de publicação de 2 mil cópias.

O pai de Brian já conhecia os nomes e endereços de muita gente da cidade. Algumas mulheres consideravam Dennis Rader incrivelmente enxerido — ele tinha um interesse incomum por suas idas e vindas.

· · ·

O primeiro ano de Landwehr como chefe da unidade de homicídios foi agitado, com 57 pessoas assassinadas na cidade, um recorde.

Como as primeiras horas depois de um homicídio são cruciais, Landwehr e os detetives costumavam trabalhar sem dormir durante 48 horas ininterruptas.

Ao longo de 1993 e dos anos seguintes, a população de Wichita viria a ficar familiarizada com o rosto de Landwehr e suas monótonas entrevistas para a televisão. Para o chefe da divisão, dar entrevistas nos noticiários fazia parte do trabalho. Diante das câmeras, Landwehr parecia um pouco tenso e falava em um tom enfadonho.

Laviana, ao entrevistá-lo sozinho, tinha acesso a uma personalidade bastante diferente; o humor e a receptividade faziam Landwehr ganhar brilho próprio. Sua risada traía a rouquidão de um fumante frequente.

Certo dia, Laviana escreveu errado o nome da vítima de assassinato Kristi Hatfield. Na matéria, o nome apareceu como "Hartfield". Landwehr apareceu na coletiva de impressa diária no departamento de polícia e anunciou aos repórteres em tom brincalhão que Laviana parecia ter encontrado uma nova vítima de homicídio.

"Onde está o corpo?", Landwehr quis saber. Havia sido um erro cometido por descuido, e que seria corrigido no jornal da manhã seguinte.

O tenente se sentia tão confortável com Laviana que, em uma importante entrevista, Landwehr começou a falar no tom relaxado e direto que usava com os amigos. O assunto era o número recorde de homicídios em 1993. Landwehr mostrou uma tabela a Laviana, dando atenção especial a quatorze casos que permaneciam sem solução.

"Magallanes, nós temos um suspeito", disse Landwehr conforme começava a passar a lista. "Anderson, não fazemos a menor ideia. Marvin Brown, não fazemos ideia. Menser, temos uma ideia. Kocachan, não fazemos ideia. Gonzales, não fazemos ideia. Adams, este é outro caso em que todo mundo estava atirando em uma festa. Hatfield, não fazemos ideia."

O uso de uma frase como "não fazemos ideia" era uma demonstração da autoconfiança de Landwehr: ele não media palavras. Ele falava dessa forma porque era assim que via as coisas.

Depois que a matéria de Laviana foi publicada, no entanto, Landwehr recebeu algumas críticas de seus detetives e de outras autoridades municipais. Mas, ao contrário de muitos servidores públicos em situações semelhantes, ele não se irritou nem pôs a culpa no repórter. Apenas disse a Laviana, com um sorriso encabulado: "Gostaria de não ter dito aquilo, mas eu disse".

• • •

Em 1993, alguns policiais de Wichita tiveram um encontro estranho com o fiscal da prefeitura de Park City. Foi uma história que Tim Relph e seus amigos recontariam, diversas vezes.

Um dos motivos para Relph querer se juntar à polícia foi ter sido preso quando ainda era adolescente, em 1979. Estava disparando uma espingarda de ar comprimido que ele modificara para emitir um grande estrondo. Dois policiais, Darrell Haynes e o futuro Caça-Fantasmas Paul Holmes, o jogaram de cara no chão e o algemaram, em parte para assustá-lo e afastá-lo de uma vida criminosa.

Essa prisão e a reavaliação que fez da vida mais tarde levaram Relph a entrar para a academia de polícia. Como Landwehr e Dana Gouge, Relph foi o primeiro da turma na academia.

Católico devoto com uma natureza sociável e meticulosa, se juntou à unidade de homicídios em dezembro de 1991, alguns meses antes de Landwehr assumir o comando. Em 1991, tinha muitos amigos na polícia, entre eles os agentes que no passado o tinham prendido e John Speer, um policial de cabelos compridos que atuava à paisana e que Relph conhecera quando ambos trabalhavam patrulhando as ruas.

Em outubro de 1993, Speer precisava trocar o telhado de sua casa em Park City, então pediu a ajuda de Relph e de outros vinte policiais. Foi um serviço suarento e desagradável. Mais para o fim do dia, alguns policiais notaram um homem de uniforme parado diante da casa de Speer, tirando fotos polaroides.

"Parem um pouco", pediu Speer. Ele desceu do telhado.

Relph observou enquanto Speer confrontava o homem, que estava em pé ao lado de uma picape da prefeitura de Park City. O homem falou com Speer de um modo frio e oficial sobre a necessidade de um alvará de trabalho.

Speer retrucou e argumentou. Relph achou graça na coisa. "Esse cara deve ser bastante abusado", pensou. Nenhum dos homens estava fardado, mas com seus cortes de cabelo e o jargão policial que Speer usava, além do modo como todos o encaravam, Relph achou que deveria ser óbvio para o fiscal que havia um bando de policiais empoleirados no telhado.

Mas o fiscal da prefeitura de Park City insistiu que Speer precisava de um alvará; não foi embora até o policial prometer providenciar a papelada.

Os amigos de Speer acharam o sujeito arrogante. Mas tiraram sarro do colega por ter recebido um sermão de um sujeito usando uniforme e citando regulamentos ao pé da letra. A frieza no trato demonstrada pelo sujeito chamou a atenção dos policiais de tal maneira que eles se lembrariam disso por muito tempo.

1994 a 1997

31. O BTK VIRA ANTIGUIDADE

No dia 15 de janeiro de 1994, o *Eagle* publicou uma matéria de Bill Hirschman para relembrar os assassinatos na família Otero, ocorridos exatos vinte anos antes. Hirschman sabia que precisava escrevê-lo como se muitos dos leitores do jornal nunca tivessem ouvido falar do BTK.

A história já havia esfriado fazia tempo; muitos leitores não tinham conhecimento dos crimes, e outros perderam o interesse conforme seus temores se dissiparam. O BTK não agia, pelo que se sabia oficialmente, desde o estrangulamento de Nancy Fox, em dezembro de 1977. Alguns policiais achavam que o assassino poderia estar morto ou na prisão por outros crimes. Portanto, quando Hirschman escreveu a matéria, grande parte do texto era baseado em informações de arquivo.

Como muitos outros repórteres policiais, ele se dedicava àquele tipo de cobertura porque a crueldade era um assunto que o perturbava. Para impedi-la, era possível escrever a respeito para despertar a solidariedade das pessoas. A ideia de que o BTK tinha se tornado notícia antiga incomodava Hirschman. Ele queria que o monstro fosse capturado.

Antes de Ken Stephens deixar o *Eagle*, em 1985, Hirschman o ouvira falar sobre o BTK em uma festa da redação. Stephens o comparava a uma assombração, e Hirschman percebera que naquele momento seus amigos, sempre falantes, estavam em silêncio, só ouvindo e olhando para o vazio. Ele se lembrou disso enquanto escrevia a matéria:

O fracasso em prender o BTK é sempre mencionado como o único arrependimento duradouro de todos os policiais aposentados que trabalharam no caso, desde LaMunyon até o xerife Mike Hill, que já foi chefe do esquadrão de homicídios da polícia.
"Não, isso é algo que você nunca consegue esquecer", disse LaMunyon.

• • •

Pouco tempo depois da publicação do artigo, Hirschman deixou o *Eagle* e se juntou à redação do *South Florida Sun-Sentinel*, em Fort Lauderdale.
Talvez algum dia Hurst consiga escrever a grande matéria sobre o BTK, pensou ele.
Na festa de despedida de Hirschman, os repórteres da redação lhe deram uma imitação de primeira página com a manchete principal:

HIRSCHMAN VAI EMBORA DA CIDADE; CASO BTK RESOLVIDO

Laviana achou isso bastante engraçado. Como Stephens antes dele, Hirschman era citado nos círculos de fofoqueiros da cidade como suspeito de ser o BTK.

• • •

O BTK não era notícia velha para o detetive Tim Relph.
Certa noite, enquanto trabalhou por dois meses no turno da madrugada em razão de um sistema de rodízio, Relph ficou entediado. Ele olhou para o armário cinza com quatro gavetões esquecido em um canto. As pessoas raramente o abriam. Relph foi buscar a chave, abriu uma gaveta e começou a ler os arquivos dos Otero.
Relph foi levado de volta à época em que era criança e se sentira aterrorizado depois dos assassinatos. Estava no sétimo ano da escola na época, e ficara preocupado que alguma coisa assim pudesse acontecer à sua família.
Enquanto cumpria seu plantão na sala de investigações, ficou lendo os antigos arquivos por um longo tempo.

No dia seguinte, Relph foi almoçar com Landwehr e o surpreendeu ao dizer que queria estudar os arquivos do BTK.

Landwehr o alfinetou.

"O que você está fazendo, Relph?"

"Como assim?"

"Está tentando roubar o meu emprego, porra?"

"Não!"

"Não, não, não, seu desgraçado... você está tentando roubar o meu emprego, que eu sei!"

"Não estou, não. Só quero entender o caso."

Landwehr parou com as provocações e ficou pensativo.

"Na verdade andei refletindo e concluí que preciso de outra pessoa para estudar o BTK, caso eu saia algum dia", informou ele. "Você está falando sério sobre querer saber mais a respeito?"

"Sim."

Landwehr começou a orientá-lo, nos horários de almoço e nos dias que se seguiram. O tenente falava tão rápido, e com tanto entusiasmo, que às vezes perdia o fio da meada. Relph prestava atenção, fascinado. Como Relph descreveu mais tarde, Landwehr deu uma aula mestra sobre como caçar o BTK — e como se tornar um grande detetive.

●●●

Nem todos os detetives de Landwehr gostavam dele logo de cara. Alguns acreditavam que a parte burocrática do trabalho da chefia entediava Landwehr e que ele era melhor como investigador do que como administrador. Clint Snyder, que se juntou à unidade de homicídios em 1995 e o admirava bastante, brincava que o cérebro de Landwehr às vezes funcionava em uma frequência diferente da boca. Os investigadores tinham que conhecer o contexto para entender o que Landwehr estava falando, explicou Snyder. "Ele dizia algo como 'precisamos concluir o negócio' ou 'concluam o negócio' ou algo assim. Mas a gente sabia o que ele queria dizer."

Assim que Dana Gouge se juntou à unidade, encontrou algumas dificuldades para se adaptar à postura de Landwehr como chefe. Em outras unidades, os oficiais superiores lhe diziam o que fazer. Gouge a princípio ficou intrigado com o fato de Landwehr não falar muito com ele. O trabalho o preocupava — era difícil, e ele queria ter certeza de que nunca acusaria uma pessoa inocente de assassinato, ou então acusar o culpado, mas ver o assassino ser inocentado por causa de um erro de procedimento na investigação. Mas Landwehr quase nunca conversava com Gouge, a não ser que ele lhe perguntasse alguma coisa. Sua impressão inicial foi de que Landwehr não era um professor muito bom.

Essa impressão foi mudando aos poucos. Nas cenas dos crimes, Gouge começou a analisar o que Landwehr olhava, ouvia as perguntas que o tenente fazia e tentava pensar o que o chefe estava pensando. Gouge percebeu que, observando Landwehr, ele aprendia bastante.

A avaliação do próprio Landwehr sobre seu método de treinamento era curta e grossa: "A única coisa que não posso passar para ninguém são pontos de QI. Ou a pessoa tem a inteligência para trabalhar na unidade ou não tem."

Todos os detetives reparavam na memória de Landwehr. Os investigadores em geral precisavam estudar os casos; Landwehr era capaz de olhar os relatórios de relance e recordar os detalhes com precisão anos depois.

Certo dia, Relph teve uma discussão acalorada com Landwehr sobre um ponto específico dos ensinamentos católicos: a Quarta-feira de Cinzas é um dia sagrado de observação religiosa? Relph, um conhecedor do catolicismo, disse que sim; Landwehr, um católico não praticante, disse: "Não é, não".

Eles pesquisaram; Landwehr estava certo.

"Não fico chateado por você ter um conhecimento maior sobre ciência forense do que eu", disse Relph. "Mas fico puto por você saber mais sobre os ensinamentos da igreja."

De certo modo, a postura dos detetives, e até mesmo seu senso de humor, se transformaram no reflexo de seu chefe. Eles alfinetavam uns aos outros, e até Landwehr, algumas vezes de maneira cruel. Usavam palavrões em conversas casuais — até mesmo Relph, que fazia tanta questão de afirmar suas convicções religiosas. Eles tinham um rato de plástico que costumavam colocar sobre a mesa do detetive designado a tomar a dianteira no homicídio seguinte. Deram continuidade a uma tradição da época de Dotson de às vezes ligar para um investigador no meio da noite para dizer "tivemos um homicídio triplo", apenas para acordá-lo no susto. Os investigadores criaram um vínculo. O estresse do trabalho teria sido insuportável para a maioria das pessoas, mas, sempre que um detetive ficava para baixo, alguém intervinha com um comentário engraçadinho e amenizava o clima. Ao longo do tempo eles se deram conta de que Landwehr usava o humor de maneira calculada. Relph percebeu que, depois de ler seus relatórios, Landwehr dizia coisas engraçadas que às vezes magoavam. Landwehr embutia as críticas nas brincadeiras. Depois disso, Relph começou a prestar mais atenção quando Landwehr o fazia rir.

Nem toda piada que Landwehr fazia era engraçada de maneira intencional. Em determinada ocasião, Gouge, Snyder e Landwehr investigaram o assassinato de uma prostituta de Wichita. O assassino tinha largado o corpo no condado de Harvey, perto de Newton. Gouge e Snyder entraram na sala de interrogatório da delegacia de Newton para conversar com o suspeito. Não tinham permissão para levar os revólveres para dentro, portanto, os entregaram a Landwehr, que andava de um lado para outro do lado de fora. Landwehr, que estava com a própria arma no coldre, enfiou as deles na cintura.

Gouge e Snyder interrogaram o suspeito, e depois cada um conversou com a esposa do homem em separado. As histórias não batiam. Gouge e Snyder foram até Landwehr e contaram isso a ele na maior animação. Landwehr ficou satisfeitíssimo; eles estavam solucionando o caso.

Um detetive de Newton dobrou uma esquina e viu Landwehr com três armas na cintura, esfregando o rosto com força e berrando: "Meu Deus, eu *amo* este trabalho!" O detetive achou que Landwehr era maluco.

Mas esse tipo de trabalho não era para todos. Snyder saiu em 1997, trocando os horrores da investigação de homicídios pela não menos séria tarefa de prender traficantes de drogas.

Kelly Otis se juntou à unidade de homicídios em 1997, depois de fazer a prova de qualificação para detetive por impulso. Certo dia, a tensão de montar um caso particularmente difícil deixou o novo investigador abalado, e ele foi até o escritório de Landwehr para desabafar. Estava com medo de que o caso pudesse ser feito em pedacinhos no tribunal. Frustrado, ele chutou um sofá.

"Não, não, não", disse Landwehr, sem perder a calma. "Só siga o caminho apontado pelas provas e deixe o caso falar por si só. Nunca se preocupe com qualquer outra coisa."

O caso de Otis se mostrou sólido no tribunal.

"Landwehr, desde que o conheço, tem essa confiança ferrenha de que sempre vamos ganhar nossos casos", contou Relph mais tarde. "Ele nos faz sentir assim porque sabe como montar um caso."

Eles costumavam ganhar, mas não o tempo todo. Relph certa vez viu um homem que ele tinha investigado ser absolvido. Isso o deixou transtornado.

Para seu alívio, Landwehr se manteve ao seu lado o tempo todo.

• • •

"É aqui que os detetives se perdem", contou Landwehr a Relph no dia em que conversaram sobre o BTK pela primeira vez. "Eles se perdem na história de algum indivíduo. Um sujeito parece ser um bom suspeito; se você talvez tiver doze critérios para o sujeito certo para o crime, e esse cara se encaixar em dez desses doze, então ele parece ser um bom suspeito. E então o detetive fica enfeitiçado, corre atrás dessa história — e acaba saindo pela tangente, em uma busca inútil. Porque, se o DNA do cara não é compatível com o DNA do crime, esse não é o culpado. E então você tem que largá-lo de mão."

Relph passou a seguir esse conselho enquanto lia sobre o BTK e trabalhava em outros casos.

"Como você faz para não se perder no meio de milhares de páginas de provas?", perguntou Relph.

"Não tente conhecer todas as provas periféricas", recomendou Landwehr. "Só leia os arquivos do caso em si. Se concentre no essencial."

Esse conselho serviria para o BTK e para todos os outros homicídios que Relph investigaria.

Ele se deu conta, não sem uma pontada de orgulho, que Landwehr o ajudara a se tornar um detetive melhor. E, se o BTK algum dia reaparecesse, Relph estaria pronto para ajudar Landwehr a colocá-lo atrás das grades.

1996 a 1999

32. JORNALISMO POLICIAL

Na casa dos Landwehr, em Wichita, havia uma fotografia que Cindy às vezes mostrava à família e aos amigos. A imagem mostra a parte de trás da cabeça de um homem e um bebê esticando uma mãozinha minúscula na direção do rosto dele. O rosto estava afastado da câmera, mas qualquer um familiarizado com a família reconheceria a cabeça estreita e os cabelos espessos e escuros do chefe da unidade de homicídios da polícia de Wichita.

O menino nasceu em 1996.

Ken Landwehr mergulhara de cabeça na paternidade com entusiasmo, mesmo antes de se tornar pai. Cindy trabalhara com crianças com necessidades especiais durante anos e convencera Landwehr a fazer da residência do casal um lar temporário para menores em situação de vulnerabilidade. Nos primeiros três anos de seu casamento, eles acolheram dez crianças. Foi assim que encontraram o bebê que queriam adotar. Eles o batizaram de James.

Cindy ficara temerosa — a maioria dos homens quer ter filhos biológicos, mas ela não podia dar nenhum a Landwehr. Ele descartou suas preocupações. "Isso não me incomoda nem um pouco", garantiu.

Landwehr se tornou responsável por moldar a vida de uma criança. E logo viu que o menino também estava mudando a sua. O beberrão que parecia sinônimo de encrenca passou a ficar em casa trocando fraldas.

• • •

Naquele mesmo ano, Bill Hirschman, que na época trabalhava no jornal *Sun-Sentinel*, na Flórida, ouviu falar que um colega repórter estava indo para o *Wichita Eagle*. Hirschman o encontrou para um café. Roy Wenzl, natural do Kansas, estava ansioso por se mudar de volta para a terra natal. No *Eagle*, Wenzl se juntaria à equipe de cobertura policial do diário, o antigo grupo de Hirschman, que ficou contentíssimo. Ele passara quinze anos no *Eagle* e quase se desmanchou em lágrimas ao falar sobre Wichita, o Kansas e as pessoas das quais sentia saudade.

Você vai trabalhar com Hurst Laviana, contou ele. É um repórter investigativo dos mais competentes. Wichita é um lugar muito mais seguro para criar os filhos, mais hospitaleiro e tranquilo, muito mais pacífico do que o sul da Flórida, Hirschman garantiu a Wenzl. Não que seja um lugar livre da criminalidade, salientou, e é claro que existe o BTK, o grande caso que nunca foi solucionado. Algumas pessoas acham que ele está morto, avisou Hirschman. Ou que está na prisão. Mas ele e Laviana acreditavam que o BTK poderia ter apenas parado de matar.

Talvez o caso BTK nunca venha a ser solucionado, concluiu.

Wenzl parecia confuso.

"Bill", disse ele. "O que é um BTK?"

• • •

Um ano depois, no *Eagle*, Laviana contou a Wenzl a história completa. A redação estava vazia, já era noite, e Laviana a narrou como se fosse uma história de assombração, explicando que o assassino não se apressava ao estrangular as pessoas, dava vazão a perversões sexuais. Há um arquivo antigo em uma gaveta aqui, disse Laviana. Lá tem uma cópia da primeira mensagem do BTK.

Ele gesticulou com a mão para a redação, uma sala com mais de uma centena de mesas.

"Se algum dia ele realmente reaparecer, você vai ver um monte de gente sair por aquela porta com blocos de anotações nas mãos. Porque é isso o que vamos fazer para cobrir essa história. Vai ser uma coisa grandiosa. Como o início da Segunda Guerra Mundial."

• • •

Paul Dotson, àquela altura já capitão, assumiu o comando da Divisão de Crimes contra a Pessoa em 1996, o que o tornava o oficial superior de Landwehr. Uma das primeiras coisas que fez foi emitir uma diretiva ordenando que todos os tenentes sob seu comando teriam que servir em regime de revezamento, a intervalos determinados, para supervisionar investigações de homicídios. Landwehr não ficaria mais de sobreaviso 24 horas por dia, sete dias por semana, para entrar em ação a cada caso de assassinato.

Landwehr odiou isso, mas Dotson ignorou a opinião dele. Todos os detetives na unidade de homicídios tinham o hábito de se iludirem, segundo acreditava Dotson. Diziam a si mesmos que eram capazes de seguir trabalhando em um caso mesmo depois de 48 horas sem dormir. Todos precisavam ter como princípio esse nível de dedicação para conseguirem cumprir suas obrigações, mas Dotson se lembrava de como o estresse contínuo de investigar todos os homicídios quase arruinara sua saúde quando trabalhava dessa forma. Apesar das reclamações contínuas de Landwehr, Dotson se manteve firme. "Ora, vamos, Kenny", disse o capitão. "Veja como você parece cansado." Dali em diante, a não ser que fosse um caso importantíssimo, Landwehr seria obrigado a tirar uma folga de vez em quando.

● ● ●

Na noite de 17 de junho de 1996, uma casa térrea de madeira no quarteirão de número 1700 da South Washington pegou fogo. Os bombeiros encontraram uma mulher morta e sua filha pequena em estado gravíssimo.

O *Eagle* enviou Laviana à casa no dia seguinte. Ele ficou surpreso ao ver Landwehr e seus detetives no local. Poderia ser um homicídio?

Pouco tempo depois de os repórteres televisivos terem terminado suas transmissões do meio-dia ao vivo, um grandalhão na casa dos vinte anos abordou Laviana e disse que estava procurando o pai da menina sobrevivente. Laviana lhe disse que era provável que estivesse no hospital com a filha, então se ofereceu para deixá-lo por lá no caminho de volta à redação.

Durante o trajeto, Laviana tentou fazer perguntas ao homem sobre a família. As respostas soavam estranhas e evasivas. Quando chegaram ao hospital, Laviana lhe entregou um cartão de visitas e pediu que lhe telefonasse. "Qual é o seu nome?", perguntou Laviana.

"Mike Marsh", respondeu o homem.

A menininha morreu seis dias depois do incêndio. Nesse meio-tempo, os detetives de Landwehr prenderam Marsh. Este se tornou o primeiro caso de pena de morte em Wichita em décadas.

Pouco tempo depois da prisão de Marsh, Landwehr deu aos repórteres uma entrevista sobre outro homicídio. Alguém perguntou o que os detetives estavam fazendo para capturar o assassino.

"É só ver para quem Hurst vai dar uma carona até o hospital que nós o prendemos", respondeu Landwehr.

• • •

Certo dia Laviana ouviu uma picape entrando de ré no acesso à garagem de sua casa.

Encontrou Landwehr no lado de fora. Laviana ficou aturdido; os dois nunca tinham socializado. O chefe da unidade de homicídios estava em sua casa com uma expressão peculiar no rosto.

"Onde você quer colocá-la?", perguntou Landwehr, direto.

"Onde eu quero colocar o quê?"

Landwehr acenou para o que havia na caçamba da picape — uma casa de brinquedo mofada de 2,5 m de altura. Parecia uma enorme peça de lixo inútil.

Com a ajuda da esposa de Laviana, Landwehr descarregou a casa de boneca, passou-a por cima da cerca de arame e a arrastou até o centro do quintal dos fundos da casa. Landwehr evitava olhar para ele, mas estava sorrindo. A esposa do repórter contou que Cindy Landwehr lhe tinha dito que tinha uma casa de brinquedo que queria doar; a mulher de Laviana achou que suas três filhas iriam gostar. Laviana apenas revirou os olhos. Suas filhas nunca entraram na casa de brinquedo; diziam que tinha teias de aranha.

• • •

O capitão Al Stewart nunca perdoara a si mesmo por fracassar em capturar o BTK. Quando se aposentou, em 1985, levou consigo cópias de alguns dos velhos arquivos para estudar. Passara por muitas coisas no trabalho. Quando era um jovem policial, a bala de um atirador de elite arrancara o quepe de sua cabeça. Quando era um Caça-Fantasmas, muitas vezes fora levado às lagrimas e à bebedeira devido à frustração.

Stewart passou seus últimos anos morrendo de enfisema. Certo dia avisou seu filho Roger que não pretendia sofrer por muito mais tempo. Sua capacidade pulmonar tinha diminuído para 10%; ele demorava meia hora para atravessar o corredor do quarto até o banheiro.

No dia 31 de março de 1998, deitado na cama, levou uma pistola calibre .25 à cabeça. Tinha apenas 61 anos.

No criado-mudo ao lado do corpo, a família encontrou um dos arquivos do BTK aberto sobre o móvel. Ele o estudara até o fim da vida.

• • •

O telefonema chegou ao escritório de advocacia de Patrick Walters por volta das 11h do dia 3 de agosto de 1998. Alguém que morava perto da mãe do advogado em Park City estava ao telefone. Havia um sujeito no quintal dos fundos de Barbara Walters, contou o vizinho, atirando em um cachorro com o que parecia ser um rifle tranquilizante.

Quando Walters chegou à casa da mãe, encontrou Dennis Rader, fiscal da prefeitura Park City, no interior do quintal cercado.

Patrick Walters lhe pediu que se retirasse da propriedade. Rader se recusou a sair. O chefe de polícia de Park City por acaso estava passando de carro nesse momento; ele tentou acalmar ambos os homens. Então Walters percebeu que o cão tinha sumido. Um vizinho lhe contou que Rader tinha aberto o portão.

Três dias depois, Rader entregou uma autuação para Barbara Walters, alegando que ela permitira que Shadow, o cachorro, fugisse.

Ela já recebera diversas multas de Rader. O fiscal parecia obcecado, passando de carro devagar diante da casa diversas vezes por dia. Walters decidiu contestar essa multa. Tinha certeza de que Rader pretendia tomar seu cachorro e matá-lo.

Um dos colegas advogados de Patrick Walters, Danny Saville, concordou em representar Barbara no Fórum Municipal de Park City.

No dia da audiência, Rader já tinha entregado ao juiz uma pilha de documentos de quase 2 cm de espessura para embasar o caso. Dispunha de fitas de áudio e de vídeo do cachorro, além de anotações manuscritas descrevendo e vinculando diferentes ocorrências e circunstâncias. O juiz adiara o caso duas vezes porque Rader insistia em dizer que precisava de tempo para se preparar. Tudo isso por causa de uma multa de 25 dólares.

O juiz declarou que Barbara Walters era culpada. Ela recorreu, e então fez um acordo antes que o caso chegasse ao Fórum Distrital do Condado de Sedgwick.

Conseguiu ficar com Shadow, mas pagou uma multa.

Ela ficou contente por salvar o cachorro. Shadow tinha uma característica que Barbara Walters passara a estimar tremendamente: seu cão detestava Rader.

• • •

No dia 26 de fevereiro de 1999, um homem chamado Patrick Schoenhofer saiu para comprar Tylenol e foi morto a tiros por um ladrão que espreitava as cercanias de seu apartamento. Schoenhofer tinha apenas 23 anos.

Roy Wenzl, repórter do *Eagle*, bateu à janela da viúva dois dias depois. Erika Shoenhofer o deixou entrar e conversou sem perder calma sobre Patrick por alguns minutos. Mas então um menininho saiu de um cômodo próximo. Seu nome era Evan Alexander Shoenhofer, tinha dois anos. Ele subiu no colo da mãe com um olhar questionador.

"Papai?", perguntou ele.

Erika Schoenhofer o abraçou.

"Papai não está aqui", disse ela, virando o rosto enquanto o abraçava para esconder as lágrimas.

Mais cedo naquele dia, Wenzl conversara com o policial designado para o caso, um detetive com corte de cabelo militar chamado Kelly Otis. O investigador foi solícito e tinha uma conversa agradável. Mas também foi cauteloso.

"Não cite meu nome", disse ele. "Vou contar o bastante para que você possa entender por conta própria, mas me deixe fora da matéria."

Wenzl concordou. Enquanto saía para ver os Shoenhofer, Otis lhe lançou um olhar severo.

"Trate bem aquelas pessoas quando conversar com elas", ele avisou. Seu tom de voz deixava claro que não se tratava de um pedido.

• • •

Naquela mesma semana, Wenzl descobriu que um advogado de Wichita chamado Robert Beattie recentemente passara 45 minutos entrevistando Charles Manson.

O clã hippie de Manson tinha assassinado uma estrela de cinema e diversas outras pessoas na Califórnia em 1969; durante as décadas seguintes, Manson se tornou o assassino mais notório da história dos Estados Unidos. Beattie entregou a Wenzl uma transcrição da entrevista com Manson. Apesar da fama que carregava, segundo Beattie, qualquer leitor da transcrição veria a pessoa enfadonha que Manson era. A mídia transformara Manson na personificação do mal, mas em uma conversa *tête-à-tête* era uma figura tediosa.

Beattie entrevistara Manson para organizar uma simulação de julgamento a ser executada por seus alunos universitários. Na Universidade Newman, em Wichita, Beattie ensinou aos estudantes do segundo ano a respeito dos júris; os cidadãos precisavam ter conhecimento da função de jurado antes de realizá-la, explicou o professor.

Ele queria realizar entrevistas parecidas envolvendo outros casos. O atentado a bombas de Oklahoma City. Talvez o BTK. Quando mencionara o BTK para seus alunos do segundo ano, contou Beattie, a maioria ficou com cara de interrogação.

Para os mais jovens, aquilo era uma história de tempos remotos, embora tivessem crescido em Wichita.

goes on for Wichita's 'B

e chief said "BTK is an individual s normal most of the time," and s letters BTK says his problem is onster" who takes control of his

'The monster goes on'

can't stop it so, the monster goes ...hurt me, as well as society."

ture and being mine.

"It a big complicated game my friend the monster play, putting victims number down, follow them, checking up on them and sometimes be run the game to his liking. Maybe you can stop him. I can't."

The chief said an analysis of BTK's claims reveals...

BTK has planned action one year after his last letter, the chief says he has simply re-emphasized regular precautions.

"I don't think anybody knows whether the killer will strike again tonight, or 10 years from now — including the strangler himself," LaMunyon said.

away

The publi... ry, c... forma... "So fruitf...

PROFILE

profile

BTK

DENNIS LYNN RADER

ROY WENZL / TIM POTTER / HURST LAVIANA / L. KELLY

2000

33. AS RECOMPENSAS DO TRABALHO, PARTE 1

Por volta de fevereiro de 2000, o número de assassinatos de Wichita tinha caído. O policiamento comunitário, as medidas enérgicas contra as gangues locais e a economia em expansão tiveram papel importante nessa redução. Landwehr então disse aos seus detetives: "Vamos ver se conseguimos retomar algumas coisas e pegar alguns bandidos dos casos arquivados."

Otis e Gouge, que eram parceiros havia dois anos, escolheram um arquivo aleatório, um documento grosso mantido em um fichário de três fechos com o nome "Vicki Wegerle" na etiqueta. Landwehr não lhes contou muita coisa sobre o caso. Não queria que trabalhassem com noções preconcebidas. Mas ambos sabiam que os detetives da época achavam que Vicki havia sido morta pelo marido.

Os dois detetives se debruçaram sobre o arquivo no trabalho e em casa. Certa noite, Otis contou à esposa o que estava estudando. Netta, surpresa, contou que como paramédica tentara salvar a vida de Vicki. Falou da tristeza que sentira ao ver Bill Wegerle segurando o filhinho.

O fato de o assassino ter roubado a carteira de motorista de Vicki chamou a atenção de Otis logo de cara. Com base nisso, ele chegou à mesma conclusão que Landwehr anos antes: era um assassino em série pegando um troféu.

"O que você acha?", perguntou Otis ao parceiro.

"Não acho que Bill Wegerle matou a esposa", respondeu Gouge.

"Também não acho que ele a matou", concordou Otis.

• • •

Muitos anos depois, Paul Dotson viria a dizer que Landwehr tomou uma decisão crucial para o caso do BTK no final da década de 1980. Ele se recusou, ano após ano, a testar o DNA preservado no sêmen encontrado nas cenas dos crimes dos Otero e de Fox.

Testes de DNA estavam ajudando a solucionar casos célebres de crimes ao redor do país. A tentação de testar as amostras do BTK era forte. Mas com isso, Landwehr argumentou com Dotson, consumiria todas as amostras de que dispunham, e apenas para mostrar como era a assinatura do DNA do BTK. Os exames não apontariam quem era o BTK.

"Quero ser paciente", disse Landwehr a Dotson. "A tecnologia do DNA é como a tecnologia dos computadores. Fica muito melhor a cada ano. Quanto mais esperarmos, mais vamos descobrir quando fizermos os testes."

• • •

Examinando as evidências do caso de Vicki Wegerle, Otis e Gouge descobriram que o inventário da necropsia incluía amostras de pele encontrada sob as unhas dela. Talvez uma análise de DNA levasse ao suspeito. E, se o assassino estava sem luvas, puxar os cadarços de couro e as meias de náilon enquanto amarrava e estrangulava Vicki teria raspado células da pele de suas mãos. Seria possível encontrar o DNA do assassino ali também. Os investigadores decidiram fazer a análise laboratorial também das cobertas da cama de Bill e Vicki. O assassino tinha entrado em luta corporal com a vítima e poderia ter abusado dela sexualmente, o que deixaria amostra de DNA.

Também foi enviada ao laboratório uma amostra de sangue tirada do corpo de Vicki durante a necropsia e um saco plástico com materiais vestigiais recolhidos com um aspirador de pó do chão do quarto de Vicki no dia em que ela fora assassinada.

Seria preciso conversar com Bill Wegerle para descobrirem tudo o que ele sabia a respeito de Vicki, em especial os nomes dos homens que ela conhecia. Os detetives poderiam coletar amostras deles para o teste de DNA para ver se eram compatíveis com o da pele encontrada sob as unhas da vítima.

Também precisavam de uma amostra do DNA de Bill, para comparação.

Mas Otis se deu conta de que Bill poderia não querer conversar. A transcrição do interrogatório mostrava que os policiais tinham pegado pesado com ele. O detetive concluiu que, se aquilo tivesse acontecido com ele, também iria querer manter distância da polícia.

• • •

Otis abordou Bill de maneira indireta, por meio de uma familiar de Bill que trabalhava no Tribunal do Condado de Sedgwick.

"Estamos reavaliando a investigação da morte de Vicki", contou Otis. "Não posso prometer nada, mas dei uma olhada nas evidências e estou inclinado a pensar que não foi Bill quem fez aquilo. Podemos ser capazes de provar isso." Ele explicou que precisava da cooperação de Bill e de uma amostra de DNA.

Otis esperou um mês.

Por meio dessa intermediária, Bill avisou que se recusaria a colaborar.

No dia 14 de fevereiro, apenas uma semana depois de Otis e Gouge terem enviado as evidências de Wegerle para a análise de DNA, receberam alguns resultados laboratoriais por escrito.

Ainda não havia um perfil de DNA completo. Isso levaria tempo — nesse tipo de análise, os casos arquivados ficavam em segundo plano em relação às investigações ainda em curso.

Mas o laboratório tinha concluído, quase quatorze anos após o assassinato, que a pele encontrada sob as unhas de Vicki continha DNA humano masculino.

• • •

No começo de dezembro de 2000, a equipe da unidade de homicídios investigara apenas 23 novos homicídios no ano, menos da metade em relação ao recorde registrado em 1993. Landwehr aproveitou para manter sua equipe trabalhando em casos arquivados, como o de Wegerle.

Mas, no dia 7 de dezembro, todo o tempo livre chegou ao fim.

Quatro corpos foram encontrados em uma casa no número 1144 da North Erie. Os mortos eram Raeshawnda Wheaton, de dezoito anos; Quincy Williams, de dezessete; Odessa Laquita Ford, também de dezoito; e Jermaine Levy, de dezenove. Williams e Ford eram primos. O nome de Ford estava no contrato de aluguel. Os detetives começaram a compilar os nomes das pessoas que conheciam os adolescentes.

Em um intervalo de poucas horas, os detetives já tinham suspeitos e começaram a planejar prisões.

Ao longo de alguns dias, enquanto trabalhavam sem dormir, Landwehr e seus detetives acreditavam que aquele seria o maior caso com o qual lidaram o ano todo, um dos maiores desde o BTK.

•••

Uma semana após o quádruplo homicídio, Landwehr e seus detetives se sentiam paralisados pela exaustão. Uma das primeiras pessoas a serem detidas foi Cornelius Oliver, de dezoito anos. Ele disse à polícia que tinha ido à casa porque estava irritado com Wheaton, sua namorada. Mas não ofereceu um motivo claro para os assassinatos: "Eu simplesmente matei".

No dia 14 de dezembro, Otis e Landwehr trabalharam noite adentro, com o tenente cuidando da papelada e o detetive investigando o que parecia ser uma morte suspeita. Landwehr foi para casa depois da meia-noite. Otis apurou que se tratava de uma overdose, ficou para escrever os relatórios e foi para casa por volta das 2h30. Estava fazendo -4°C do lado de fora, mas a sensação térmica era de -10°C, por causa do vento e da neve por toda parte.

Otis tinha trabalhado dezessete horas naquele dia; Landwehr estivera ao seu lado por quase o mesmo tempo, e estaria na cama àquela altura. No instante em que Otis embicou o carro na entrada da garagem, uma voz ressoou no rádio da polícia que ele levava consigo.

"Possível homicídio", informou a central. "Múltiplas vítimas... Thirty-seventh com a Greenwich Road."

"Jesus", pensou Otis.

Ele entrou na garagem.

Não pode ser, pensou. *Múltiplas vítimas de novo?* Ele ficou imóvel, com o motor do carro ainda ligado.

"Quem ligou disse que quatro de seus amigos foram baleados em um campo de futebol", informou a central.

Otis não conseguia acreditar. *Só pode ser algum bêbado*, pensou. *Alguém exagerou na bebida e ligou para a emergência para encher o nosso saco.*

Dois minutos se passaram.

A comunicação da central foi retomada com o endereço correto e um tom de voz urgente:

"O vice-xerife na cena na Twenty-first com a Greenwich Road relatou quatro corpos em um campo de futebol..."

Otis deu ré e dirigiu para o leste em alta velocidade. *Puta merda*, pensou. *Inacreditável. Um segundo quádruplo homicídio em oito dias.* Ele ligou para o chefe no celular.

"Landwehr", disse Otis, "temos um quádruplo."

Silêncio.

"Ah, *vai se foder*, Otis", Landwehr exclamou e desligou. Achou que Otis estava fazendo uma de suas brincadeiras de sempre.

Otis voltou a ligar.

"Que foi?"

"Landwehr", insistiu Otis, "temos um quádruplo homicídio na Twenty-first com a Greenwich Road."

"Isso foi na *semana passada*, imbecil!"

"Não, não, Landwehr, preste atenção", disse Otis. "Temos um quádruplo homicídio, um *outro*. Na Twenty-first com a Greewich."

Landwehr voltou a desligar.

Mas dessa vez saiu da cama.

• • •

Cinco pessoas tinham sido baleadas na chacina cometida em um campo de futebol coberto pela neve na Twenty-first com a Greenwich. Os criminosos passaram por cima dos corpos com a picape que tinham roubado. Por mais incrível que possa parecer, uma das vítimas conseguiu levantar, sangrando pela cabeça, e correr sem roupa pela neve para buscar ajuda. Quando Otis a encontrou, no Wesley Medical Center, ela deu as informações que em nove horas levaram à captura de dois irmãos, Reginald e Jonathan Carr.

PROFILE

profile

BTK
DENNIS LYNN RADER

ROY WENZL / TIM POTTER / HURST LAVIANA / L. KELLY

Dezembro de 2000 a 2003

34. AS RECOMPENSAS DO TRABALHO, PARTE 2

Landwehr olhou para os corpos nus na neve ensanguentada.

Jesus Cristo, pensou. *O que está acontecendo com o mundo?*

Depois das prisões, Dana Gouge e Rick Craig interrogaram os irmãos Carr. Uma das primeiras coisas que fizeram foi mandar uma enfermeira coletar amostras de cabelo, sangue e saliva para descobrirem se o DNA dos suspeitos era compatível com o encontrado nos corpos das vítimas.

No hospital, Jonathan Carr perguntou a Kelly Otis: "O que aconteceu com os caras que atiraram naqueles garotos?" Ele estava perguntando a respeito do outro caso de quádruplo homicídio da semana anterior.

"Foram acusados de homicídio qualificado", respondeu Otis.

"O que é homicídio qualificado?"

"Alguém que é condenado por homicídio qualificado pode receber a pena de morte", explicou Otis.

"Como fazem isso?"

"Injeção letal."

Carr ficou sentado em silêncio por um longo tempo antes de falar. "A pessoa sente alguma coisa?"

"Nunca tivemos a chance perguntar a ninguém", disse Otis.

Tim Relph foi ao hospital para fazer mais perguntas à vítima sobrevivente. O policial a considerava uma heroína. Nos meses seguintes, enquanto ajudava "H.G." a se preparar para testemunhar, passou a considerá-la uma amiga.

Relph vira coisas terríveis como investigador de homicídios, mas o que aquela sobrevivente lhe contou foi pior do que a maioria das coisas que ouvira em termos de crueldade. Os mortos eram o noivo dela, Jason Befort, de 26 anos; Brad Heyka, de 27; Aaron Sander, de 29; e uma amiga de Sander, Heather Muller, de 25. Ao longo de três horas, os dois bandidos tinham espancado os homens, estuprado e sodomizado as mulheres repetidas vezes, obrigado as vítimas a sacar dinheiro de caixas automáticos, forçado todos os cinco a se ajoelharem nus na neve e então atirado neles.

Relph ponderou sobre como os policiais internalizavam a crueldade de maneiras diferentes. Gouge parecia superar a raiva à medida que ia seguindo os caminhos apontados pelas provas. Otis, por outro lado, se permitia sentir raiva, então a canalizava. Snyder, ao ajudar a solucionar o assassinato de uma garotinha, tinha afundado no desespero, e só saíra com a ajuda de orações e conversas com a esposa. O remédio para Landwehr após um dia de trabalho na unidade de homicídios era bastante conhecido, embora ele não costumasse mais tomá-lo.

Relph também sentira angústia com aquela cena, parado de pé na beira do campo de futebol ensanguentado. Pensou em sua família. Tinha quatro filhos, e a esposa estava grávida do quinto. *Esses assassinos deram cabo de quatro pessoas*, pensou. *Quatro vidas de pessoas amadas pelos seus entes queridos como eu amo os meus.*

Ainda assim, achava que se saía melhor nesse sentido do que a maioria dos outros investigadores de homicídios, e lhes disse isso. Sua fé era uma bênção para seu trabalho. Na primeira vez em que viu as fotografias de Josie Otero no porão, ele as analisou com um distanciamento tranquilo. E sua fé lhe permitiu que fosse capaz de recobrar depressa a compostura, mesmo enquanto estava em pé naquele campo. Como a maioria das pessoas, já questionara os motivos de Deus em algumas ocasiões. Alguns casos o levaram às lágrimas. Mas tudo isso servira apenas para confirmar sua fé, de acordo com sua visão das coisas: Deus não obrigou aquelas cinco pessoas a se ajoelharem na neve. Deus não enforcou Josie Otero, nem estrangulou Nancy Fox. Deus nunca é parcial, nem cruel, nem censurável. Existe um diabo no mundo; pessoas ruins que fazem coisas ruins por escolha própria.

E, quando fazem isso, é necessário caçá-las.

•••

Robert Beattie, o advogado de Wichita que usara o caso de Charles Manson para a simulação de julgamento feita por seus alunos na Universidade Newman, voltou a entrar em contato com o *Eagle* no início do segundo semestre de 2001. Beattie estava se correspondendo com o responsável pelo atentado com bombas de Oklahoma City, Timothy McVeigh, que logo seria executado por matar 168 pessoas. Beattie contou a Roy Wenzl que pretendia realizar outras simulações de julgamento além do caso McVeigh. Tinha se correspondido com o escritor de ficção científica Arthur C. Clarke e planejado levá-lo a júri por criar o computador malévolo HAL, que matava astronautas em *2001: Uma Odisseia no Espaço*.

Beattie voltou a dizer que poderia fazer algo parecido com os antigos casos do BTK.

•••

Em outubro daquele ano, em Park City, o prefeito Emil Bergquist concedeu ao fiscal municipal Dennis Rader um prêmio por seus dez anos de serviço.

Rader andava inquieto. Ele e Paula tinham a casa toda para si; o filho e a filha eram adultos e não moravam mais lá.

Quando Rader patrulhava as ruas, encontrava consolo em uma coleção incomum. Recortava propagandas do *Eagle*, anúncios coloridos que mostravam mulheres e garotas posando com roupas e lingeries. Tinha colecionado centenas dessas fotos. Colava muitas delas em fichas pautadas e fazia anotações nas partes de trás sobre as fantasias que imaginava.

•••

Mais cedo naquele ano, uma mulher chamada Misty King se mudou de Park City porque o fiscal da prefeitura a tinha atormentado por quase três anos.

Ele estacionava diante da sua casa e ficava sentado, observando. Fez isso pelo menos vinte vezes em um intervalo de seis meses. Às vezes ela levantava os olhos e o via espiando através das janelas da cozinha ou da sala. King vinha recebendo uma autuação depois da outra por violações de regulamentos municipais.

As coisas nem sempre tinham sido assim.

Ela conheceu Rader em 1998, na noite em que chegou em casa do hospital depois de seu marido ficar gravemente ferido em uma luta de boxe amador do torneio Toughman.

Rader perguntou se podia fazer alguma coisa para ajudar. E de fato cuidou do bem-estar dos dois, inclusive depois que o marido dela voltou para casa.

Quando o casamento dela chegou ao fim, Rader continuou a se oferecer para ficar de olho nas coisas.

Então um novo namorado se mudou para a casa.

Ela começou a receber autuações. Rader alegava que a grama perto da cerca estava mais alta do que a do restante do jardim. Emitiu uma notificação porque o namorado dela estava trabalhando em um carro na entrada da garagem da residência, muito embora seu ex-sogro tivesse feito a mesma coisa no mesmo lugar durante anos sem receber nenhuma advertência.

Houve pelo menos seis autuações entre 1999 e 2001. Ela ligou para a polícia diversas vezes para reclamar de Rader.

A resposta era que ele estava apenas fazendo o seu trabalho.

Em mais de uma ocasião, Rader lhe disse que todos os problemas desapareceriam se ela se livrasse do namorado.

No segundo semestre de 2001, ela voltou para casa e encontrou um bilhete de Rader: seu cachorro, um enorme mestiço de são-bernardo com chow-chow, tinha fugido do quintal. Rader o levara para o canil.

Quando foi buscar o cão, ela foi informada de que precisava falar com Rader primeiro. Ela foi vê-lo, mas ele não estava disponível. Quando se encontraram na segunda-feira seguinte, o animal já tinha sido sacrificado.

• • •

Havia mechas grisalhas no cabelo de Landwehr na época em que os irmãos Carr foram a julgamento, no segundo semestre de 2002. Talvez fosse a idade (47 anos); talvez fosse o estresse. Um fardo pesadíssimo havia recaído sobre sua unidade no dia dos assassinatos no campo de futebol, e a carga de trabalho não diminuiu no ano e meio que se passou antes que os réus fossem levados a julgamento por 93 acusações em um caso de pena de morte. O celular de Landwehr tocava dia e noite.

Todas as evidências se sustentaram. O julgamento foi transmitido ao vivo pela televisão, e o trabalho feito pelos policiais rendeu elogios.

Para os amigos, Landwehr parecia mais feliz depois disso: calmo, seguro e satisfeito.

Cindy Landwehr tinha feito de tudo para apoiá-lo, mas era o vínculo com o filho que parecia aprofundar sua maturidade. Depois do trabalho, ele ajudava James a construir fortes no porão com as almofadas do sofá e colchas de cama. Em um intervalo de quinze minutos, Landwehr sentia o peso do mundo ser arrancado dos seus ombros, lia histórias para o filho quando o colocava na cama e já não ficava mais pensando no trabalho. Seus detetives eram tão experientes àquela altura que o chefe da unidade não precisava mais lidar de maneira direta com os homicídios. Os investigadores faziam grande parte do trabalho, enquanto Landwehr coordenava tudo, dava conselhos e cuidava da administração.

Vinha conversando com Cindy sobre construir uma casa nova; e estava pensando em concluir aquele curso de história que começara a fazer 29 anos antes.

• • •

Laviana tinha uma pequena mania da qual Wenzl gostava de zombar na redação. Quando ouvia falar a respeito de um acontecimento, o repórter sempre dizia que não era importante o suficiente para virar notícia. Em 1998, por exemplo, depois que o maior elevador de grãos do mundo explodiu logo ao sul de Wichita, Wenzl tinha designado Laviana para a cobertura e com uma provocação: "O que você acha, Hurst? Vale uma reportagem ou apenas uma notinha de pé de página?"

Mas Laviana era um repórter de talento. No dia 4 de maio de 2003, o *Eagle* publicou uma matéria de Laviana revelando que mais de duas dezenas de pessoas haviam sido assassinadas nos quatro anos anteriores por criminosos em liberdade condicional que deveriam ter sido vigiados mais de perto. Havia também outras oito acusações de homicídios ainda pendentes contra condenados em condicional.

O processo de apuração da reportagem demorou anos, e sua publicação levou a uma batalha nos tribunais contra o governo estadual que chegou à Suprema Corte do Kansas. Mais tarde, a matéria renderia um dos maiores prêmios nacionais que o *Eagle* recebera em seus 131 anos de história.

Laviana não ligava muito para prêmios. Logo voltou a escrever notícias policiais.

Algumas semanas depois, o advogado Robert Beattie começou a enviar e-mails para Wenzl, contando que estava lecionando um curso sobre o BTK — e trabalhando em um livro sobre o assassino. Ele sugeriu que Wenzl escrevesse uma matéria a respeito.

Wenzl se voltou para Laviana. "Você é o especialista da casa no BTK", disse. "Quer cuidar disso?"

Laviana fez uma careta. "É um caso bem antigo", comentou.

• • •

Otis e Gouge tinham enviado a pele retirada das unhas e os materiais coletados da vagina de Vicki Wegerle para o Centro Regional de Ciência Forense do Condado de Sedgwick três anos antes, mas o pessoal do laboratório precisava dar prioridade a investigações de homicídios ainda em andamento. Em agosto de 2003, Otis e Gouge enfim receberam os resultados de DNA pelos quais vinham aguardando.

O DNA encontrado sob as unhas de Vicki era diferente daquele encontrado no sêmen da amostra vaginal. Para Otis, era mais um lembrete de que Bill Wegerle dissera a verdade em 1986. Otis lera na transcrição do interrogatório que Bill contou aos detetives que eles não tinham nenhum problema no casamento e que fizera amor com Vicki na noite anterior à morte dela. O viúvo também disse aos policiais que fizera uma vasectomia logo depois do nascimento de seu filho.

Quando a vasectomia é bem-sucedida, os homens continuam ejaculando sêmen, mas não espermatozoides. Gouge e Otis não tinham o DNA de Bill para comprovar sem nenhuma dúvida que o sêmen era dele, mas os testes laboratoriais mostravam que o material não continha células reprodutivas.

A descoberta incentivou Otis e Gouge, com a autorização de Landwehr, a solicitarem de imediato que o laboratório analisasse as amostras de sêmen que o BTK deixou nas cenas dos crimes dos Otero e de Fox. Aqueles perfis de DNA poderiam então ser comparados com o encontrado sob as unhas de Vicki.

Mas ainda precisavam de uma amostra da saliva de Bill.

Ele se recusara a cooperar três anos antes.

Otis discutiu as opções com o assistente do promotor público, Kevin O'Connor. Eles decidiram que podiam usar uma intimação para obrigar Bill a fornecer uma amostra de DNA.

Otis redigiu uma solicitação para uma intimação. Assim que fosse assinada por um juiz, seria válida por apenas 72 horas até que se tornasse nula. Otis mostrou a intimação a O'Connor, para confirmar que tinha sido redigida da maneira apropriada. Mas então o detetive enfiou o pedido em uma gaveta da mesa, sem a assinatura de um juiz. Ele a guardaria como um trunfo para ser usado no futuro. Por ora, não conseguia se forçar a obrigar Bill Wegerle a fazer coisa nenhuma. Otis lera as transcrições do interrogatório de 1986 e sabia como os policiais tinham pegado pesado com Bill. Achava que o homem já tinha sofrido o suficiente nas mãos da polícia.

Ele usaria a intimação apenas se precisasse, mas queria convencer Bill a entregar uma amostra por vontade própria.

• • •

Beattie enviou mais mensagens para Wenzl a respeito de seu livro sobre o BTK, e Wenzl continuou a dar respostas evasivas. Mas um dia procurou Laviana: "Tem certeza de que não quer fazer isso?"

Laviana respondeu que não estava interessado.

Mas Bill Hirschman, na Flórida, ainda estava obcecado pelo BTK, quase dez anos depois de sua saída do *Eagle*. Algumas semanas depois, Hirschman escreveu um e-mail curto para Laviana.

Apenas seis palavras.

PROFILE

profile

BTK
DENNIS LYNN RADER
ROY WENZL / TIM POTTER / HURST LAVIANA / L. KELLY

12 de janeiro a 19 de março de 2004

35. UMA REPORTAGEM RETROSPECTIVA

"Você sabe que dia é quinta-feira?", escreveu Hirschman.

Laviana teve que pensar por alguns instantes: *Hoje é segunda, então... quinta-feira é dia 15 de janeiro.*

Por que Hirschman está preocupado com o dia 15 de janeiro?

Ele digitou uma resposta por e-mail:

"Só pode ser por causa dos Otero."

Hirschman respondeu dois dias depois. "Então você vai escrever uma matéria sobre os trinta anos do caso?"

"Agora vou", escreveu Laviana.

Ele não queria fazê-lo, entretanto.

Hirschman gostava de reportagens retrospectivas. Laviana não — tratavam de coisas que não eram mais notícia.

Laviana levou a ideia a Tim Rogers, o editor-assistente do noticiário local do *Eagle*. Laviana teve que explicar quem era o BTK; Rogers trabalhava no jornal havia menos de três anos.

"Não sou um grande fã de reportagens retrospectivas", comentou Rogers.

"Eu também não", falou Laviana.

"Vamos ver se tem alguma coisa nova", sugeriu Rogers. "Se tiver, podemos fazer algo."

Laviana se afastou, passando pela mesa de Wenzl. Nada de matéria, pensou.

Então parou.

"Roy", disse. "Quem é aquele sujeito que está fazendo alguma coisa sobre o BTK?"

"Beattie", respondeu Wenzl. "Um advogado."

"Você tem o telefone dele?"

· · ·

A matéria de Laviana foi publicado no sábado, 17 de janeiro:

> Era uma rotina seguida por milhares de mulheres
> de Wichita no final da década de 1970:
>
> · Ao chegar em casa, verificar o telefone de imediato.
> · Se a linha estiver muda, sair.
>
> "Não acho que as pessoas hoje em dia se dão conta do tipo de tensão que
> havia em Wichita naquela época", lembrou o advogado Robert Beattie. [...]

Beattie disse que queria que seu livro documentasse um capítulo na história de Wichita e incentivasse as pessoas a apresentarem informações que solucionassem o caso.

> "Tenho certeza de que seremos contatados tanto por malucos
> como por pessoas com boas intenções com pouco a oferecer", disse
> ele. "Mas não acredito que seremos contatados pelo BTK."

· · ·

Na verdade, o BTK considerou a reportagem do *Eagle* e os comentários de Beattie um conjunto de insultos pessoais. Quase não conseguiu acreditar no que leu:

> Embora os assassinatos continuem marcados com clareza nas mentes
> daqueles que os vivenciaram, Beattie acredita ser provável que
> muitos cidadãos de Wichita nunca tenham ouvido falar no BTK.
>
> O advogado relatou que usou o caso BTK durante um segmento
> de seu curso no ano passado e ficou surpreso diante da reação.

"Eu não obtive nenhuma reação dos alunos", comentou. "Nenhum deles tinha ouvido falar nada a respeito dele. [...]

"Espero que alguém leia o livro e se apresente com algumas informações — uma carteira de motorista, um relógio, chaves de algum carro", complementou.

O último assassinato atribuído ao BTK havia sido treze anos antes. Naquela época, Rader tinha confundido os especialistas, resistido à tentação de se exibir e permanecido em silêncio e em segurança. Conseguira evitar a prisão por homicídio dez vezes seguidas.

Mas considerou a reportagem ultrajante e impossível de ignorar.

Ninguém se lembravam dele? Ninguém mais sentia medo?

Eles veriam só.

Rader foi até seu estoque de troféus. Pegou três fotos polaroides que havia tirado de Vicki Wegerle dezessete anos antes. Pegou a carteira de motorista da vítima.

O advogado queria uma carteira de motorista?

Então receberia uma.

• • •

O tenente Ken Landwehr estava com 49 anos e parecia saudável outra vez com o fim do estresse causado pelo caso dos irmãos Carr.

Ele era policial havia 25 anos; vinha liderando os detetives de homicídios fazia quase doze, um tempo muito maior do que os três anos que quase arruinaram a saúde do seu predecessor. Uma noite por semana, lecionava em um curso sobre assassinos em série na Universidade Estadual de Wichita.

Seus olhos castanhos eram tristes, mas ele ria com facilidade, a não ser quando caminhava por uma cena de homicídio. Estava ficando grisalho, mas não tinha ficado desleixado — muitas mulheres consideravam seu rosto bonito, apesar das marcas do tempo. Seu rosto e suas mãos eram tão queimados de sol que algumas pessoas imaginavam que ele tivesse antepassados libaneses ou hispânicos, mas o bronzeado vinha dos jogos de golfe. O resto do corpo era de uma brancura ofuscante.

Ele ainda se vestia com elegância: óculos de armação fina prateada, ternos marrom-escuro ou cinza-chumbo, camisas brancas passadas por ele mesmo e sapatos sociais. Levava consigo também um relógio de ouro com uma pulseira ajustável, um minúsculo telefone celular preso ao quadril esquerdo, o distintivo preso ao quadril direito.

Ainda fumava um maço de cigarros Vantage por dia, mas seu filho estava insistindo que ele largasse o vício.

Graças a Cindy e James, estava satisfeito e feliz.

Isso estava prestes a mudar.

• • •

A carta chegou à redação do *Eagle* em um envelope branco comum no dia 19 de março de 2004, uma sexta-feira. Fazia parte das quase setecentas correspondências entregues ao jornal todos os dias.

Foi uma surpresa aquela não ter sido jogada no lixo. O pessoal da redação costumava descartar cartas cujas intenções não fossem bem claras, e o remetente da mensagem fizera com que o conteúdo do envelope fosse bem obscuro.

A primeira pessoa na redação a tocá-la foi Glenda Elliott, a assistente do editor. Abriu o envelope e o sacudiu para retirar uma folha de papel. Viu uma fotocópia granulada de três fotografias de uma mulher deitada no chão. E uma carteira de motorista. Além de um estêncil estranho na parte de cima: *GBSOAP7-TNLTRDEITBSFAVI4*.

Parecia mais uma demonstração rotineira de maluquice de algum desajustado.

Então, no canto direito inferior, ela notou um símbolo fraco parecido com uma pichação, a letra B deitada de lado e feita para lembrar seios, o T e o K escritos juntos para formarem braços amarrados para trás e pernas bem abertas.

Elliott ficou arrepiada. Como repórter policial, fizera a cobertura dos assassinatos dos Otero. Quatro anos depois, quando o chefe de polícia LaMunyon e o subchefe Cornwell procuraram conselhos sobre o que fazer a respeito do BTK, Cornwell certo dia a puxara para dentro de um escritório e lhe mostrara partes do arquivo sobre o BTK. Ela vira um símbolo com o B desenhado para lembrar seios. Aquele não era idêntico, mas chegava perto.

Ela depositou a carta e o envelope sobre a mesa de Tim Rogers, o editor do noticiário local. Não disse nada para ninguém sobre quem enviara a carta; tinha certeza de que todos saberiam.

Mas não sabiam. Depois de 26 anos, Elliott era a única remanescente na redação que se lembrava da assinatura do BTK.

"Hurst", chamou Rogers quando Laviana entrou na sala. "Venha ver isto." Rogers lhe entregou o papel e o envelope.

Laviana ficou perplexo. Ele foi até Wenzl.

"O que você acha disso?"

Wenzl olhou e encolheu os ombros. "Sei lá."

"Que estranho", comentou Laviana. "Parecem fotos de cenas de crime."

"Por que alguém enviaria isso para cá?"

"Não consigo entender."

Laviana vinha trabalhando em duas reportagens na ocasião, e estava com pressa. O papel o deixou intrigado, mas ele não o examinou com atenção; não tinha notado a assinatura, nem o nome "Vicki L. Wegerle" na carteira de motorista.

Estava quase na hora da coletiva da polícia das 10h. Laviana decidiu levar a carta consigo.

Não lhe ocorreu que a mensagem tivesse vindo do BTK. Mas ele se lembrava de Ken Stephens dizendo quase vinte anos antes que o *Eagle* tinha arruinado as próprias chances de ficar com as cópias das duas primeiras mensagens do assassino.

Portanto, ele fez uma cópia.

• • •

As coletivas diárias eram coordenadas por Janet Johnson, uma civil que atuava como porta-voz da polícia. Naquela manhã, havia muito a relatar: policiais tinham matado a tiros um cidadão que os ameaçara com uma faca na noite anterior. Os parentes do morto disseram a Tim Potter, repórter do *Eagle*, que o homem sofria de uma doença mental e era provável que não tivesse entendido as ordens dos policiais para largar a arma.

Laviana tomou notas para repassar para Potter, então aguardou. Depois que os outros repórteres foram embora, foi falar com Johnson e com o comandante da polícia, o capitão Darrell Haynes, que por acaso estava presente.

Laviana lhes entregou o papel.

Haynes gostava de abreviações policiais. Um maluco, por exemplo, era LDP: "Louco de Pedra".

O capitão examinou o papel e achou que se tratava de um LDP. Johnson concordou. A polícia recebia muitas pistas de gente pirada.

Provavelmente não é nada, disseram.

Mas Haynes levou o papel e o envelope.

"Vou mostrá-los para a unidade de homicídios", explicou.

De volta à redação pouco tempo depois, Laviana examinou melhor a cópia que fizera. Viu algo que o deixou subitamente bastante agitado.

Uma carteira de motorista.

Uma mulher loira sorrindo.

"Wegerle, Vicki L."

"Data de Nascimento 25/03/58."

Quando batera os olhos na folha de papel pela primeira vez, quase a jogara fora. Mas logo chegou à conclusão de que, se tivesse prestado mais atenção, ele a teria levado pessoalmente à unidade de homicídios, comandada por Landwehr.

Laviana sabia quem Vicki Wegerle era: um homicídio não solucionado. Morava a apenas 2 km de sua casa. O repórter conhecia uma parente da vítima e conversara com ela em algumas ocasiões sobre o assassinato.

Laviana entregou a carta para Potter, que estava sentado ao seu lado.

Potter apontou para uma coisa que Laviana não tinha notado: o endereço do remetente no envelope.

Bill Thomas Killman
S. Oldmanor, 1684
Wichita, ks. 67218

"As iniciais seriam btk", comentou Potter.

Era um detalhe que havia escapado de Laviana. Interessante, pensou. Ele escrevera a reportagem retrospectiva sobre o btk apenas dois meses antes.

Mas ainda assim... achava que era um embuste. O jornal recebia muitas cartas de gente pirada. O btk não tinha matado ninguém, até onde Laviana sabia, desde Nancy Fox, em 1977. Já tinham se passado 26 anos.

Ele observou a folha de papel por mais alguns instantes. Potter tinha reparado no endereço do remetente. Talvez houvesse algo mais.

E então Laviana viu.

Ele procurou Wenzl.

"Veja as fotos", disse Laviana, curto e grosso.

Wenzl olhou.

"O que é que tem?"

"*Não* são fotos de uma cena de crime", afirmou Laviana, batendo nas imagens com o dedo. "Olhe os braços dela. Eles foram *mexidos*. *Não* estão na mesma posição em todas as fotos. Os policiais *nunca* mexem em um corpo quando tiram fotos em uma cena de crime."

"Isso é assustador", comentou Wenzl.

"Potter acabou de reparar que as iniciais de Bill Thomas Killman seriam BTK", disse Laviana.

"O que você acha?", perguntou Wenzl.

"Não."

"Por quê?"

"É um embuste", disse Laviana. "Não pode ser."

"Você fez uma busca com o nome da mulher?", indagou Wenzl.

"Eu já conheço esse nome. Vicki Wegerle foi vítima de assassinato em 1986. Não solucionado."

"Wegerle foi uma das vítimas do BTK?"

"Não até onde sabemos. Mas é um homicídio não solucionado."

Wenzl olhou para o rosto de Wegerle na carteira de motorista.

"Você precisa contar isso para os editores", avisou Wenzl.

Laviana assim o fez.

Em seguida foi até seu computador e fez uma busca nos registros judiciais por Bill Thomas Killman. Não encontrou nada.

Rogers, o editor do noticiário local, foi falar com Wenzl.

"Você acha que tem alguma coisa nisso?", perguntou.

"Não sei", respondeu Wenzl. "Mas, se for o BTK, vamos ver se Hurst acha que merece mais do que uma notinha de pé de página ou não."

O endereço do remetente, "Oldmanor", também era falso. E não havia nenhum rastro de um Bill Thomas Killman. O nome soava como uma pista jocosa. Assim como "Oldmanor". O BTK gostava de provocar as pessoas e falar de si mesmo. E seria um homem mais velho àquela altura.[1]

Naquela noite, na redação, Wenzl gritou para Laviana: "Os policiais chegaram a voltar a entrar em contato com você?"

"Não."

Laviana mandou um e-mail para Johnson: "Alguma resposta sobre aquela carta?"

Ela lhe escreveu de volta informando que ninguém da unidade de homicídios a tinha visto e que Landwehr havia ficado fora do departamento o dia todo.

"Tenha um bom fim de semana", desejou ela.

---

1   *Oldmanor* literalmente significaria "mansão velha". Mas o jogo de palavras aqui pode ter como chave *old man*, que significa "homem velho". Da mesma forma, *Killman* poderia ser algo com o sentido de "homem que mata". [NT]

22 a 25 de março de 2004

36. O RETORNO DO MONSTRO

Na segunda-feira, Laviana cobriu a coletiva diária da polícia outra vez, e em seguida foi até a sala do capitão Haynes. "O que aconteceu com aquela carta?", perguntou.

Haynes parecia envergonhado. "Eu me esqueci dela."

Ele a apanhou e seguiu para o andar de cima.

• • •

Naquele momento, Landwehr estava no Riverside Hospital, torcendo para não ser atrapalhado por nenhum assunto relacionado ao trabalho — estava em pé ao lado de uma maca sobre a qual sua esposa repousava. Cindy estava a minutos de uma cirurgia de vesícula. Tinha agendado a operação para o recesso de primavera, a fim de que pudesse se recuperar sem se ausentar do trabalho na Escola Secundária West.

Mesmo assim, Landwehr tinha deixado o celular ligado.

• • •

Na unidade de homicídios, o detetive Dana Gouge observou com um leve divertimento quando o capitão Haynes entrou e olhou ao redor do escritório vazio de Landwehr. *Os chefes pelo jeito gostam de falar apenas com outros chefes*, pensou Gouge.

"Posso ajudar?", perguntou Gouge.

"Estava procurando o Landwehr", respondeu Haynes.

"Ele não está", informou Gouge, afirmando o óbvio.

Haynes deu de ombros. "Estou com uma coisa que queria mostrar para ele. Foi Hurst quem trouxe."

"Posso ver?", pediu Gouge.

"Sim", disse Haynes. "Por que você não dá uma olhada nisso?"

Gouge olhou o envelope sem tocá-lo. Algo chamou sua atenção. Ele se afastou, calçou um par de luvas de látex, então pegou o envelope e tirou o papel de dentro.

Uma única olhada bastou.

Ele se voltou para Kelly Otis, parado ali perto. "Veja *isto*!"

Otis olhou.

"Merda", disse ele.

• • •

O celular de Landwehr tocou logo depois de a enfermeira enfiar a agulha no braço de Cindy e começar a administrar o soro fisiológico que precede a cirurgia.

"Landwehr falando", o tenente atendeu.

"Você não vai acreditar no que acabamos de receber", avisou Gouge.

"O quê?"

"Uma carta do BTK."

Landwehr não disse nada por alguns instantes.

"Por quê?", perguntou.

"Ela tem a assinatura do BTK," explicou Gouge. "A carteira de motorista de Wegerle. Fotos dela no quarto."

"De onde isso veio?"

"Hurst trouxe para nós."

"Traga para cá."

Landwehr desligou o celular e voltou a atenção para Cindy.

Ele ficou à espera.

Seus detetives às vezes brincavam com ele. "Kenny está ficando agitado", dizia Otis, zombando do chefe. Landwehr tinha sangue frio. Não disse nada para Cindy naquele momento. Preferia ver tudo com os próprios olhos.

• • •

Gouge e Otis fizeram o trajeto até o Riverside em grande parte em silêncio.

Tinham estudado o caso Wegerle minuciosamente durante os quatro anos anteriores. Sabiam que nenhum policial chegara a tirar fotos de Vicki morta no chão do quarto. A própria esposa de Otis, a paramédica Netta, lhe contara isso. Os bombeiros tinham carregado o corpo de Vicki para fora do quarto até a sala de jantar, um cômodo mais amplo, no momento em que a encontraram; eles precisavam de mais espaço para começar a RCP.

Portanto, aquelas imagens só poderiam ter vindo do acervo do assassino.

Mas a correspondência em si teria vindo do assassino? Otis tinha suas dúvidas. Talvez algum idiota tivesse encontrado os troféus do BTK e quisesse brincar com a polícia. Talvez um filho, ou um sobrinho, ou alguém que tivesse comprado a casa do criminoso.

Quem quer que fosse, estava de posse de segredos que apenas os policiais e o assassino de Vicki conheciam. Apenas quem a matou poderia ter tirado aquelas fotos polaroides.

A merda vai bater no ventilador agora, pensou Otis. *Nenhum policial vai dormir hoje. Pode ser que a gente fique sem dormir por muito tempo.*

• • •

Cindy não fez perguntas a Landwehr sobre o telefonema, e ele não lhe contou nada. Estava sempre recebendo ligações. Trabalhara em mais de quatrocentos homicídios. Talvez 450 — já perdera a conta.

Os médicos começariam a cirurgia em minutos. Landwehr levantou os olhos quando Gouge e Otis entraram no quarto. Gouge tinha fotocópias nas mãos.

As enfermeiras estavam trabalhando ao redor da cama de Cindy, perguntando-lhe como ela estava, certificando-se de que o acesso para o soro fisiológico estava funcionando direito. Landwehr levou os detetives para fora do quarto e examinou os papéis.

"Porra!", exclamou o tenente. "É ele. Ah, merda, merda, merda!"

Otis baixou a cabeça e começou a sorrir, apesar da gravidade do momento. Landwehr se vestia com elegância para o trabalho, mas no hospital estava usando uma camisa de golfe, calças cáquis e o par de tênis baratos mais deploráveis que Otis já tinha visto.

Calçados de velho, pensou Otis: brancos com tiras de velcro, e as laterais tinham manchas verdes de tanto cortar a grama com aqueles tênis nos pés.

"Meu Deus, Landwehr", disse Otis. "Por que você não compra tênis decentes?"

Landwehr não riu. Parecia estar em choque.

"Estamos em uma puta de uma encrenca", ele se limitou a falar. "Porra!"

Landwehr voltou a entrar para ver como Cindy estava. Conversou com ela por alguns momentos, depois voltou a sair.

Seu primeiro pensamento, conforme relatou mais tarde, foi: *Espero não estragar tudo.* Comandantes de unidades de homicídios são como qualquer outra pessoa: se sentem inseguros no começo de um caso. *Será que vou fazer merda? Será que já fiz merda ao deixar passar alguma coisa importante nos últimos vinte anos? E se não o pegarmos? E se esse merda decidir matar outra vez?*

Ele se deu conta de que sua carreira estava em jogo.

Pense rápido. Laviana e o jornal iriam querer publicar uma matéria sobre o reaparecimento do BTK o quanto antes. Dessa vez, a tempestade de merda atingiria o departamento de polícia no instante em que a notícia fosse publicada. A mídia nacional entraria na cobertura, 580 mil pessoas da área metropolitana de Wichita se sentiriam inseguras ao abrir a porta de casa à noite, e tudo que os policiais fizessem, tudo o que Landwehr fizesse, seria analisado sob um microscópio gigante.

Ele precisava pedir que Laviana adiasse a publicação da notícia por tempo suficiente para que seus detetives montassem uma força-tarefa e um disque-denúncia capaz de rastrear ligações. Precisavam estar preparados caso o BTK ligasse ele mesmo para o número disponibilizado. O tenente precisaria fazer com que o repórter fosse razoável.

Se conseguisse fazer com que o jornal adiasse a publicação por dois dias, poderia ser capaz de convencer o pessoal do laboratório a fazer uma rápida análise do DNA encontrado nos casos Otero, Fox e Wegerle, e em seguida executar uma pesquisa no banco de dados de antecedentes criminais. Talvez o BTK tivesse mesmo passado todos aqueles anos na prisão e houvesse sido solto recentemente. O CODIS — Combined DNA Index System [Sistema Combinado de Índices de DNA] do FBI — continha perfis genéticos de mais de 1,5 milhões de criminosos. Se encontrassem alguém compatível, o caso poderia estar encerrado antes mesmo que o jornal o noticiasse.

"Ligue para Hurst", pediu Landwehr a Otis. "Diga a ele que precisamos de um tempo."

Otis fez uma careta.

"Quanto tempo?"

"Pergunte se ele pode nos dar alguns dias para organizarmos as coisas."

Landwehr voltou para o quarto de Cindy. Ela observou o rosto do marido.

"O que aconteceu?", perguntou.

"Só trabalho."

Ela revirou os olhos.

"Ora, vamos, Kenny. Dois de seus rapazes entram aqui, na sala de cirurgia, vestidos para o trabalho, com papéis nas mãos."

"Pois é."

"Então, o que foi?"

"Recebemos uma carta que eles precisavam que eu lesse, só isso."

"Uma carta."

"É."

Cindy olhou bem para ele. "É do BTK, não é?", perguntou.

Ele suspirou. "É. É, sim."

"Ah, porra!", exclamou ela.

"Pois é."

Landwehr pegou o celular, se afastou de Cindy e ligou para o Centro de Ciência Forense do Condado de Sedgwick. "O material de DNA daquele caso arquivado que eu pedi ano passado sobre os Otero e Wegerle", ele foi logo dizendo. "Não é mais um caso arquivado. Preciso daquele material *agora*."

Ele ficou andando de um lado para outro do quarto. Uma enfermeira falou com Cindy. "Quer alguma coisa?"

"Tequila", respondeu Cindy. A enfermeira sorriu.

Landwehr não parava quieto. Cindy se sentia mal por ele.

"Rapazes", disse Cindy a Otis e Gouge. "Tirem Kenny daqui. Só o levem para bem longe daqui."

Os três saíram. Landwehr pediu aos detetives que começassem a juntar os arquivos do BTK e ligassem para Laviana. Landwehr ligaria para o alto-comando da polícia e para o FBI. Precisaria de um efetivo maior. Ficaria com Cindy, mas antes daria início a uma força-tarefa pelo celular.

Landwehr voltou para o quarto de Cindy.

Até que aquilo terminasse, haveria pouco tempo para a esposa e o filho.

Terei sorte se conseguir ver James hoje, ou amanhã, ou nas próximas semanas. Vou ter que morar no trabalho até capturarmos esse filho da puta. E pode ser que ele nunca seja pego.

As enfermeiras levaram Cindy para a cirurgia instantes depois.

Landwehr pegou o celular de novo.

Enquanto caçamos o BTK, será que o BTK vai nos caçar?

Ele viu minha imagem na televisão. E se me seguir até em casa? E se souber quem é James? E Cindy?

E se matar alguém só para mostrar para a gente que é capaz?

Landwehr telefonou para seus superiores e transmitiu a notícia.

Quando desligou, fez outra ligação bem depressa, para seu antigo parceiro nos Caça-Fantasmas, Paul Dotson, àquela altura já aposentado do departamento de polícia de Wichita e trabalhando como chefe de segurança da Universidade Estadual de Wichita.

"Venha para cá agora mesmo", pediu Landwehr.

• • •

Para Dotson, Landwehr parecia tão transtornado no corredor do hospital quanto estivera no dia da morte do pai, onze anos antes. Landwehr conduziu Dotson às pressas até uma escadaria, colocou um pedaço de papel em suas mãos e o observou. Dotson deu uma olhada na assinatura do BTK e na imagem da carteira de motorista roubada de Wegerle e sentiu os pelos da nuca ficarem arrepiados.

"Então, o que vamos fazer?", perguntou Landwehr.

Alguém apareceu na escada. Dotson e Landwehr trocaram olhares, se afastaram depressa e por instinto se certificaram de deixar as mãos bem visíveis. De repente se sentiram envergonhados — não queriam que ninguém pensasse que os dois estavam fazendo ou fumando coisas estranhas dentro de um hospital. Eles quase riram.

Landwehr voltou a perguntar: "O que vamos fazer?"

Dotson sentiu compaixão por Landwehr — e gratidão. Em um momento crucial da carreira, ele pedira a sua ajuda.

Dotson passou a falar depressa. "O mundo como você o conhece chegou ao fim", afirmou. Ele começou a fazer uma lista das coisas que Landwehr iria precisar. Dinheiro. Carros para os detetives. Um quartel-general externo para uma nova força-tarefa, para eliminar vazamentos para a mídia. Dentro dos departamentos de polícia existem jogos políticos, intrigas e fofocas como em qualquer outra organização. Landwehr precisava tirar sua força-tarefa da prefeitura.

Estava na hora de implementar a estratégia que os Caça-Fantasmas elaboraram vinte anos antes: comunicar-se com o BTK por meio da imprensa, apelar para o ego dele, fazê-lo cometer erros que revelassem sua identidade. Colocar um rosto na televisão para se comunicar com o BTK.

"Mas, o que quer que aconteça, não se torne esse rosto", alertou Dotson. "Você não pode cuidar da investigação e também ser interlocutor do BTK. A carga de trabalho vai acabar com você."

Ele ficou olhando para Landwehr enquanto dizia isso. O que viu o fez parar de repente. Landwehr não parecia mais atordoado, e sim decidido. Estava claro que o tenente pretendia fazer ambos os trabalhos.

"Olhe", disse Dotson com frieza. "Não estou aqui para dizer o que você quer ouvir. Minha função aqui é falar francamente. Você não pode fazer os dois trabalhos."

Landwher apenas olhou para ele.

Dotson se preparou para ir embora.

Estava tão preocupado que sentia seu estômago revirar. Sabia que Landwehr era inteligente, mas também sabia que o amigo duvidava de si mesmo, tentava esconder uma profunda necessidade de ser apreciado, e sofria quando sentia que tinha fracassado em alguma coisa. No entanto, o mundo inteiro veria Landwehr enfrentar um monstro misterioso, colocando o cargo na reta, com vidas e carreiras em jogo.

Eles concordaram com uma coisa, depois de controlarem os nervos: aquela carta poderia ser uma oportunidade única.

Assim que Dotson foi embora, Landwehr começou a fazer telefonemas.

Talvez aquele filho da puta tivesse lhes dado a chave para capturá-lo.

• • •

Depois de sondar o capitão Haynes a respeito da estranha carta, Laviana voltou para a redação para trabalhar em outras matérias.

Seu telefone tocou. "Haynes falando", atendeu.

"Aqui é Kelly Otis."

"O que manda?"

"Preciso de dois dias." Otis deixou as palavras no ar.

Laviana demorou um pouco para registrar o que tinha ouvido. "O quê?"

"Estamos pedindo que você nos dê dois dias antes de colocar alguma coisa no jornal."

O que era aquilo? Devia ser a respeito da carta. Talvez fosse importante. Ou talvez os policiais estivessem apenas sendo cuidadosos. O que quer que fosse, aquilo era estranho.

"Não posso prometer nada", disse Laviana.

Otis soou educado, mas enigmático. "Nos dê o máximo de tempo que puder para os preparativos."

Preparativos para o quê?, pensou Laviana. *Preparativos para fazer o quê?*

"Vou fazer o que puder", prometeu.

"Ótimo." Otis desligou.

Laviana se levantou devagar e olhou ao redor. Ele precisava deixar os editores de sobreaviso. Aquilo podia ser importante.

Talvez quem quer que tivesse assassinado Vicki Wegerle estivesse zombando do jornal e da polícia. Talvez o verdadeiro assassino estivesse se passando pelo BTK.

Talvez fosse o BTK.

Mas não.

Ele não acreditava nisso.

• • •

Landwehr telefonou para a Unidade de Ciência Comportamental do FBI em Quantico, na Virgínia; pediu para falar com um especialista em perfis. Sua ligação foi transferida para Bob Morton, um analista comportamental que ele não conhecia. Landwehr não tinha como saber naquele instante, mas Morton se tornaria uma pessoa chave na força-tarefa que ele tentava montar às pressas. Morton — magro, musculoso e um pouco calvo, um ex-policial estadual com mais de 1,80 m de altura — estudara assassinos em série durante anos. Seu trabalho envolvia não apenas prever o comportamento criminoso dos investigados, mas também fazer com que cometessem erros. Morton sugeriu a mesma estratégia para capturar o BTK que Landwehr e os Caça-Fantasmas haviam decidido adotar anos antes. E ajudou a aperfeiçoar as táticas:

- O BTK gosta de publicidade. Convocar coletivas de imprensa para dizer coisas sobre ele. Fazer com que parecessem coletivas de imprensa de verdade, mas tendo em mente que a comunicação com o BTK era o verdadeiro propósito. Ler declarações roteirizadas e não responder nenhuma pergunta dos repórteres.
- Selecionar uma pessoa para conduzir todas as coletivas de imprensa. Dar ao BTK um rosto no qual se concentrar. Isso podia ser perigoso para a pessoa em questão, mas o risco era necessário.
- Insinuar que estão fazendo progressos no caso. O BTK não quer ser capturado, disse Morton. Se ele achar que vocês estão fungando no cangote dele, pode se tornar relutante em matar.

Ao longo do frenético primeiro dia, Landwehr e a porta-voz da polícia, Janet Johnson, conversaram com frequência com Morton para prepararem uma apresentação para o chefe de polícia Williams e sua equipe.

Landwehr se perguntou quem escolheriam para ser o rosto que conversaria com o BTK. Provavelmente o dele próprio. Sabia que Cindy iria odiar aquilo. Como poderia lhe dizer que ela e James deveriam se sentir seguros ou que o BTK não iria atrás dos dois? Mas Landwehr acreditava que aquela era a coisa certa a fazer. Tinha perseguido o BTK durante vinte anos; já participara de centenas de coletivas de imprensa e sabia como conduzir direito aquele tipo de situação.

Havia uma outra razão para ele fazer aquilo pessoalmente. Landwehr não queria que mais ninguém assumisse tamanho risco.

• • •

Landwehr ligou para outro Caça-Fantasmas aposentado. Paul Holmes — nariz pontudo, cabelo loiro-escuro e um físico não muito imponente, com seus 67 kg e 1,72 m de altura — passara os quatros anos desde que se aposentara da polícia trabalhando no ramo da construção com seu irmão Larry. Mas ainda corria 10 km por dia, três vezes por semana, uma compulsão resultante de uma promessa de nunca desapontar outros policiais ao aparecer para uma briga fora de forma. Ainda sofria com as sequelas daquele ferimento à bala de 1980 e levava consigo uma Glock calibre .40 presa ao quadril na maior parte do tempo. E ainda se dedicava por iniciativa própria ao caso BTK, lendo arquivos e tentando encontrar algo que todos pudessem ter deixado passar.

"Ele voltou", anunciou Landwehr.

Holmes respirou fundo.

Não era preciso perguntar quem "ele" era.

Ele fez apenas um questionamento.

"Tem alguma coisa que eu possa fazer para ajudar?"

• • •

Assim como Holmes, o diretor do Kansas Bureau of Investigation [Departamento de Investigação do Kansas], Larry Welch, era amigo de Landwehr. Welch enfrentava muitos de seus próprios problemas: o KBI, órgão que combatia o crime por todo o estado e auxiliava xerifes e departamentos de polícia cedendo peritos e especialistas para diferentes investigações, vinha enfrentando uma campanha dispendiosa contra a pior epidemia de drogas desde o surgimento do crack. Centenas de pequenos fabricantes de metanfetamina tinham aparecido ao redor da zona rural do Kansas, montando laboratórios ilegais em residências, celeiros abandonados e barracões. Eles roubavam propano, amoníaco e outros ingredientes perigosos e os usavam para processar remédios comuns para gripe e transformá-los em drogas baratas a ser vendidas nas ruas.

Welch tinha alguns dos melhores detetives do Kansas operando em seu departamento, e naquele momento estavam trabalhando no limite de suas capacidades. Por outro lado, ele sabia como o BTK era perverso. Welch fora agente do FBI, e dirigia o KBI havia dez anos. Durante anos vivera em Goddard, não muito longe de Wichita. Ele e Landwehr eram amigos desde os tempos de Landwehr como patrulheiro. O tenente da unidade de homicídios explicou a situação. Welch então fez uma oferta generosa.

Você pode ficar com alguns dos meus agentes, disse, e qualquer outra ajuda que eu puder fornecer.

Pouco tempo depois, enviaria Larry Thomas e Ray Lundin para trabalhar com Landwehr pelo tempo que fosse necessário.

• • •

"Vamos dar aqueles dois dias", Laviana informou a Otis naquela mesma tarde. "Mas, depois dos dois dias, nós queremos publicar a notícia e queremos uma entrevista exclusiva."

Otis não gostou do que ouviu. Mas admitia que, assim que a carta chegou, Laviana poderia ter arruinado a investigação com uma reportagem no *Eagle*. E o repórter não tinha feito isso. O *Eagle* não era o tipo de publicação que buscava lucro alimentando o pânico na população com boatos e, àquela altura, seus editores não tinham provas de que se tratava de alguma coisa além de uma carta de alguém com um senso de humor doentio. A melhor chance do jornal para obter informações mais abrangentes e corretas era esperar e deixar que Landwehr investigasse — e então mandar Laviana conversar com o tenente sobre aquilo.

Otis disse que daria uma resposta sobre a entrevista exclusiva assim que possível.

O jornal da manhã seguinte não tinha nada sobre o BTK.

• • •

Na escadaria do hospital, Dotson tinha aconselhado o amigo a não abrir uma linha de disque-denúncia a não ser que o alto-comando fornecesse pessoal suficiente para verificarem todas as pistas, todos os álibis, todos os antecedentes de todos os suspeitos. Dotson achava que Landwehr precisaria de um batalhão de investigadores. Mas Landwehr restringiu esse problema com uma decisão: a força-tarefa verificaria as denúncias, mas os detetives não se desgastariam correndo atrás do histórico de cada investigado. Apenas coletariam DNA para compará-lo com o do BTK. Ou o DNA seria compatível, ou não seria.

De todas as coisas inteligentes que Landwehr fez, Dotson declarou mais tarde, essa foi a mais inteligente. A estratégia poderia não levar à captura do BTK, mas eliminaria milhares de suspeitos com bastante rapidez e economizaria centenas de milhares de horas de trabalho.

Durante 48 horas, os policiais se empenharam dia e noite na elaboração do plano. Como Otis tinha previsto, nenhum detetive dormiu.

No primeiro dia, a equipe de homicídios instalou um disque-denúncia e os meios para gravar as ligações. O chefe de polícia providenciou turnos para que o serviço estivesse disponível 24 horas por dia.

Eles montaram uma força-tarefa: Gouge, Otis e Relph da unidade de homicídios; Thomas e Lundin do KBI. Landwehr também queria Clint Snyder, da unidade de narcóticos. Snyder tinha se oferecido, e o alto-comando aprovou. Outra detetive da unidade de narcóticos, Cheryl James, se juntou à força-tarefa para compilar e organizar os bancos de dados da força-tarefa e para trabalhar com o ViCap, o enorme banco de dados que o FBI estabelecera para reunir e filtrar informações sobre criminosos violentos. James também saiu para coletar amostras das pessoas.

Alguns detetives de homicídios — Robert Chisholm, Heather Bachman, Rick Craig e Tom Fatkin — foram deixados de fora da força-tarefa para investigarem os demais assassinatos ocorridos em Wichita. Ainda assim, enquanto faziam isso, Bachman e Chisholm também liam todas as denúncias que apareciam sobre o BTK, e Craig e Fatkin ajudavam a investigar as pistas.

A força-tarefa de Landwehr também empregou a ajuda de cinquenta detetives e de outros policiais no primeiro mês, das unidades de operações à paisana, operações contra o crime organizado e contra crimes sexuais, e do KBI, do FBI e da Chefatura de Polícia do Condado de Sedgwick.

A força-tarefa montou em segredo um posto de comando no Centro de Treinamento Policial do condado, nos limites da cidade, a alguns quilômetros da prefeitura.

Otis contou a Landwehr que Laviana pedira uma entrevista exclusiva quando a polícia confirmasse que a carta era do BTK.

Isso pode ser delicado, pensou Landwehr. *Quanto mais revelarmos publicamente, menos eficazes nós seremos, e será mais provável que algum outro imbecil por aí envie materiais parecidos para nos confundir.*

Ele não queria revelar detalhes da carta. Não queria que Laviana revelasse como era a assinatura do BTK ou que havia letras e números aplicados por estêncil no papel. Não publicar essas informações no jornal era de fundamental importância, mas ele não podia dizer a Laviana o que fazer. E sabia que os chefes do repórter deviam estar com os nervos à flor da pele, querendo saber se tinham recebido um grande furo jornalístico — ou apenas uma brincadeira doentia — pelo correio. O *Eagle* não estampara a carta como um papel de parede por toda a primeira página. Talvez isso significasse que fosse possível fazer com que Laviana concordasse em omitir algumas informações — quanto mais, melhor. O tenente temia que, se tentasse calar o jornal, o *Eagle* poderia revelar tudo.

Ele tinha que dar a Laviana alguma coisa.

• • •

Como porta-voz da polícia, Johnson costumava trabalhar com Landwehr nas coletivas de imprensa sempre que havia um homicídio.

Ela o considerava um amigo; o tenente percebia quando a porta-voz estava tendo um dia difícil e sempre procurava dizer uma palavra gentil. Johnson sabia que ele fazia o mesmo pelos outros.

Agora Landwehr queria sua ajuda; eles teriam que escrever uma série de comunicados à imprensa projetados para fazer com que o BTK fizesse contato. Além disso, ela lidaria com todas as perguntas da mídia.

Johnson tinha três grandes preocupações, conforme relatou a Landwehr.

Uma era que, assim que as notícias sobre o BTK se espalhassem, o circo da mídia de todo o país chegaria à cidade: todas os tabloides e programas de mau gosto da TV a cabo, todas as emissoras de televisão.

O segundo problema era maior.

Se o departamento de polícia se recusasse a responder às perguntas sobre os assassinatos mais misteriosos da história de Wichita, isso aborreceria os repórteres, que transformariam a vida dela em um inferno. E Landwehr e o FBI estavam pedindo a ela que se recusasse a responder às perguntas.

O terceiro problema poderia pôr um fim à coisa toda: o chefe de polícia Williams poderia não gostar do plano.

Wichita tinha um grande jornal, três grandes emissoras de televisão (sem contar a PBS e as afiliadas de redes menores) e inúmeras estações de rádio. Os policiais toleravam os repórteres locais. Não gostavam de alguns, mas mantinham suas opiniões para si. Às vezes, como no caso dos irmãos Carr, a imprensa nacional dava as caras, e os policiais gostavam menos ainda deles do que da cobertura local. Mesmo assim, Williams se orgulhava de ser transparente. Se os repórteres faziam um questionamento, o chefe de polícia queria que tudo fosse esclarecido, a não ser que a resposta interferisse em uma investigação. Landwehr e Morton estavam propondo que o departamento forjasse coletivas de imprensa nas quais Landwehr diria coisas que despertariam a curiosidade geral e então se recusaria a responder perguntas. Isso não se encaixava no conceito de transparência do chefe de polícia.

• • •

A princípio, Johnson estava certa. Williams se mostrou cético, assim como os membros de sua equipe. Os subchefes destacaram que manter as pessoas no escuro poderia alimentar ainda mais preocupação do público, que com certeza surgiria a partir da reportagem que o *Eagle* estava prestes a publicar.

A discussão se estendeu por um longo tempo; houve ocasiões em que os subchefes pareceram estar prestes a vetar a ideia.

Johnson, enfim, teve que implorar ao alto-comando que fizessem o que Landwehr queria. "Então, pessoal. Se não fizermos isso, estamos ferrados. Chamamos o FBI. Se ignorarmos o conselho que deram, eles também podem ficar putos da vida. E o que fazer se *não* fizermos isso? Que outra ideia temos? O que eu posso dizer para a imprensa sobre o que estamos fazendo?"

No fim das contas, o chefe de polícia aprovou o plano; os benefícios superavam os problemas, ele concluiu.

Porém, havia mais uma decisão a tomar.

Quem conduziria as coletivas de imprensa? Qual rosto seria mostrado ao BTK?

Era uma tarefa perigosa. Williams conhecia o perigo de perto — como patrulheiro, fora baleado três vezes. Arriscara a vida em muitas ocasiões. E teria que pedir para outra pessoa assumir esse risco.

Williams disse que queria Landwehr como encarregado das coletivas.

O trabalho precisava ser feito do jeito certo, justificou. Os doze anos de experiência de Landwehr com coletivas sobre homicídios lhe tinham ensinado o que dizer — e o que *não* dizer. Além do mais, a população de Wichita estava acostumada a ver Landwehr falar sobre homicídios. Ficariam mais tranquilas se o recado fosse dado por meio dele.

Mas era mesmo uma decisão sábia?

Dotson avisara Landwehr para não fazer isso enquanto estivesse administrando a força-tarefa. Dotson ajudara a desenvolver um manual para o Instituto Nacional de Justiça sobre como administrar forças-tarefas policiais importantes. Passara algum tempo entrevistando alguns dos investigadores de assassinos em série mais experientes do país, incluindo os policiais que participaram da caçada ao Assassino de Green River[1], em Washington. Eles o alertaram sobre o desgaste de tentar fazer coisas demais de uma só vez.

---

1   O Assassino de Green River matou várias mulheres entre 1980 e 1990 e recebeu este nome depois que os corpos das primeiras cinco vítimas foram encontrados nos arredores de Green River College, no estado de Washington. Mais tarde, seria identificado como Gary Leon Ridgway e condenado à prisão perpétua por 48 assassinatos confessos. [Nota da Editora, daqui em diante NE]

Mas o chefe Williams e sua equipe de comando tomaram o cuidado de se certificar de que isso não fosse acontecer. Landwehr administraria a força-tarefa e seria o rosto se comunicando com o BTK. Mas Johnson escreveria todos os comunicados à imprensa, e outros comandantes da polícia assumiriam várias tarefas burocráticas no lugar dele. O tenente John Speer, amigo de Landwehr, cuidaria das investigações de homicídios rotineiras.

O plano parecia viável.

Mas, quando Landwehr contou a Cindy que tentaria entrar em contato com o BTK, ela ficou aborrecida, conforme o esperado.

"Por que você?", perguntou ela. "Eles simplesmente vão colocar você sozinho sob os holofotes?"

"Não", respondeu ele.

• • •

Laviana dera à polícia seus dois dias e não recebera nenhuma resposta. E queria publicar sua matéria. Ele ligou para Landwehr na manhã de quarta-feira.

"Dê uma passada aqui", pediu o tenente.

Laviana chegou ao quarto andar da prefeitura minutos depois. Encontrou Landwehr e Johnson na sala de conferência adjacente ao escritório do chefe de polícia. Landwehr, como sempre, estava usando uma camisa branca e um terno escuro. Laviana olhou para o rosto dele, comprido e bronzeado, com rugas fundas descendo na vertical pelas bochechas. O que o repórter percebeu o fez hesitar por um instante.

Eles se conheciam fazia doze anos, tinham se encontrado no trabalho centenas de vezes, trocando alfinetadas de maneira amigável todas as vezes. Landwehr sempre fora articulado, prestativo e engraçado — algumas vezes até profano, mas de um jeito hilário. No entanto, o rosto de Landwehr mostrava que não haveria nenhuma brincadeira naquele dia.

Era mesmo o BTK?

Havia muita coisa em jogo naquela conversa. Caso fosse o BTK, Landwehr poderia exigir que Laviana engavetasse a matéria.

Nesse caso, Laviana se recusaria. A população tinha o direito de saber se um assassino em série tivesse reaparecido na cidade.

Talvez Landwehr pedisse que ele omitisse apenas *parte* da mensagem. Se fosse assim, Laviana estava preparado para negociar. O jornal tinha uma responsabilidade para com os leitores, mas não obstruiria uma investigação de homicídio.

Laviana ficou feliz por ter feito uma fotocópia da mensagem, como Ken Stephens recomendara vinte anos antes. Era possível ver outra cópia da mensagem agora, repousando sobre a mesa entre as mãos de Landwehr.

Ele começou a fazer uma pergunta, mas Landwehr o interrompeu.

"Antes de começarmos, posso fazer uma pergunta a *você*?", indagou Landwehr.

"Claro."

"Você fez uma cópia?"

"Sim."

"Posso ficar com ela?"

"Não."

Isso confirma a coisa toda, pensou Laviana. *Uau. É o* BTK!

Landwehr se inclinou para frente e deslizou a cópia por cima da mesa para que Laviana pudesse ver as três fotografias de Vicki Wegerle, a carteira de motorista, o estêncil estranho e o símbolo da assinatura no canto.

"Quero isto", disse Landwehr, apontando para o símbolo.

"Quero isto", continuou, apontando para o estêncil.

"E quero isto", concluiu, apontando para a carteira de motorista.

Nos modos diretos de um policial, estava pedindo que Laviana não escrevesse nada sobre aqueles detalhes. O repórter e seus editores já esperavam por isso.

"Posso dar isto", falou Laviana, apontando para a assinatura.

"Posso dar isto." Ele apontou para o estêncil.

"Mas não posso dar isto." Apontou para a carteira de motorista.

Landwehr não parecia incomodado. Laviana tinha acabado de lhe dizer que concordava com dois dos pedidos e que não publicaria nada a respeito da assinatura e do estêncil.

Mas revelaria que o BTK havia reaparecido. Publicaria que o BTK afirmava ser o assassino de Vicki Wegerle. E contaria que o BTK tinha enviado uma mensagem para o jornal com fotocópias da carteira de motorista de Vicki e fotos do corpo dela amarrado.

Landwehr se reclinou, à espera.

Laviana percebeu, animado, que Landwehr estava aberto a responder perguntas em uma entrevista oficial.

"A carta é do BTK?", perguntou o repórter.

"Tenho 100% de certeza de que é do BTK", informou Landwehr.

"A mulher na foto é Vicki Wegerle?"
"Não existem dúvidas de que é uma foto de Vicki Wegerle."
"Existe um Bill Thomas Killman?"
"Nunca existiu um Bill Thomas Killman."
"Por que ele iria reaparecer agora?"
Landwehr encolheu os ombros. Ele não sabia.
"Como você sabe que é o BTK?"
"Sem comentários."

• • •

O *Eagle* deu a notícia primeiro no seu site, Kansas.com, no dia 24 de março, poucas horas depois de Landwehr ter conversado com Laviana. Os editores também compartilharam a história com a KWCH-TV, uma das emissoras locais, para promover a edição do jornal da manhã seguinte. A rival KAKE-TV também divulgou uma reportagem curta naquela noite baseada em uma fonte policial anônima.

Os editores do *Eagle* coroaram a reportagem impressa com uma das manchetes mais perturbadoras que os cidadãos de Wichita já tinham visto, com letras garrafais de 10 cm de altura.

O parágrafo introdutório de Laviana foi curto e grosso:

Um assassino em série que aterrorizou Wichita durante a década de 1970 ao cometer uma série de sete assassinatos reivindicou responsabilidade por uma oitava morte, e é provável que esteja vivendo em Wichita, informou a polícia na quarta-feira.

A matéria fez o que Landwehr esperava. Assustou as pessoas. Os telefones do disque-denúncia tocaram sem parar.

Landwehr tentou acalmar os temores, aparecendo ao vivo na televisão naquela manhã para falar no tom seco que sempre usava em público: "Estamos incentivando os cidadãos a praticarem as medidas de segurança habituais — manter as portas trancadas, manter as luzes acesas".

Ele começou a falar diretamente para o BTK, embora não tivesse avisado os repórteres sobre suas verdadeiras intenções. Landwehr, Johnson e Morton tinham planejado como proceder daquela maneira. Morton enviara uma série de sugestões por e-mail, que tratavam desde como manter a conversa em um tom que não fosse ameaçador até explicar ao BTK como entrar em contato com Landwehr por e-mail, telefone e caixas postais.

Landwehr fez questão de falar em um tom reconfortante em uma sala abarrotada de repórteres e fotógrafos. A declaração de 340 palavras confirmou que Vicki Wegerle era uma vítima do BTK e de maneira sutil encorajava o assassino a manter uma linha de comunicação aberta: "Este é o caso mais desafiador no qual já trabalhei e seria muito interessante conversar com o indivíduo".

Então vinha a parte seguinte da estratégia: tornar o BTK hesitante demais para voltar a matar. Landwehr incentivou a população a entrar em contato com o departamento e fornecer informações que pudessem ser úteis. Avisou que o caso era a prioridade máxima no departamento, e que a a chefatura de polícia da cidade, o KBI e o FBI estavam ajudando.

"Eu não saberia comentar a respeito de outros casos pelo país, mas este é sem dúvida o caso mais incomum que já tivemos em Wichita."

Em toda a região de Wichita, as lojas de armas tiveram um aumento considerável nas vendas. As pessoas que temiam o BTK quando eram crianças passaram a se preocupar com ele de novo, e entravam em casa como se estivessem esperando a qualquer momento uma emboscada.

Repórteres de todas as partes do país começaram a fazer as malas e a procurar no mapa onde ficava Wichita, no estado do Kansas.

The Wichita Eagle

→ Now you know.

BTK resurfaces after 25 years

Letter from serial killer ties him to '86 death

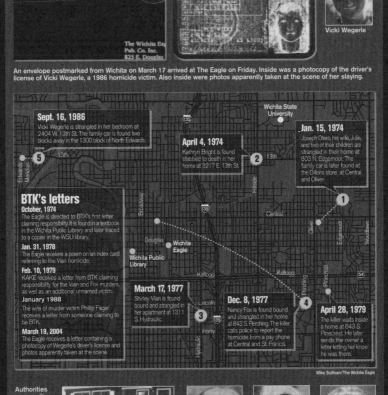

An envelope postmarked from Wichita on March 17 arrived at The Eagle on Friday. Inside was a photocopy of the driver's license of Vicki Wegerle, a 1986 homicide victim. Also inside were photos apparently taken at the scene of her slaying.

BY HURST LAVIANA
The Wichita Eagle

A serial killer who terrorized Wichita during the 1970s by committing a series of seven murders has claimed responsibility for an eighth slaying and is probably now living in Wichita, police said Wednesday.

A letter The Wichita Eagle received Friday suggests that the BTK strangler was responsible for the Sept. 16, 1986, strangulation death of Vicki Wegerle, who was found dead in her home at 2404 W. 13th St. The crime was never solved.

The letter contained a single sheet of paper with a photocopy of Wegerle's driver's license and three pictures that apparently were taken of her body. Each picture shows the victim in a slightly different pose and with her clothing arranged in a slightly different manner.

The letter was postmarked from Wichita on March 17.

The victim's relatives said Wednesday that the driver's license was the only thing they know of that was missing from the home.

Police said there were no crime scene photographs of Wegerle's body because it was removed by EMS workers before police arrived. At that time, police said, EMS policy was to transport injured people to the hospital as quickly as possible even if there was no pulse.

"The photographs appear to be authentic," said Lt. Ken Landwehr, who has been working on the BTK case for 20 years. "I'm 100 percent sure it's BTK. There's no doubt that that's Vicki Wegerle's picture."

Landwehr said the letter contained no suggestion that the killer planned to strike again, and he asked residents to take normal safety precautions.

Landwehr said the letter is being processed for fingerprints and DNA evidence at the Sedgwick County Forensic Science Center.

He said evidence from the Wegerle homicide also has been sent to the forensic center and is being processed using technology that was not available in 1986. He said detectives planned to run any evidence they find through national fingerprint and DNA databases.

Landwehr said detectives also would be studying other

Please see **BTK**, Page 6A

PROFILE

Março e abril de 2004

37. MARATONA DE COLETAS

Nas primeiras 24 horas após a publicação do artigo do *Eagle*, a polícia recebeu mais de trezentas denúncias. Nas 24 horas seguintes, mais setecentas. Landwehr teve cinquenta policiais, a maioria detetives, designados para a força-tarefa nos primeiros dias. Além de investigar as denúncias, a polícia localizou dezenas de milhares de páginas de documentos dos trinta anos anteriores, e o trabalho dos investigadores era coordenado por meio de uma enorme tabela.

A unidade de arquivos mortos do KBI começou a escanear dezenas de milhares de páginas de antigas anotações, fotografias e documentos dos arquivos do BTK e as 37 caixas de material investigativo acumulados desde 1974. O KBI e o FBI transformaram tudo em um enorme banco de dados pesquisável. O trabalho levaria oito meses.

"As pessoas dos arquivos mortos do KBI foram incríveis no que fizeram", Landwehr reconheceriam mais tarde. "E não pediram porcaria nenhuma em troca."

Nola Foulston, a chefe do gabinete da promotoria do condado de Sedgwick, enviou ajuda. Os policiais precisariam coordenar muitas de suas ações com os promotores, caso houvesse uma prisão. Ela designou Kevin O'Connor para acompanhar a força-tarefa de Landwehr, dia e noite se fosse preciso, e para fornecer aconselhamento legal quando necessário. "De agora em diante, você é o escravo do Kenny", disse ela a O'Connor.

O'Connor apurou se o BTK poderia ou não ser condenado à morte caso os policiais o capturassem. Para sua decepção, descobriu que o Kansas não tinha uma lei de pena capital em vigor nos anos em que o BTK cometera seus assassinatos.

• • •

Três dias depois de receber a carta do BTK, Landwehr foi até a casa de Paul Holmes, o Caça-Fantasmas aposentado.

"Uau!", exclamou Holmes quando viu a carta. Então voltou a perguntar: "O que posso fazer para ajudar?"

Landwehr não queria pedir nada. Holmes estava trabalhando junto com o irmão como empreiteiro. Por outro lado, tinha ajudado a criar gigantescos arquivos nos Caça-Fantasmas, que a nova força-tarefa precisaria reexaminar; ele fora o policial mais metódico e organizado em suas anotações que Landwehr conhecera. E sabia como ficar de boca fechada.

"Sabe", disse Holmes, "eu trabalhei bastante naqueles arquivos. Posso ajudar bastante com isso."

"Sei que pode", falou Landwehr. "Mas você sabe que não temos nenhum dinheiro para pagar por algo assim."

"Não estou nem aí para isso", garantiu Holmes.

• • •

Relph, Gouge, Otis, Snyder e Landwehr sabiam que alguns policiais aposentados se sentiam mal por não terem capturado o BTK. Os mais velhos costumavam perguntar: "Deixamos alguma coisa passar? Deixamos de fazer alguma coisa que deveríamos ter feito?"

Landwehr achava que não. Mas, no dia em que a matéria de Laviana foi publicada no *Eagle*, o repórter encontrou Bernie Drowatzky trabalhando como chefe de polícia na cidadezinha de Kaw City, em Oklahoma. Drowatzky mencionou essa questão da culpa: "Acho que existe alguma coisa em algum lugar que deixamos passar que irá nos levar a ele".

Otis não era de beber muito, mas achava que se tornaria um alcoólatra se aquilo durasse muito tempo. Quase não dormiu nas primeiras duas semanas. Acordava no meio da noite, e seu cérebro já começava a funcionar. Ele preparava um bule de café, se vestia, pegava o carro e ia para o trabalho.

Gouge conseguia dormir melhor e não se afligia tanto, mas se sentia grato por ter Landwehr cuidando das coisas. O tenente não ficava no pé nem duvidava da capacidade dos detetives e, embora houvesse uma enorme pressão externa para encontrar o BTK, ele a mantinha longe dos investigadores. Gouge acreditava que a investigação se transformaria em um desastre bem depressa, caso outra pessoa que não fosse Landwehr estivesse no comando.

Gouge, Otis, Relph, Snyder e outros policiais saíam às ruas para abordar os homens da região de Wichita que eram citados no disque-denúncia. Os policiais pediam amostras de DNA. Quando chegavam ao fim de uma lista, voltavam para pegar outra. Era a "maratona de coletas", como a chamavam.

Qualquer pessoa mencionada em uma denúncia era solicitada a fornecer uma amostra. Algumas pessoas que ligaram para o disque-denúncia suspeitavam de Landwehr.

Os detetives levaram isso a sério. Durante anos houve a teoria de que o BTK poderia ser um policial. Então Landwehr coletou a própria amostra. "Eu não confiava em Otis nem em ninguém para enfiar um cotonete na minha boca, então eu mesmo o fiz", brincou ele mais tarde. Mas tudo foi feito na presença de testemunhas. Gouge lhe entregou dois cotonetes esterilizados, então zombou do tenente enquanto ele os esfregava na parte interna da bochecha — ainda que observando bem de perto para ter certeza de que não estava trapaceando.

No mesmo dia em que Otis e Gouge viram a nova carta do BTK, saíram para procurar Bill Wegerle. Não houve nenhuma abordagem indireta por meio de parentes dessa vez.

Otis contou a Bill que alguém alegando ser o BTK enviara uma carta, mencionando Vicki como vítima.

No bolso do casaco, Otis tinha a intimação que obrigaria Bill a lhe fornecer o DNA, caso ele se recusasse. O detetive pedira a um juiz que a assinasse, mas estava torcendo para deixá-la no bolso, intocada.

Bill ouviu enquanto Otis explicava: "Não estou aqui para dizer a você que os tiras estragaram tudo em 1986", disse Otis. "Mas posso garantir que faríamos as coisas de um jeito diferente hoje. Acredito que você não matou sua esposa e agora posso provar. Mas preciso da sua ajuda."

Ele disse que precisava de uma amostra de DNA — naquele exato instante.

Bill respondeu que tudo bem.

Levou apenas alguns minutos. Otis e Gouge agradeceram, pegaram o carro e foram embora, com a intimação ainda no bolso de Otis.

Dois dias depois, foram ver Bill na casa dele. Ainda cauteloso, Bill estava com um parente sentado ao seu lado — para ter uma testemunha da conversa.

Um teste acabara de confirmar que o perfil de DNA do material encontrado sob as unhas de Vicki era compatível com o do homem que matara os Otero trinta anos antes. Portanto, os detetives sabiam: não era o DNA de Bill.

Foram necessários quase dezoito anos, mas ele estava descartado como suspeito.

Quando Otis e Gouge lhe contaram isso, Bill não sorriu nem reclamou dos anos em que convivera com a suspeita de que matara Vicki. Não mencionou que as outras crianças humilhavam seus filhos na escola, dizendo que o pai deles tinha matado a mãe.

"Fico contente por vocês me inocentarem", respondeu ele. "Tudo o que sempre quis foi que encontrassem quem matou Vicki."

Otis e Gouge queriam os nomes das pessoas que Vicki conhecia, os lugares onde fazia compras, detalhes da vida dela. Apesar de quase duas décadas terem se passado, Bill deu respostas detalhadas.

Otis o admirava. *Ele poderia ter me mandado plantar batatas. Poderia ter mandado que saíssemos da casa dele. Poderia ter continuado furioso conosco pelo que fizemos nos* últimos dezoito anos, mas é um homem *decente demais para fazer isso.*

· · ·

Na primeira semana, Johnson recusou pedidos de 32 veículos de comunicação que requisitaram entrevistas com Landwehr ou o com o chefe de polícia Williams.

Alguns repórteres foram bastante ríspidos no trato.

Bob Morton, do FBI, encorajou Johnson a ignorá-los e seguir com o plano:

"A imprensa não vai solucionar o caso", disse Morton. "O BTK é um predador muito esperto; se você revelar muitas coisas ao público, você estará prejudicando a investigação... Só porque vocês mimaram a imprensa não quer dizer que não podem mudar a maneira como fazem as coisas neste caso... Falar demais é muito perigoso para vocês. Se fizerem coletivas todos os dias vão ficar sem coisas para divulgar e vão revelar coisas demais, e vão correr o risco de causar outro homicídio. Então, a própria imprensa que vocês estavam alimentando vai se virar contra vocês e culpá-los pelo homicídio."

Alguns políticos locais também estavam preocupados com o fluxo de informações — mas por outros motivos. Eles achavam que a publicidade em volta do BTK poderia assustar os turistas e frequentadores de convenções, incluindo algumas das 42 mil pessoas esperadas em Wichita para o 85º Torneio de Boliche da Liga Feminina Internacional.

Johnson enviou um e-mail para Morton informando que os policiais estavam recebendo forte pressão dos políticos para "irem à TV e dizerem que tudo estava bem".

"Não façam isso", respondeu Morton. Se o BTK matar alguém depois que a polícia der o sinal de que tudo está bem, a prefeitura poderá ser considerada responsável na enventualidade de algum processo judicial.

Como os policiais se recusavam a falar, as equipes de televisão voavam em cima de qualquer pessoa que pudessem ter uma conexão, ainda que remota, com o caso: antigos investigadores do BTK, como Drowatzky; Beattie, que estava apressando o término de seu livro; e Laviana, que tinha dado a notícia.

Com três filhas em casa, Laviana não se sentia à vontade para ir à TV e falar sobre o assassino. No entanto, sabia mais coisas a respeito do BTK do que qualquer um no jornal — portanto, deu entrevistas no dia em que sua primeira reportagem foi publicada. A imprensa fez fila para conversar com ele depois disso. (Laviana não tinha TV a cabo, então não fazia ideia de quem era Greta Van Susteren nem que apresentava um programa transmitido para todo o país em horário nobre na Fox News.) Naquele fim de semana, recebeu em sua casa mais de uma dezena de ligações de programas exibidos em rede nacional querendo mais declarações. "Venham ao jornal, se quiserem falar comigo", ele dizia. Em um intervalo de poucos dias, Laviana também recebeu telefonemas de emissoras de televisão do Japão e da Alemanha, além de revistas das quais nunca ouvira falar.

• • •

O *Eagle* publicou uma matéria sobre a maratona de coletas no dia 2 de abril, depois de três homens entrarem em contato com o jornal para contar que amostras de seu DNA tinham sido coletadas: "Uma porta-voz da polícia não confirmou nem negou que análises de DNA estavam sendo realizadas", reportou o jornal.

Nesse mesmo dia, Landwehr realizou sua terceira coletiva de imprensa, para manter os telefones do disque-denúncia tocando. Algumas pessoas suspeitavam dos maridos. Outras acusavam os filhos ou os pais. Várias se mostravam desconfiadas de vizinhos ou de colegas de trabalho.

Homens foram mencionados como suspeitos por diferentes motivos: por serem solitários, excêntricos ou "simplesmente maldosos". Alguns eram reconhecidamente malucos. Outros eram cidadãos respeitáveis.

Alguns dos denunciantes viam a si mesmos como detetives amadores. Surgiu uma teoria segundo a qual o BTK e o Assassino do Zodíaco da Califórnia eram a mesma pessoa. Havia pessoas que tinham certeza de que o BTK tinha estrangulado JonBenét Ramsey em Boulder, no Colorado.[1]

Àquela altura, as instruções de Landwehr tinham sido repassadas para todos os policiais que patrulhavam as ruas: caso respondessem a um chamado de homicídio, invasão a domicílio ou até mesmo tentativa de invasão e reparassem em uma linha telefônica cortada, "não pensem duas vezes, evacuem a casa". Insistiu que as mesmas instruções fossem aplicadas em qualquer ocorrência envolvendo uma pessoa desaparecida ou uma mulher amarrada.

Enquanto alguns detetives liam denúncias por e-mail ou transcrições de telefonemas, outros verificavam antecedentes em computadores. Podiam eliminar rapidamente suspeitos em potencial se fossem negros (por causa do perfil de DNA), se não tivessem a idade certa (pelo menos 46 anos) ou se tivessem um álibi verificável (como estar encarcerado na época de um dos assassinatos).

O sargento Mike Hennessy priorizava quais dos outros seriam requisitados a fornecer DNA.

Denúncias e mais denúncias deram em nada, e Otis temia que algo que deixassem passar voltasse mais tarde para assombrá-los.

• • •

---

1   A menina de seis anos foi encontrada morta no dia 26 de dezembro de 1996 com um garrote em volta do pescoço na casa onde morava. Os pais chegaram a ser acusados do crime, mas foram inocentados por falta de provas. O caso foi reaberto em outubro de 2010. Em 2016 a polícia do Colorado anunciou que usaria novas tecnologias de DNA em 2017, mas nos meses subsequentes não houve novas descobertas. [NT]

Como as coletivas de imprensa sobre o BTK eram breves, os repórteres televisivos costumavam complementar suas matérias ouvindo as impressões das pessoas no centro da cidade. As mulheres mais jovens diziam que o BTK não as assustava. Comentavam que ele era um velho.

Landwehr tinha calafrios quando ouvia essas coisas. "Ele vai encarar isso como um desafio", disse o tenente a Johnson. "Vai tentar matar alguém para mostrar que ainda é capaz."

Para ajudar os detetives a anteciparem os próximos movimentos do assassino, Landwehr trouxe para a força-tarefa Bob Morton, o especialista em perfis da Unidade de Ciência Comportamental do FBI.

Landwher se sentia confortável em trabalhar com o FBI. Seu tio Ernie tinha sido um agente federal, assim como Welch, diretor do KBI e seu amigo de longa data.

Mas muitos outros policiais achavam os agentes do FBI arrogantes, distantes da realidade das ruas. Morton começou seu resumo do caso afirmando o óbvio: era provável que o BTK tivesse fixações sexuais. Devia morar na região de Wichita; mas era possível que não morasse.

Tenho coisas mais importantes para fazer do que ouvir isso, pensou Otis.

Ele e Gouge se retiraram.

PROFILE

profile

BTK

DENNIS LYNN RADER

ROY WENZL / TIM POTTER / HURST LAVIANA / L. KELLY

Maio e junho de 2004

38. "A HISTÓRIA DO BTK"

Landwehr se perguntava se o BTK poderia segui-lo até sua casa alguma noite e descobrir que ele tinha uma família.

Provavelmente não. Mas pediu que o alto-comando mandasse viaturas policiais passarem por sua casa — e pela de sua mãe — de hora em hora. Mas suspeitava que os policiais já estivessem fazendo isso por conta própria.

Sua mãe, Irene, não falou para ele que estava assustada, mas confidenciou isso para Cindy, que por sua vez disse que o BTK deveria estar velho àquela altura, agindo com mais cautela. Cindy entrou em contato com Morton mesmo assim.

Ela entendia por que Landwehr precisava falar com o BTK na televisão, disse ao agente do FBI. Mas seu filho tinha se transformado ele mesmo em um alvo, e andavam dizendo para James, seu menino de 8 anos, que ele não podia brincar no jardim da frente e que nunca deveria abrir a porta para desconhecidos. O menino estava assustado.

Morton respondeu que assassinos em série quase nunca caçavam policiais — preferiam vítimas indefesas. "Tome precauções", aconselhou. "Mas não fique pensando nisso."

• • •

Landwehr ficou apreensivo durante algumas semanas sobre a efetividade da estratégia de tentar se comunicar com o BTK. Suas preocupações desapareceram no dia 4 de maio, 46 dias depois do aparecimento da mensagem sobre Wegerle.

Uma recepcionista da KAKE-TV encontrou um envelope na correspondência da emissora que tinha como remetente de Thomas B. King — uma brincadeira com as iniciais do BTK.

O diretor jornalístico da emissora, Glen Horn, abriu o pacote e encontrou diversos itens: um caça-palavras, fotocópias de duas carteiras de identidade, uma cópia de um distintivo com as palavras "Agente Especial" e treze títulos de capítulos para algo intitulado "A História do BTK". Havia referências a fetiches, "P.J.", um "último espetáculo", e a pergunta: HAVERÁ MAIS?

A KAKE acionou a polícia. Otis foi buscar o pacote. A emissora filmou a coleta do material, para grande irritação do detetive. Ele foi embora sem dizer nada, para grande irritação de Horn.

O caça-palavras incluía uma seção chamada "Ruse" [estratagema], que incluía as palavras *serviceman, insurance* e *realtor* [técnico de manutenção, seguro e corretor de imóveis]. O BTK estava insinuando que ganhava acesso às casas das vítimas fingindo estar lá a trabalho.

• • •

James Landwehr certo dia ligou para o pai na polícia. "Pai, você precisa vir para casa! Por que não voltou para casa?"

Landwehr e Cindy não tinham contado a James o que estava acontecendo.

Para James, era como se seu pai tivesse desaparecido. Às vezes, passava 24 horas no trabalho. Ou voltava para casa por alguns minutos para colocá-lo para dormir, depois pegava o carro e ia embora de novo. James era uma alma carinhosa; cumprimentava todas as pessoas que conhecia bem com um abraço de urso. Seu vínculo com o pai tinha se aprofundado, e não havia nada de que Landwehr gostasse mais do que de ajudá-lo com a lição de casa ou de brincar com ele. James agora estava vendo o pai na televisão, e pressentia algo sinistro.

"Você precisa vir para casa", insistiu.

"James", disse Landwehr. "Você sabe que às vezes eu preciso trabalhar até tarde para pegar algum bandido. É isso que estou fazendo agora."

Os Landwehr debatiam sobre revelar ou não uma versão mais detalhada da verdade. Mas como contar a um menininho sobre o BTK? E que seu pai o estava caçando?

• • •

Otis ainda estava em dúvida se a pessoa que vinha enviando as mensagens era o BTK ou alguém que tinha encontrado os troféus do assassino. Os itens enviados ao *Eagle* e à KAKE estavam perfeitamente limpos. As únicas impressões digitais nos papéis pertenciam às pessoas que os tocaram depois de os envelopes terem sido abertos. Não havia um mísero cabelo perdido, nenhuma gota seca de suor.

Se é ele, por que o filho da puta simplesmente não lambe o maldito envelope, para podermos obter seu DNA e provar quem ele é?

Landwehr achava que Otis tinha razão. Talvez fosse possível instigar o BTK a fazer isso.

Ele convocou uma coletiva de imprensa e respondeu ao BTK no dia 10 de maio, seis dias depois da chegada da mensagem à KAKE. Depois de se consultar com Morton, Johnson escrevera um parágrafo que de uma maneira bem sutil desafiava o BTK a provar que era ele mesmo que vinha escrevendo as mensagens: "Estamos procedendo com base na possibilidade de que esta carta tenha vindo do BTK", anunciaria Landwehr. "Nós a entregamos ao FBI. Eles vão realizar uma análise minuciosa utilizando as mais recentes tecnologias e ciência forense a fim de determinar a *autenticidade* da carta."

Landwehr ensaiou o roteiro em voz alta. No instante em que disse "autenticidade", ele se enrolou... e caiu na risada. *Pelo jeito eu não consigo pronunciar uma palavra com tantas sílabas*, pensou. Tentou ler a palavra de novo, e se enrolou outra vez.

Na frente das câmeras de televisão, falando ao vivo com o BTK, ele se atrapalhou com a pronúncia de novo e teve que segurar o riso. Envergonhado, brincou com Johnson depois. "*Nunca mais* me escreva aquela palavra." Ele deveria ter substituído o termo por conta própria, pensou. Landwehr havia ignorado o que aprendera no tempos da escola sobre debates e teatro: quando a pessoa erra uma palavra no ensaio, erra também na apresentação.

• • •

No dia 9 de junho, Michael Hellman viu uma sacola de plástico transparente presa com fita adesiva na parte de trás de uma placa de PARE na esquina sudeste da First com a Kansas enquanto caminhava para dar expediente na Spangles, uma cadeia de lojas de desconto local. De dentro da sacola, Hellman tirou um envelope com as palavras "Semente de Campo do BTK" datilografadas.

Quando Landwehr viu três folhas de papel em seu interior, se deu conta de que aquela era a comunicação mais longa do BTK até então. O título, que incluía um erro ortográfico, era "Morte em uma manha fria de janeiro". Tratava-se de um relato detalhado sobre o que acontecera no interior da casa dos Otero — inclusive de como Josie implorara pela própria vida.

• • •

Certo dia, Landwehr estava esperando para pegar James quando ele descesse do transporte escolar. O ônibus estava atrasado.

Landwehr vinha pulando refeições, não andava dormindo muito.

Ele olhou para o relógio.

Se não capturasse aquele sujeito, poderia ser transferido da unidade de homicídios e retirado do comando da força-tarefa. O chefe de polícia fora solícito, mas Landwehr sabia que Williams devia estar sob uma tremenda pressão para mostrar resultados. Em particular, Landwehr chegara à conclusão de que, se fracassasse em capturar o BTK dentro de um ano, seria transferido.

A segurança de James era sua maior preocupação.

O ônibus chegou — com alguns minutos de atraso. James correu até o pai.

De volta ao trabalho, Landwehr precisou se segurar para não mandar que fossem coletadas amostras de todos os motoristas de ônibus escolares de Wichita.

• • •

A história do BTK sobre os Otero foi escrita como uma narrativa, inclusive com uma introdução para preparar a cena — e os costumeiros erros ortográficos.

Se uma pessoa acontesse de estar fora de casa em uma dessas manhãs frias em uma certa área de Wichita, ou seja, a zona nordeste em

uma manha partiqular em janeiro ele pode ter notar um homem .
estacionar o carro no estacionamento de uma loja parar bevemente
então atravessar a rua e desaparecer por entre a casa e o prédio
comercial. Se eles tivesse seguido ele eles teria notado sua cabeça bem
abaixada para o chão e usando uma pesada parcar. Se eles tivessem
olhado com mais atenção eles teria notado seu olho disparar de
um lado para outro da rua verificando as janelas e porta da casa.
Enquanto ele se aproxima de uma casa na esquina ele depressa
olha ao redor e pulou a cerca de madeira rodeando a casa.

O que se seguia era uma descrição passo a passo do que o BTK relatou ter acontecido fazia mais de trinta anos. Continha tantos detalhes que Landwehr se perguntou se o BTK a escrevera logo depois de tudo acontecer.

Ele sabia que a família saiu de casa por vorta das 8h45 e
eles iam sair do carro e sair para a escola e por vouta de
sete minutu a sinhora, Judie, ia voltar para casa.
  Ele tinha no comesso da semana, viu eles sair para a escola
um dia Ele pensou consigo mesmo, olha pode ser esta, Um
cenário perfeito; uma casa na esquina, uma garagem afastada
da casa, um quintal cercado, um espaço grande entre a casa do
vizinho mais perto. Principalmente a pota dos fundos. Foi alguns
dias dpois que ele para no outro lado da rua e segue o carro da
família paraa ver ond eles foi naquela manha. Ela levava os filhos
para a escola todos os dias, voltava, um cenário perfeito.
  Era quase sua fantasia de uma vítima toda pa ele, uma
pessoa que ele podia amarrar, tortuar e talvez matar.

• • •

Certa noite Cindy disse para Landwehr que eles precisavam contar para James alguma coisa a respeito do que estava acontecendo. O menino estava ficando cada vez mais preocupado com a ausência do pai — e ouvindo coisas a respeito dele.

Os Landwehr se sentaram com James diante do computador da casa. Cindy mostrou ao menino como pesquisar o nome do pai em uma ferramenta de busca. O que apareceu foi uma reportagem após a outra sobre o tenente Ken Landwehr — e o BTK.

James tentou entender.

"James", disse Landwehr, "você sabe que meu trabalho é prender os bandidos?"

"Sim."

"Estou tentando pegar um bandido muito mau dessa vez. Ele se chama de BTK. Machucou muitas pessoas. E nós vamos pegá-lo. É por isso que estou aparecendo na TV", explicou. "É por isso que tenho que passar bastante tempo no trabalho."

"E se ele tentar machucar você?", perguntou James. "E se aparecer na nossa casa?"

"O BTK deve ser um velho agora", respondeu Landwehr. "Ele começou a machucar as pessoas trinta anos atrás, então deve estar na casa dos sessenta anos agora, e lento, e velho. Não achamos que possa machucar alguém."

O que James disse em seguida surpreendeu seu pai.

"Mas e se o BTK tem um filho, e for o filho que está fazendo isso agora?"

Era o que Otis e Gouge especularam: que outra pessoa estava fingindo ser o BTK.

"Você está pensando além do que eu tinha imaginado", disse Landwehr. "Essa é uma boa ideia. Mas não achamos que seja isso. E não achamos que ele virá aqui."

• • •

Finalmente, por volta de vinte minutos antes das nove a porta foi destrancada, e o menino sai pra fora, em um piscar de olhos ele manda o menino voltar para dentro, confrontando a família armado com pistola e faca ele disse para eles que aquilo era um assalto e não ficar alarmados.

A família estava se preparando para sair. As crianças estavam guardando os almoços e tinham juntado os casacos ao lado da mesa. A mãe Judie perguntou o que estava acontecendo, e disse que não tinham dinheiro nada de valor. O menino estava do lado dos pais parecendo assustado e a menina Josephine estava comessando a chorar, todos eles junto no correr dor ele disse para eles suas ordens. Ele era procurado e precisava de carro, dinheiro e comida. [...] Joe pecebeu, sua mão da arma tremer e disse para a família se acalmar e tudo ia ficar bem.

O latido do cachorro acabou deixando-o irritado, escreveu BTK.

Rex queria a peste fora e disse para eles que ia atirar nele ou neles se eles tentassem alguma gracinha. Expressando que a arma que ele segurava hera uma automática e tinha balas de pontas hocas que iam matar. Joe, garantiu para ele que se o cachorro ficasse fora do caminho, as coisas ia melhor. Então, concordando o homem deixou oe levar o cachorro para fora, mais sendo muito c idadoso com Joe.

Ele contou que amarrou as mãos e os pés dos pais. Contou que Julie (ele a chamava de "Judie") reclamou que estava ficando com as mãos dormentes, então ele refez as amarras.

> O cabelo dela longo dimais e ficava caindo na frente quando
> ele tentar amordaçar ela no começo, lágrimas escorriam pelo
> rosto dela e Rex pediu desculpas por prender o cabelo dela.

Ele os amordaçou, em seguida passou uma sacola plástica por cima da cabeça de Joe. Os outros começaram a gritar de imediato. Era possível ver as lágrimas em seus rostos.

> Ele tenta cobrir suas boca com a mão enluvada mas lees imploram
> para ele soltar o menino e Joe. [...] Joe tinha se movido para a outra
> coluna da cama e fazido um buraco na sacola mas ele não estava se
> sentindo bem e tinha vomitado e respirando com dificuldade. Os
> olhos do menino estava aberto agora. [...] Josephine estava chorando e
> Judie ainda implorava para ele ir embora da casa, eles não ia contar.
> [...] ele pegou um rolho de corda e andou até Judie e
> com sua voz chorosa suplicante "o que você vai fazer... ele
> passou a corda em volta do pescoço dela e a estrangulou
> devagar. Josephine gritou, "mamã — eu te amo".

Era tudo um horror, e talvez fosse tudo uma baboseira fictícia... Mas era óbvio que o autor tinha gostado de escrevê-la.

> Josephine ficou pedindo para ele ser cuidadoso ma
> Rex disse a ela que a mãe dela e o pai dela também iam
> dormir depois que ele acabasse de apertar a corda.
> Ele depois passou o garrote em volta do pescoço da menina, ela
> orfegou, seu olho, esbugalhou, depois ela desmaiou. Judie estava
> acordada naquela hora. Seu olho abre, mexendo a cabeça devagar.
> Dessa vez Rex faz um nó volta do fiel e o colocou em volta do

pescoço de Judie, ela grita "Deus tenha misercódia de você", antes que ele aperte o nó, seus olhos realmente esburgalharam por causa da pressão extrema que a volta do fiel faz. Ela orfega e se debate mas, logo desmaia sangue aparece no olho e boca e nariz.

• • •

James Landwehr, um ano mais novo do que Joey Otero em 1974, tentou ficar calmo depois das garantias do pai. Mas certo dia se manifestou.

"Pai", disse ele, "as outras crianças andam falando."

James contou que os pais de algumas crianças estavam se perguntando se o BTK poderia querer matar Landwehr, errar a casa do policial e atacar os vizinhos por engano.

• • •

O BTK tinha deixado a morte da menina por último.

Voltando para o porão ele encontrou Josephine acordada e olhando para o teto, ele então amarra seus pés juntos e depois em volta dos joelhos e parte de baixo do abidomi. Prende com firmeza, ele puxa para cima seu suéter e corta seu sutiã numeio. Seus pequeno ceio expostos então provavelmente o primeiro o homem a ver eles exceto o pai dela. Com isso feito ele de novo verificou a área procurando erros, nada fora do lugar. Ele volta para a menina, ela pergunta para ele se ele vai fazer as mesas coisas que tinha feito com os outros, "não", contou a ela, o resto estava dormindo. Ele levanta ela e levou seu corpo amarrado até o cano do esgoto. Ali deitada de costas, ele pergunta se o pai dela tinha uma câmera, ela perguntou, não. Então amordaça ela…, "Por favor", ela disse. "Não se preocupe meu bem", ele disse, "você estará no céu hoje a noite com os outros".

• • •

James Landwehr não conseguia mais dormir em sua cama. Ia se enfiar na cama dos pais e se aconchegava ao lado de Cindy, com as luzes acesas.

Certo dia, James viu o pai na televisão transmitindo outra mensagem para o BTK.

Cindy percebeu que James cobriu as orelhas com as mãos.

PROFILE

profile
BTK
DENNIS LYNN RADER
ROY WENZL / TIM POTTER / HURST LAVIANA / L. KELLY

Julho de 2004

39. DESPISTE

Na manhã do dia 17 de julho, um sábado, um funcionário da biblioteca do centro de Wichita chamado James Stenholm encontrou uma sacola plástica na caixa de devoluções de livros contendo papéis com as letras "BTK". Os bibliotecários chamaram a polícia.

Landwehr não ficou feliz com o que os policiais fizeram quando chegaram. Eles fecharam a biblioteca.

"Ora, vamos, rapazes", disse Landwehr. "O que vocês estavam pensando?" Fechar a biblioteca principal chamava atenção. Isso significava repórteres e outras chateações; os policiais poderiam muito bem ter acionado o alarme de emergência.

Landwehr viu por volta de cinquenta sem-teto estreitando os olhos por causa da luminosidade do lado de fora como um bando de corujas. Eles se reuniam na biblioteca com ar-condicionado e ali, parados sob o sol, pareciam tão irritados quanto Landwehr.

"Meu Deus, rapazes, era só uma sacola", disse Landwehr aos policiais uniformizados. "Eu poderia ter entrado aqui como se quisesse só pegar um livro."

Landwehr pegou o pacote e o analisou com a sua equipe.

Eles ficaram surpresos com o que o BTK tinha a dizer no fim da carta de duas páginas:

Eu encontrei uma moça que acho que mora sozinha e/ou é uma estudante que volta para casa depois da escola e fica sozinha sem a supervisão dos pais. Só preciso planejar os detalhes. Estou muito mais velho (não debilitado) agora e tenho que se condicionar com cuidado. Além disso meu processo de raciocínio não é tão aguçado como costuma ser. Detalhes-Detalhes-Detalhes!!! Acho que o outono ou inverno será a época certa para o ATAQUE. Tenho que fazer isso neste ano ou no próximo! Número X, já que meu tempo está acabando.

Mas foi o que ele tinha escrito na parte de cima do papel que fez com que os detetives saíssem correndo para os telefones na mesma hora. O BTK tinha intitulado a carta como "Jakey", e insinuava que já tinha matado de novo.

Tive que interromper o trabalho no Capítulo 2 de, "A HISTÓRIA DO BTK". por causa da morte de Jake Allen.
Fiquei tão empolgado com esse incidente que tive que contar a história.

Doze dias antes, o eleito como rei do baile de reunião dos ex-alunos e orador da turma da Escola Secundária de Argonia tinha sido atropelado por um trem de carga a quase 7 km da fazenda da sua família e a aproximadamente 56 km de Wichita. Allen era uma estrela dos esportes estudantis. Seu corpo fora enrolado em arame e amarrado aos trilhos, embora os investigadores do condado de Sumner viessem tentando manter esse fato em segredo.

O BTK escreveu que eles tinham se conhecido quando Allen passou por uma cirurgia no joelho, e passaram a conversar melhor em salas de bate-papo. Ele disse que atraiu Allen para os trilhos se passando por um detetive particular que estava investigando o BTK.

Jakey seria a isca. Nós iríamos capturá-lo e entregá-lo para a polícia.

O BTK fez referências provocantes sobre *bondage*, sadomasoquismo e arames. Descreveu a excitação sexual que sentiu não apenas por estar com Allen nos trilhos, mas "enquanto escrevo isto". O pacote da biblioteca incluía cópias granuladas de fotos mostrando alguém amarrado na floresta, com um capuz cobrindo o rosto e meias brancas nos pés. O autor da mensagem afirmava que ele e "Jakey" estiveram por lá fazendo "brincadeiras".

Landwehr ligou para o chefe de polícia Williams para contar sobre a ameaça do BTK de matar e suas insinuações de que assassinara Allen.

Williams começou a pensar em maneiras de reforçar a força-tarefa.

Otis ligou para a polícia do condado de Sumner. O investigador principal, Jeff Hawkins, e seus colegas dirigiram para Wichita naquele dia e analisaram a carta.

Hawkins expressou suas dúvidas. Os exames forenses não tinham sido concluídos, mas a equipe do condado de Sumner alimentava fortes suspeitas de que se tratava de um suicídio.

Lundin e Thomas, os dois agentes do KBI, foram ao condado de Sumner. Morton, do FBI, também investigou a morte de Allen. Quanto mais apuravam sobre o caso, mais eles concordavam que o BTK estava inventando coisas.

Os exames forenses determinaram que o arame encontrado no corpo de Allen viera de sua fazenda. Uma perícia no computador de Allen não obteve nenhuma prova de que ele mantinha conversas com o assassino em série.

Os investigadores concluíram que Allen tinha enrolado o arame em volta do próprio corpo e se deitado sobre os trilhos.

• • •

A carta sobre Jakey desencadeou um intenso debate no escritório de Nola Foulston, chefe do gabinete da promotoria do distrito, no dia em que apareceu. A primeira reação dela foi sugerir que as autoridades deveriam ir a público, com um alerta de que o BTK estava ameaçando matar uma criança. Como ocupava o principal cargo de aplicação da lei sujeito a votação popular no condado, tinha o poder para fazer isso, ou obrigar a polícia a seguir suas instruções.

Kevin O'Connor e Kim Parker, seus dois principais promotores, tentaram convencê-la a não seguir por aquele caminho. O'Connor era um amigo fiel de Foulston, mas ela sempre o encorajava a falar o que estava pensando, e foi isso o que fez naquele momento. Uma discussão acalorada teve início. O'Connor, que tinha passado quatro meses acompanhando a força-tarefa do BTK, argumentou que os policiais estavam certos em manter o máximo possível de informações sobre a investigação em segredo. Não queriam dar ao BTK informações, nem publicidade, nem uma sensação de que estava conduzindo a própria caçada.

O chefe Williams também não estava seguro quanto àquela decisão. Se revelassem a ameaça do BTK, deveriam mencionar as informações específicas sobre "uma estudante que voltava para casa e ficava sem a supervisão dos pais"? Em Wichita, havia milhares de crianças que ficavam sozinhas depois da escola, além de inúmeras atividades extracurriculares. Revelar a ameaça deixaria milhares de pais preocupados, e uma parcela significativa deles precisava deixar os filhos em casa enquanto trabalhava. Estava na cara que o BTK gostava de provocar a polícia. Williams não queria alimentar o ego dele.

No fim das contas, resolveram que era preciso alertar o público, mas sem fornecer detalhes específicos quanto à ameaça. A decisão pesava sobre os ombros de Williams. Se o BTK matasse alguém depois daquilo, o chefe de polícia alimentaria sérias dúvidas sobre ter tomado ou não a decisão errada.

Os policiais da força-tarefa levaram a ameaça para o lado pessoal. Landwehr continuava a se preocupar com James, com Cindy e consigo mesmo: *Toda vez que esse cara planta um pacote para encontrarmos, será que ele só está tentando me atrair para longe de casa para poder atacá-la?*

Otis tinha uma filha de doze anos que ficava sozinha em casa por vinte minutos todos os dias depois da escola, até Netta voltar do trabalho. Depois que a carta sobre Jakey chegou, Otis combinou com sua irmã para que ela ficasse com a menina durante aqueles minutos depois da escola.

Gouge não estava preocupado. Desde o começo, pedira para a família tomar cuidado ao atender à porta, mas não quis dizer mais nada que fosse deixá-los preocupados.

Ele achava que o BTK não tinha coragem de visitar a casa de um policial.

• • •

Quando a carta sobre Jakey foi encontrada, a força-tarefa do BTK de Landwehr contava com 23 pessoas. Quatro dias depois, Williams quase dobrou o tamanho do contingente, para quarenta membros. Contou a Landwehr que pretendia manter esse número de agentes trabalhando no caso por muito tempo. Outros investigadores foram trazidos para acompanhar as denúncias para que os detetives mais envolvidos pudessem se concentrar em esmiuçar os arquivos do caso.

Havia noites em que o telefone residencial de Williams tocava de madrugada e um dos seus comandantes o comunicava de algum tiroteio noturno ou alguma outra coisa que precisava de sua atenção imediata. Durante aquela época, porém, quando o telefone tocava, o primeiro pensamento de Williams ao acordar era uma prece silenciosa: *Que não seja um assassinato do* BTK.

Cinco dias depois que a polícia recebeu a carta sobre Jakey, Landwehr apareceu em uma coletiva de imprensa. Com palavras cuidadosamente redigidas por Johnson, comunicou: "Com base em informações que nos foram fornecidas pelo FBI, e nas identidades e distintivos falsos que foram enviados para a KAKE pelo BTK, achamos importante que os cidadãos continuem a praticar as medidas de prevenção a crimes contra pessoas e residências. Também queremos que os pais ensinem essas táticas aos filhos."

O conteúdo da carta da biblioteca não foi revelado, mas muitas pessoas interpretaram de maneira correta que suas palavras e seu tom de voz queriam dizer que o BTK tinha feito uma ameaça.

Laviana fez a cobertura da coletiva de imprensa para o *Eagle*.

Otis o abordou no corredor depois da coletiva.

"Hurst, preciso falar com você", avisou Otis. "Você tem um minuto?"

PROFILE

Julho e agosto de 2004

40. LANDWEHR PARTE PARA A OFENSIVA

A mídia de alcance nacional seguia importunando Johnson com pedidos de entrevistas. Como não eram atendidos, continuavam a abordar pessoas com ligações menos diretas com a investigação. Alguns noticiários jogavam pesado contra a concorrência, insistindo que os entrevistados não falassem em outros programas. Laviana se recusou a aceitar tais acordos.

Esses programas irritavam a polícia. "Especialistas" em assassinos em série que não sabiam nada sobre o BTK apareciam tagarelando sem parar na televisão, "falando abobrinha", na definição de Otis.

· · ·

Alguns dias depois da coletiva de imprensa do dia 22 de julho, Wenzl viu Landwehr sair da prefeitura para fumar um cigarro.

Wenzl estava ciente de que o tenente não falaria a respeito do BTK, mas também soubera, por meio de Laviana, que Landwehr tinha um bom senso de humor. Wenzl fingiu entrevistá-lo.

"Kenny Landwehr", disse, apertando a mão dele. "Vocês já capturaram o BTK?"

"Não", respondeu Landwehr.

"Eu tenho um suspeito, se você não se importar com a minha intromissão", avisou Wenzl.

Landwehr o ouviu com educação.

"É Hurst Laviana."

O rosto de Landwehr se enrugou em um sorriso. "Não", disse.

"Sério? Você tem que admitir que Hurst é um cara esquisito."

"Não", repetiu Landwehr.

"Ok. Mas nós estamos conversando sobre isso na redação há semanas e chegamos à conclusão de que um dia Hurst irá desmascarar o BTK na primeira página ou virá até você para confessar."

Landwehr deu uma longa tragada no cigarro. "Tenho certeza de que não é ele", afirmou o tenente.

"Mas como?"

"Por que nós o eliminamos como suspeito."

"Como?"

Landwehr sorriu. "Sem comentários", desconvesou.

Alguns minutos depois, de volta à redação, Wenzl encontrou Laviana escrevendo uma matéria.

"Eu limpei seu nome", informou Wenzl. "Encontrei Landwehr no lado de fora da prefeitura. Nós comparamos anotações e concluímos que você não é o BTK."

"Obrigado", agradeceu Laviana.

"Não disse que você é inocente", avisou Wenzl. "Só que você não é o BTK."

Laviana assentiu.

"Landwehr disse uma coisa estranha", continuou Wenzl. "Falou que eliminou você como suspeito. E pareceu estar falando muito sério."

"E estava", disse Laviana. "A polícia coletou uma amostra do meu DNA."

"O QUÊ?"

• • •

Era verdade, disse Laviana. Depois da coletiva de imprensa do dia 22 de julho, Otis o tinha puxado de lado.

"Odeio fazer isso, mas preciso pedir o seu DNA", falou Otis. "Você foi mencionado como suspeito em algumas de nossas denúncias."

Laviana deu de ombros. "Estou surpreso que vocês demoraram tanto", respondeu. Ele achava que a polícia coletaria uma amostra sua a partir do momento em que começou a dar entrevistas na TV.

Imaginou que alguém o veria na televisão e o denunciaria como suspeito por saber tanto sobre o caso.

Laviana seguiu Otis ao escritório de Johnson. Otis fechou a porta.

Os policiais tinham se recusado a comentar a respeito dos boatos circulando pela cidade segundo os quais eles tinham coletado amostras de milhares de homens.

Laviana decidiu que iria tentar fazer Otis falar.

O detetive calçou as luvas de látex.

"Tem gente da televisão dizendo que vocês já coletaram amostras de 2 mil pessoas até agora", disse Laviana. "Isso é verdade?"

Otis pegara um cotonete de coleta. "Não, isso não está certo", respondeu Otis. "Só coletamos umas quinhentas."

"O que faz vocês decidirem que precisam coletar a amostra de alguém?"

"Tudo o que precisamos é de uma denúncia", explicou Otis.

Otis esfregou o lado interno da bochecha de Laviana, primeiro com um cotonete, depois com outro.

"Quanto tempo demora para receberem os resultados?"

"Se você não for procurado de novo em duas semanas, saberá que foi eliminado", respondeu Otis. Ele colocou cada cotonete em um recipiente separado. O procedimento estava concluído.

Laviana voltou para o trabalho, contou aos editores que tivera sua amostra coletada e tentou descobriu como se sentia por ser um suspeito. *Estranho*, pensou. E não era possível manter isso em segredo. *Em certo sentido, isso é um alívio*, pensou Laviana. Ele conhecia outros homens que tiveram a amostras coletadas, e fora embaraçoso perguntar a respeito. Mas também era como fazer parte de um clube exclusivo. Uma vez que você está dentro, pode falar abertamente. E ele estava.

O repórter ponderou se deveria se oferecer para escrever uma reportagem em primeira pessoa sobre ser visto como suspeito de ser o BTK.

Não, decidiu. Laviana tinha três filhas na Escola Secundária North; não queria que elas fossem ridicularizadas ou insultadas.

• • •

Antes da carta sobre "Jakey" chegar, a força-tarefa e Johnson tinham convocado coletivas de imprensa apenas em resposta a mensagens do BTK.

Landwehr e Johnson passaram a se perguntar se não deveriam assumir a ofensiva — encontrar pretextos para se comunicar mesmo quando o BTK não tivesse escrito para eles.

Eles se afligiam bastante com as mensagens. Cada palavra e todo o contexto dos comunicados eram planejados. As coletivas eram anunciadas aos repórteres com pouca antecedência. A intenção era evitar conjecturas superficiais que fossem assustar as pessoas — ou fazer o BTK adiar alguma comunicação até depois de uma coletiva marcada. Depois de "Jakey", a mídia, às vezes, sequer recebia um aviso de que uma coletiva sobre o BTK aconteceria. Às vezes, os repórteres chegavam na coletiva diária das 10h e ficavam surpresos ao ver Landwehr entrar, com o roteiro em mãos.

Em todas essas reuniões, Landwehr lia sua declaração preparada, então se retirava. Às vezes, Otis ou um dos outros detetives sentavam no fundo da sala, procurando alguém suspeito. Achavam que o BTK poderia aparecer. Otis e os demais obtiveram inúmeras amostras de DNA de homens estranhos que viam nas coletivas.

Depois de cada anúncio, o jornal não perdia tempo em postar as notícias no site. A TV interrompia a programação com reportagens ao vivo. A KAKE, às vezes, usava o videoteipe de Otis pegando a carta de maio como imagem de fundo. Um idoso confuso enviou sessenta dólares para Otis para que comprasse roupas novas, porque todas as vezes que aparecia na TV ele estava usando o mesmo terno. O detetive devolveu o dinheiro.

Algumas poucas notícias vazavam, o que deixava os policiais irritados. Os repórteres os estariam seguindo quando saíam para coletar amostras de suspeitos? Poderia haver jornalistas ouvindo às escondidas nos corredores? Ou a imprensa teria uma fonte na força-tarefa?

As preocupações pioravam de acordo com a privação de sono dos policiais. Detetives, que antes de março tinham algumas vezes conversado amigavelmente com os repórteres, pararam de falar até mesmo sobre o tempo.

• • •

Ninguém no *Eagle* estava concentrado exclusivamente no BTK, nem mesmo Laviana, que fazia parte da equipe de reportagem de Crimes e Segurança. Ele e Potter continuavam ouvindo boatos sobre as ligações do BTK com a morte do adolescente em Argonia; Potter apurava a história ao mesmo tempo em que cobria reportagens policiais diárias. No final de julho, a editora do jornal, Sherry Chisenhall, selecionou uma nova líder de equipe para organizar a cobertura. L. Kelly crescera em Wichita e ouvira quando seu pai, um ex-detetive, falava com desgosto sobre os crimes contra os Otero. Ajudara a melhor amiga e a mãe a lidarem com os temores depois que o chefe de polícia LaMunyon anunciou que havia um assassino em série em Wichita. Trabalhava no *Eagle* havia mais de vinte anos e convivera de perto com Ken Stephens e Bill Hirschman no passado.

Chisenhall queria um esforço mais intenso na cobertura do BTK. Sabia que nenhum dos policiais estava falando — de forma excepcional, a força-tarefa se revelara à prova de vazamentos. Mas havia muitas outras pessoas com quem conversar, outras maneiras de fazer as apurações avançarem. Ela queria que o *Eagle* fosse a referência na cobertura daquela investigação. Kelly estava ansiosa para começar, mas primeiro teve que fazer uma viagem a Toronto por motivos não relacionados ao caso.

Quando voltou, Landwehr também tinha feito planos para as investigações avançarem.

• • •

Os policiais sentiam que a ansiedade estava cada vez maior. O BTK não tinha se comunicado desde a mensagem da biblioteca, no dia 17 de julho. Gouge temia que o criminoso estivesse ocupado planejando um assassinato; a última carta tinha sido uma ameaça direta.

Morton disse aos policiais para seguirem se comunicando e usando seus roteiros para insinuar que o BTK tinha motivos para se preocupar. Ele precisa se sentir confiante para matar, portanto, minem sua confiança. Mantenham-no com o pé atrás, lembrem-no de que a polícia o está caçando. Não o desafiem nem o ameacem, mas lancem insinuações de que estão cada vez mais perto.

Era uma coisa fácil de falar, mas não de fazer. Johnson, uma antiga repórter policial e de política em jornais ao redor do Kansas e do Missouri, escrevia rascunhos de cada mensagem, enviava por fax para Morton e mostrava uma cópia para Landwehr e para a equipe de comando de Williams.

No dia 17 de agosto, um mês depois da última comunicação do BTK, Johnson anotou depois de uma reunião com Morton: "Estamos agora mudando as regras. Em vez de reagirmos quando ele envia uma carta, seremos proativos, e então ele terá que responder a fim de ganhar controle do jogo."

O BTK tinha pisado em seus calos. Agora pisariam nos dele.

Mantenha Landwehr falando com ele, instruiu Morton. Desde o início, Morton queria que o BTK sentisse uma conexão com Landwehr para que o assassino confessasse para ele por vontade própria algum dia, caso os policiais o capturassem.

Morton disse a Landwehr para descansar bastante na noite anterior a cada coletiva. Precisava estar bem penteado, com as roupas asseadas. Tinha que parecer e soar revigorado, alerta, otimista. Deveria transmitir confiança para o público. O assassino não podia vê-lo cansado. Landwehr começou a analisar o próprio rosto, à procura de manchas escuras sob os olhos.

A cada dia que o BTK não se comunicava, Landwehr perdia o sono.

PROFILE

Agosto a novembro de 2004

41. P. J. WYATT

Três dias depois que Johnson contou ao FBI que a polícia estava tomando a iniciativa, a força-tarefa inventou um motivo pouco convincente para falar com o BTK e induziu a imprensa a cumprir um papel bastante importante no plano.

No dia 20 de agosto, Landwehr se postou diante dos repórteres e começou a falar sobre a carta do BTK de 1978. Destacou que incluía um poema, "OH! MORTE A NANCY", que era uma adaptação da canção popular "O DEATH". Parte do poema dizia:

Vou encher sua boca até você não conseguir falar
Vou amarrar suas pernas até você não conseguir andar
Vou amarrar suas mãos até você não conseguir resistir.
E finalmente vou fechar seus olhos para que você não consiga ver
Vou levar uma morte sexual a você para o meu ser.
   B.T.K.

Landwehr citou a mensagem do BTK de maio de 2004, que incluía "P.J." como um dos títulos dos capítulos, e destacou que a professora de inglês P.J. Wyatt usara "O Death" em um curso na Universidade Estadual de Wichita na década de 1970.

"Estamos pedindo a ajuda da população para identificar qualquer pessoa que tenha usado essa obscura canção popular e tenha tido contato com a dra. P. J. Wyatt, que morreu em 1991", disse Landwehr. "Os especialistas em perfis do FBI confirmaram nossa crença de que existe uma ligação definitiva entre a referência a P.J. na carta que recebemos em maio passado e a canção popular 'O Death'."

Tratava-se de um exagero deliberado. Os investigadores tinham consultado Wyatt como especialista em 1978. Depois que ela reconheceu que o poema do BTK era uma versão da canção, a polícia lera cópias das listas de chamadas de seu curso. Mas o BTK não afirmara ter frequentado o curso de Wyatt nem que conhecia a professora.

Foi apenas uma isca em uma caçada inútil, e os jornalistas embarcaram na busca com entusiasmo. No *Eagle*, o repórter policial Stan Finger, o estenógrafo de tribunal Ron Sylvester e outros na redação fizeram hora extra para descobrirem tudo que conseguissem sobre a professora, uma mulher bastante reclusa. Conversaram com amigos de Wyatt de Michigan, com ex-funcionários da extinta loja de peças de rádio dos pais dela e com incontáveis fontes na universidade. O resultado foram dois dias de matérias de primeira página, com fotos, quadros informativos, até mesmo uma coluna sobre a história da canção, que sequer era "obscura". Vinha sendo regravada pelo menos desde a década de 1920 e estivera presente no filme *E Aí, Meu Irmão, Cadê Você?*, estrelado por George Clooney.

As verdadeiras intenções da força-tarefa foram explicadas no memorando interno de Johnson: "Ao fazermos esse comunicado, nós o estamos convidando a responder (1) por que ele nunca pensou que faríamos essa ligação ou (2) para nos dizer como somos burros ou estamos errados. Em relação à imprensa, isso desviará um pouco a atenção de toda aquela coisa em Argonia por dar a eles algo mais para seguir. Isso também mostrará à população que temos outras pistas e que estamos fazendo outras coisas além de apenas coletar amostras."

Johnson subestimou a quantidade de repórteres do *Eagle* e sua disposição em deslocar pessoas de toda a redação para ajudar com a cobertura do caso BTK. Tim Potter continuou a escrever sobre a a morte em Argonia, e Abe Levy — que tratava da cobertura de assuntos relacionados a religiões — e Katherine Leal Unmuth — repórter que cobria o setor de educação superior — tiveram papéis importantes nas matérias sobre Wyatt.

Os investigadores também esperavam que a reportagem sobre Wyatt fosse deixar o BTK ansioso, conforme Johnson destacou: "Ele é tão cuidadoso e calculista que não cometerá um homicídio enquanto estiver preocupado com alguma coisa. Isso irá deixá-lo desconcertado."

• • •

O *Eagle* trabalhou para ampliar a cobertura para além das coletivas de imprensa de Landwehr. (No fim das contas, o jornal viria a publicar quase oitocentos textos sobre o caso.) Laviana conversou com homens que tiveram suas amostras coletadas pela força-tarefa. Potter entrevistou os ex-especialistas em perfis do FBI Robert Ressler e Gregg McCrary para obter uma imagem de como os assassinos em série pensavam e agiam. E Potter voou para o Novo México. Na Penitenciária do Oeste do Novo México, Potter encontrou Charlie Otero, com um cavanhaque e a cabeça raspada, cumprindo uma pena de três anos por lesão corporal grave em um caso de violência doméstica. Charlie fora um aluno exemplar e estava no caminho para se tornar um *Eagle Scout* quando o BTK eliminou grande parte de sua família. Desde então, estivera à deriva em termos emocionais, e se tornara usuário de drogas.

Ele ainda odiava o BTK.

"Quero que ele seja destruído."

• • •

O fórum de discussão sobre o BTK se tornou a seção mais popular do site do *Eagle*. Em abril do ano anterior, a polícia conseguira uma intimação para tentar identificar algumas das pessoas que postavam comentários no fórum. Nenhum dos "Seis Suspeitos" era o BTK. Meses depois, Johnson ainda monitorava o site, torcendo para que o BTK se juntasse àquela comunidade virtual. Ficava aborrecida quando as mensagens criticavam os policiais. Segundo dizia para Landwehr, alguns dos autointitulados especialistas em BTK eram idiotas. Muitos discutiam suas teorias sem sentido de maneira obsessiva.

Landwehr evitava ler o fórum de discussões, a não ser que Johnson levasse algum comentário à sua atenção. Na primeira vez em que isso aconteceu, acabou lendo outros comentários por curiosidade.

"Algumas dessas pessoas afirmam que eu sou um filho da puta burro", contou aos amigos em tom irônico. "Depois de ler o que alguns deles diziam, cheguei à conclusão de que eles têm razão: eu sou mesmo um filho da puta burro."

•••

O BTK não reagiu à cobertura jornalística sobre Wyatt e o poema, portanto, a polícia inventou outro pretexto para continuar alimentando a linha de comunicação e mantê-lo fora de prumo. No dia 26 de agosto, seis dias depois da coletiva sobre a canção "O Death", Landwehr se postou diante das câmeras para falar a respeito da invasão à casa de Anna Williams em 1979 e "Oh, Anna Por Que Você Não Apareceu".

"Queremos conversar com qualquer pessoa que possa ter visto o poema original ou que tenha algum outro conhecimento sobre o poema", avisou Landwehr.

O BTK não se manifestou.

•••

Em setembro, o chefe Williams percebeu que Landwehr tinha perdido peso, talvez por volta de 10 kg. Parecia estar se movendo com mais lentidão. Cindy também notou que, quando ele dormia, era apenas por algumas poucas horas.

Mas de algum modo havia concluído o bacharelado em história, abandonado em 1978. Faltavam-lhe apenas dez créditos universitários.

Landwehr também estava supervisionando a construção de uma nova casa na zona oeste de Wichita. A residência incluiria um quarto para sua mãe, por sugestão de Cindy. Irene tinha 85 anos e morava sozinha, mas algum dia precisaria de ajuda. "Por que mandá-la para uma casa de repouso?", perguntou Cindy. "Eu amo a sua mãe. Vamos trazê-la para cá." Landwehr ficara tocado. Cindy mandou que o quarto fosse projetado com uma porta larga, caso algum dia Irene viesse a precisar de uma cadeira de rodas.

Certo dia, no canteiro de obras, Cindy viu o marido olhando para os operários com uma expressão estranha. De repente se deu conta de que ele estava se perguntando se um deles poderia ser o BTK, armando um ataque contra a família.

Otis foi com ele até a obra certo dia.

"Ei, Landwehr", brincou Otis. "É provável que o BTK esteja instalando seu piso ali dentro agora mesmo."

Landwehr não riu.

•••

Setembro avançou sem nenhum sinal de que o BTK pretendia se comunicar outra vez. Gouge e os outros estavam preocupados que ele estivesse prestes a matar ou que fosse se enfiar ainda mais na toca. Vinham se perguntando se não acabariam como os policiais mais velhos da década de 1970 — assombrados pelo fracasso.

Todas as vezes em que o telefone do chefe Williams tocava, ele esperava ouvir que seus agentes tinham encontrado corpos em uma casa com a linha telefônica cortada. A cobertura televisiva o desgastava. Grande parte era especulação, e algumas emissoras combinavam imagens do BTK com músicas horripilantes. Isso apenas alimentava o ego do assassino, pensava ele.

Netta Otis via o marido pegar no sono sentado em cadeiras, exausto. O pouco tempo que ele vinha passando com os filhos também era motivo de preocupação para ambos.

• • •

Na manhã do dia 14 de setembro, a repórter de moda e colunista social do *Eagle*, Bonnie Bing, estava parada no meio da movimentada Rock Road, no nordeste de Wichita, respirando fumaça de escapamento e vendendo jornais como parte de uma ação para levantar fundos para a organização filantrópica United Way.

Bing era uma celebridade em Wichita, conhecida tanto pelo trabalho com associações de caridade como pela atuação jornalística. Ela participava de conselhos consultivos, brindava e esculhambava amigos preeminentes, e era mestre de cerimônias em dúzias de eventos beneficentes todos os anos. Naquela manhã, estava berrando com entusiasmo para os motoristas conforme passavam por ela no caminho para o trabalho. "Vamos lá, comprem um jornal!"

Um estranho se aproximou e falou com ela.

Parecia um sujeito bem intenso. Queria que ela dissesse ao antigo editor da seção de opinião do *Eagle*, Randy Brown, para encontrá-lo embaixo da ponte ferroviária na Douglas Avenue, a apenas meio quarteirão do prédio do *Eagle*. Ele tinha uma pauta para sugerir.

"Randy não trabalha mais no *Eagle*", informou Bing. "Ele não está mais lá há anos."

"Você pode ligar para ele", retrucou o homem. "Pode fazer o que quiser." Ele se afastou.

Alguns dias depois ele ligou para Bing e reiterou o pedido. Então disse: "Bonnie, os vazamentos tiveram consequências. Vou voltar a entrar em contato com você."

Bing ligou para Brown, que na época era professor na Universidade Estadual de Wichita. Ele deu risada da situação. De vez em quando, jornalistas recebem pedidos misteriosos de malucos como aquele cara.

...

Alguns dias depois, Bing recebeu um telefonema de uma amiga, uma corretora de imóveis chamada Cindy Carnahan, que parecia bem preocupada. Carnahan insistiu para que Bing largasse o que estivesse fazendo e fosse à casa dela naquele instante.

Poucos minutos depois, Bing encontrou cinco grandalhões na casa de Carnahan. Um dos rostos parecia conhecido, e Bing perdeu o fôlego. Era Ken Landwehr, o tenente da unidade de homicídios que investigava o caso BTK.

Ele apresentou os outros: Dana Gouge, Kelly Otis, Clint Snyder e Tim Relph. Em choque, Bing ouviu o que os homens tinham a dizer. Uma carta tinha sido enviada à casa de Carnahan. "Os nomes de nós duas aparecem nela", contou Carnahan a Bing.

A carta informava: "Eu vou entrar em contato com a sociável Bonnie Bing."

E alertava que "vazamentos têm consequências".

"Foi isso que o cara me disse naquele dia", revelou Bing.

"Que cara?", perguntou Landwehr.

Ela se deu conta, enquanto seu estômago começava a se revirar, de que aqueles homens achavam que ela e Carnahan eram as destinatárias de um comunicado do BTK.

Enquanto Landwehr a interrogava, Bing percebeu que ele parecia estressado e cansado, mas mascarava isso com algumas brincadeiras. Tinha modos amigáveis e simpáticos, assim como os outros policiais. Eles falavam com compaixão, tentando acalmá-la.

Landwehr lhe deu os números do seu escritório, do celular e de casa. "Me ligue a qualquer hora que precisar", disse.

...

Bing foi embora da casa de Carnahan se sentindo abalada. Costumava visitar diversas partes da cidade a cada semana para fazer reportagens, dar palestras em eventos e conduzir entrevistas para a TV e o rádio, além de atuar como voluntária em dezenas de instituições de caridade. Não podia parar de fazer isso.

E Landwehr lhe pedira para ficar de boca fechada a respeito de seu envolvimento na maior história que seu jornal cobria. "Preciso que você não conte para ninguém do *Eagle* sobre isso", avisou ele. Era uma investigação de homicídio. Eles não podiam se dar ao luxo de comprometê-la com um vazamento. Bonnie concordara, mas dissera que precisava contar ao marido. Se ela estava correndo perigo, ele precisava saber. Dick Honeyman, um advogado especializado em direito civil, pediu para ter uma conversa com Landwehr. Estava preocupado com a esposa. Mas, quando Landwehr disse que os policiais iriam vigiá-la de perto, Honeyman bufou.

"Boa sorte com isso", disse ele.

Landwehr sorriu, mas tinha quase certeza de que o BTK escolhera um novo alvo.

· · ·

Duas semanas depois, Bing foi convocada a ir à sede do FBI em Wichita, no Epic Center. Landwehr queria que a jornalista ajudasse a produzir um retrato do homem que a abordara na Rock Road. Landwehr telefonara para o FBI em Quantico, na Virgínia. "Envie o melhor desenhista de retrato falado que vocês têm", pediu.

Bing guardou seu segredo. Tinha certeza de que estava traindo sua profissão e sua chefe, a editora do *Eagle* Sherry Chisenhall. Em duas ocasiões, entrou na sala de Chisenhall para lhe contar o que estava acontecendo, mas permaneceu muda enquanto a editora esperava ouvir o que tinha a dizer. No fim, Bing acabava inventando um pretexto qualquer para tê-la procurado e se retirava, dominada pela culpa.

· · ·

Laviana estava cada vez mais sobrecarregado de pedidos para conceder entrevistas, mas foi se encontrar de bom grado com o vidente britânico Dennis McKenzie e a equipe de documentários que o levou a Wichita; era uma boa pauta para uma matéria. Laviana os acompanhou enquanto visitavam os locais dos crimes do BTK, incluindo a antiga casa de Anna Williams e a residência dos Otero. McKenzie disse achar que o BTK era um técnico de manutenção. Ou um encanador.

· · ·

"Quando é o próximo grande evento aberto ao público em geral de que você vai participar?", perguntara Landwehr a Bing na casa de Carnahan.

Um leilão, respondeu Bing. Ela seria a mestre de cerimônias para a Boo & Brew Bash, uma festa a fantasia do Dia das Bruxas para a instituição beneficente Dress for Success de Wichita.

"Quer dizer, um lugar onde todos vão estar usando máscaras?", perguntou Landwehr.

Landwehr sorriu e abaixou a cabeça com desgosto. "Que ótimo!", exclamou. Ele olhou para Relph, que sorria, todo tenso. "Isso é simplesmente ótimo."

Um ou dois dias antes da festa, Landwehr telefonou para Bing e pediu que se encontrasse com ele no lado de fora do Century II Convention Hall para esclarecer como os policiais iriam protegê-la e procurar o BTK no meio da multidão. Quando a jornalista chegou, ficou perplexa com a aparência cansada de Landwehr. Ele transmitia a impressão de que poderia cair de cara na calçada a qualquer momento. Landwehr não tocou no assunto, mas estava exausto. Todos os investigadores estavam no limite de suas forças, quase cegos pela privação de sono, se perguntando se o BTK estava planejando um assassinato em vez de outra carta.

Quando o dia do baile chegou, Landwehr enviou dois detetives... vestidos de detetives. "Se Bonnie acenar para vocês no meio da multidão durante o leilão", brincou com eles, "tratem de não acenar de volta para não acabarem comprando alguma coisa sem querer."

Os investigadores apareceram no baile como se não conhecessem Bing. Era um procedimento de disfarce padrão, que Landwehr e todos os seus detetives seguiam à risca, mesmo nos dias de folga. Se Landwehr estivesse em um mercado e um policial à paisana por acaso cruzasse seu caminho, Landwehr nunca o cumprimentaria, nem mesmo se fosse um amigo. *Nunca mostre para os bandidos que vocês se conhecem.*

Na festa, homens usando máscaras apertavam a mão de Bing, que se perguntava a cada cumprimento: *Será que é ele?*

Mas como alguém poderia saber?

• • •

Um mês depois de Bing conhecer Landwehr, seu sistema de alarme residencial disparou às 4h. Ele indicava que a linha telefônica tinha sido cortada.

"Isso não é bom", comentou Honeyman. Ele apanhou um taco de golfe de ferro e desceu a escada para enfrentar o intruso. "Fique aqui", disse para Bing. "Não", retrucou ela. O número da emergência no seu celular já tinha sido digitado, mas ela ainda não tinha acionado o botão de ligar. Enquanto o seguia, alguém começou a bater na porta da frente.

"É a polícia", gritou uma voz. As batidas continuaram.

Honeyman olhou para fora e viu um jovem policial de Wichita à porta. Ele disse que tinha ido até lá para investigar o disparo do alarme. Bing contou que acreditava ter sido a destinatária de uma carta do BTK. O policial pareceu surpreso e disse: "Com licença, preciso ligar para o tenente Landwehr".

Alguns minutos depois, mais policiais chegaram. Fizeram uma busca minuciosa pela casa de três andares. A linha telefônica estava intacta, e não havia nenhuma evidência de invasão. O que aconteceu foi que uma linha telefônica subterrânea sofrera uma pane, disparando o alarme. Bing olhou pela janela e viu os técnicos de manutenção abrindo buracos na rua para consertar a fiação. Se algum dia quiser um reparo no sistema de telefonia seja feito bem rápido, concluiu ela, é só ligar para Ken Landwehr.

• • •

A polícia enfim teve notícias do BTK no dia 22 de outubro, embora não pudesse admitir isso para os repórteres que seguiam os boatos postados no fórum de discussão do BTK. Um motorista da UPS tinha encontrado um pacote estranho em um ponto de envio no centro da cidade, perto da I-135. Testemunhas viram os detetives da força-tarefa no local, portanto, foi enlouquecedor para os jornalistas que a polícia não confirmasse "a última entrega".

O pacote continha um documento de quatro páginas rotulado "C2." rabiscado à esquerda do título: "Aurora". Parecia um relato cronológico da infância e primeiros anos da idade adulta do BTK. Também havia uma lista de duas páginas intitulada "TRÊS: 1-2-3: UNO-DOS-TRES:TEORIA do Mundio do BTK, Trabalhos em Três e é baseado no Triângulo Eterno". Havia muito se pensava que o BTK tinha uma fascinação pelo número três; todas as suas vítimas de assassinato em Wichita tinham um três em seus endereços residenciais. Os documentos haviam sido fotocopiados, recopiados e reduzidos diversas vezes, tornando difícil a tarefa de ler as palavras, mesmo depois da ampliação feita pela polícia. Foi uma leitura monótona. Ainda que o conteúdo tivesse a intenção de ser empolgante, o BTK era um escritor tedioso.

Mamãe Dormia ao meu lado de vez em quando, os cheiros, a sensação de roupas de baixo e ela me deixava acariciar seu cabelo. Barulhos da ferrovia e o cheiro de carvão, Mamãe trabalhava em algum lugar perto da Ferrovia. Mamãe ficava fora o dia todo e às vezes dias. Meus avós tomavam conta de mim. Eu sentia muita saudade de mamãe. Banhos quentes em uma banheira. eles nos banhavam. beijando a prima e eu na varanda no verão e ao lado do fogão no inverno.

Também havia o seguinte:

Reflexões de Masturbação 10-11 Anos: Se você se **Masturbar**, Deus virá e te matará. Palavras de mamãe depois que ela encontrou manchas seminais amarelas nas roupas de baixo dela um dia. Ela tentou me bater. Eu revidei. ela segurou minhas mãos atrás das minhas costas e usou o cinto do Homem para me açoitar. Engraçado que machucou mas Sparky gostou. Mamãe finalmente desistiu e disse: "Ah Meu Deus O Que Eu Fiz."

Ele escreveu que usava o serviço de prostitutas; que nasceu em 1939; que tinha passado algum tempo no Texas, na Louisiana ou em Oklahoma, ou mais para o sul. Quando garoto, espiava em segredo "Revistas de Mulher Pelada" sobre sadomasoquismo e *bondage*. Saía para espiar pelas janelas aos dezoito anos e roubava calcinhas. Tinha enforcado um gato, depois um cachorro. Viajou para o exterior pela aeronáutica na década de 1960 e invadiu as casas das pessoas enquanto estava servindo.

Mencionou fantasias, desenhos, imagens. "Sempre tinha que destruí-los quando me mudava de uma base para outra. Começava tudo de novo quando a sensação começava a voltar."

Na casa dos trinta anos, experimentara a prática de *bondage* com prostitutas. Algumas se recusavam a vê-lo de novo, "porque eu era muito assustador".

Dos 32 aos 34 anos, "eu estava começando a ter a sensação de novo e essa época foi ruim".

Listou outros assassinos em série, como Jack, o Estripador, O Estrangulador de Boston, Ted Bundy e Richard Speck. Escreveu a respeito deles como se tivesse estudado seus crimes.

"Todos foram capturados, exceto o Estripador", escreveu o BTK. "Será que eu poderia me tornar um Assassino e não ser capturado?"

A lista digressiva de duas páginas "Triângulo Eterno" incluía o seguinte:

Universo(Deus)-Cosmos(Espírito Santo)-Elementos(Filho)
Mulheres-Homem-Sexo
Psicótico-Assassino em Série-btk
btk-Vítima-Polícia
Detetive-Outros-Landwehr
Detalhes-Tempo-Atacar
Atacar-Excitação-Matar

Também fazia referência a "Tortura de afogamento de PJ" e "Chavinha de PJ".

O último item no pacote era uma colagem de gelar os ossos: fotos de crianças, recortadas de anúncios do *Eagle*, com mordaças e amarras desenhadas sobre eles com uma canetinha Sharpie. As palavras "Wichita e arredores" — retiradas da capa da lista telefônica de 2003 da Southwestern Bell — serviam como manchete. Nada disso foi divulgado ao público.

No dia 26 de outubro, Johnson enviou por e-mail um curto "alerta para a imprensa" para as redações locais. Do ponto de vista dos jornalistas, isso foi desnecessariamente vago: "Há pouco tempo, o Departamento de Polícia de Wichita obteve outra carta que pode estar ligada à investigação do BTK. Essa carta foi enviada para o FBI na segunda-feira, 25 de outubro, para autenticação." O telefonema de L. Kelly a Johnson para confirmar que se tratava do pacote encontrado no ponto de envio recebeu uma resposta curta e grossa: "O alerta permanece".

• • •

Certa noite, James Landwehr acordou de um pesadelo. Cindy demorou bastante tempo para acalmá-lo. Pediu que ele desenhasse e falasse sobre o que tinha visto.

James contou que no sonho estava vendo televisão. Houve uma batida. Não tinha mais ninguém em casa.

"Nunca vamos deixar você sozinho em casa", afirmou Cindy, interrompendo-o.

"Mas foi isso o que aconteceu no sonho", retrucou ele.

As batidas continuaram, cada vez mais altas. James abriu a porta. Ajoelhado nos degraus de entrada dos Landwehr estava um homem grande, sem cabeça e usando uma capa preta. Ele correu para dentro e agarrou James, que gritou. Era um exemplo clássico de sonho que refletia a realidade, pensou Cindy. O homem sem cabeça era o BTK, cujo rosto era desconhecido.

· · ·

Rader tinha escolhido a 11ª vítima, seguindo-a durante semanas. Estava na casa dos cinquenta anos e morava sozinha. Pensar no que faria com ela o deixava energizado.

Ele vira a conversa fiada no fórum de mensagens on-line. Sabia que algumas pessoas o desmereciam e o viam como alguém velho e frágil, sem a capacidade de ainda representar perigo.

Velho? Ele tinha 59 anos.

Frágil? Ele não era frágil, e queria provar isso.

Na sala de estar da mulher, ou talvez em um celeiro, abriria buracos na viga de sustentação, instalaria parafusos olhais e enforcaria sua próxima vítima. Comprara cabos e uma talha de alavanca — a ferramenta tipo chave de catraca usada para apertar cercas de arame. Montaria sua cena como um diretor cênico: uma crucificação, com a vítima esticada por cabos amarrados aos braços e às pernas. Ele a embrulharia em plástico. Quando tudo terminasse, atearia fogo à cena, e Landwehr que se virasse para entender o que tinha acontecido.

No final de outubro, Rader saiu para seguir a mulher pela última vez. Havia obras na rua perto da casa dela. O serviço deixava o tráfego lento na Second Street e estreitava as rotas de fuga. Isso o preocupava; ele adiou a crucificação.

· · ·

Em novembro, o chefe Williams viajou para a sede do FBI em Washington, DC, e para a sede dos departamentos especializados em Quantico, na Virgínia. Requisitou mais pessoal e equipamentos, apresentou um histórico do caso e destacou que a carta de julho do assassino incluía uma ameaça clara. Em pouco tempo, o FBI enviaria mais pessoal e computadores. A força-tarefa estava pronta para receber e apurar muito mais denúncias.

No dia 30 de novembro, Landwehr convocou outra coletiva de imprensa admitindo que o BTK "tinha fornecido certas informações de seu passado, as quais alega serem precisas".

Landwehr leu mais de vinte itens, incluindo que: o BTK alegava ter nascido em 1939, e nesse caso teria atualmente 64 ou 65 anos. Tinha uma prima chamada Susan, que se mudou para o Missouri. O avô tocava rabeca e morreu de câncer no pulmão. O pai tombou na Segunda Guerra Mundial. A mãe namorou um policial ferroviário. Tinha uma conhecida hispânica chamada Petra, com uma irmã mais nova chamada Tina. Havia consertado copiadoras. Esteve no exército na década de 1960. Demonstrava uma fascinação de longa data por trens e sempre morara perto de uma ferrovia.

Landwehr pediu ajuda para identificar qualquer homem com um histórico parecido. Os detetives amadores no fórum de discussão on-line adoraram isso. Outras pessoas não. Muita gente na cidade estava cansada da cobertura do caso BTK. Uma pessoa que ligou para o *Eagle* reclamou: "O único motivo por que o BTK deve aparecer nos noticiários é se ele for capturado. Ponto Final. A imprensa deveria parar de alimentar o ego dele com todas essas notícias. Por outro lado, a música assustadora que as emissoras de TV acrescentaram às reportagens do BTK é cômica."

• • •

As "pistas" sobre o BTK levaram os detetives por caminhos frustrantes.

Os investigadores pediram ajuda ao Centro de Controle e Prevenção de Doenças para compilar uma lista de locais de mineração onde as pessoas poderiam contrair doenças pulmonares. Fizeram verificações cruzadas de suas listas de suspeitos com funcionários de ferrovias e fanáticos por trens.

E quantas duplas de irmãs chamadas Petra e Tina, na faixa etária correta, poderiam existir? A polícia compilou uma lista de 27 ao redor da nação. Uma dúzia delas era do sudoeste, de onde o BTK insinuava ter vindo. Um par de irmãs era de Wichita, o que os detetives da internet logo descobriram.

Para evitar o assédio, as irmãs emitiram uma declaração escrita negando ter ligação com o assassino — e destacando que eram descendentes de búlgaros, não de hispânicos.

PROFILE
profile

BTK
DENNIS LYNN RADER
ROY WENZL / TIM POTTER / HURST LAVIANA / L. KELLY

1º de dezembro de 2004

42. VALADEZ

Às 9h30 do dia 1º de dezembro, o repórter Tim Potter encontrou diversas mensagens telefônicas à sua espera no *Eagle*, vindas de uma boa fonte que queria desesperadamente lhe passar uma pista. Por volta de vinte policiais estavam prestes a arrombar uma porta aos pontapés no sul de Wichita e prender alguém, informou a pessoa que ligou. Ao que parecia, eles achavam que tinham encontrado o BTK.

O endereço ficava perto da linha do trem.

Potter, o repórter Stan Finger e os fotógrafos Randy Tobias e Bo Rader seguiram para o local. Eles partiram em carros separados, tentando não alertar o suspeito. Não viram nenhum sinal de uma prisão iminente: nenhuma viatura, nenhum sinal de vigilância. Perplexo, Potter estacionou dois quarteirões mais adiante e se pôs a observar a casinha branca.

No *Eagle*, outros repórteres começaram a vasculhar os registros públicos do proprietário da casa. Aparentemente tinha 65 anos. Morava do outro lado da linha do tem. Era hispânico, como os relatos de testemunhas oculares e linguistas vinham sugerindo que o BTK poderia ser. Tinha morado em Wichita a vida inteira.

Naquela tarde, enquanto Potter dirigia por uma rua lateral na vizinhança de classe operária, reparou que estava sendo seguido por um sedã azul compacto. Ele reconheceu o veículo como um dos carros sem identificação usados pelos detetives. Potter estacionou; o sedã parou. Lá de dentro saiu Otis, parecendo irritado.

"O que você está fazendo?", perguntou o detetive.

"Trabalhando", respondeu Potter.

Otis abriu um sorriso tenso.

"Fique fora do caminho, fique longe das vistas e mantenha distância de propriedades privadas", mandou Otis.

• • •

Otis estava furioso. Ele voltou para seu carro, ligou para Landwehr e contou que Potter estava vigiando a vigilância. Landwehr perdeu as estribeiras. Mandou Otis voltar para a sede da força-tarefa; também chamou de volta os outros detetives.

O *Eagle* estava a par de uma investigação que tinha começado naquela manhã com outra pista. Uma fonte, cuja identidade a polícia nunca revelou, alertou que um homem chamado Roger Valadez poderia ser o BTK.

Quando Gouge, Relph e Otis foram à casa dele para pedir uma amostra de DNA, perceberam uma movimentação através da janela, mas ninguém atendeu à batida na porta. Potter tinha estacionado a uma distância da qual podia ver tudo enquanto os policiais esperavam para saber se havia algum mandado de prisão pendente — sem nenhuma relação com o BTK — que lhes desse autorização legal para entrar na casa de Valadez.

"O que vamos fazer agora?", perguntaram os detetives a Landwehr, de volta à sede da força-tarefa. Estavam praguejando contra os jornalistas, lançando uma enxurrada de imprecações. Parte disso era raiva; os repórteres do *Eagle* os estavam perseguindo enquanto eles perseguiam o BTK? Parte disso era privação de sono; estavam esgotados, caindo de cansaço. E parte disso era que realmente acreditavam que aquele poderia ser o cara.

Otis se perguntou se os repórteres vinham seguindo os detetives quando eles saíram do estacionamento da prefeitura. Nesse caso, estavam flertando com acusações de obstrução de justiça.

"Desgraçados, filhos da puta", esbravejou Landwehr.

• • •

Potter ligou para L. Kelly para contar: "Fui pego. Otis me parou na rua." Isso confirmava a coisa toda. Se Otis estava lá, a questão era sobre o BTK. Mas isso também complicava as coisas. O repórter e o detetive conheciam a lei, e ambos estavam apenas fazendo seus respectivos trabalhos. Os jornalistas tinham o direito de observar de seus carros, contanto que não atrapalhassem a ação policial. Kelly disse a Potter que, se um policial dissesse que ele estava obstruindo uma investigação e o mandasse embora, ele deveria se afastar e lhe telefonar na hora; os editores cuidariam de tudo a partir dali. Mas as coisas não chegaram a esse ponto. À medida que os dias passavam, repórteres e fotógrafos se revezavam em turnos à espera de que alguma coisa acontecesse. Ao que parecia, os policiais não iriam voltar. Mas poderiam.

Dana Strongin, repórter policial do turno da noite do *Eagle*, assumiu seu posto à medida que a vigilância se estendia tarde adentro. Depois de algumas horas, Laviana dirigiu até lá para que a colega pudesse fazer uma pausa para o jantar. Quando Strongin tentou dar partida no carro, descobriu que a bateria estava descarregada; era a calefação ligada para se manter aquecida. Laviana disse que iria fazer uma "chupeta" no carro, mas os dois demoraram dez minutos para conseguir levantar os capôs dos veículos. Em seguida se atrapalharam com os cabos, pois estava escuro.

Por volta das 19h30, Laviana reparou em uma agitação na residência. Minutos depois, o flash do fotógrafo do *Eagle*, Travis Heying, capturou uma imagem de Valadez algemado, sendo retirado da casa por dois policiais uniformizados e pelo detetive Tim Relph.

A polícia levou algumas sacolas e caixas para fora. O homem foi fichado na cadeia do condado de Sedgwick com mandados de prisão com acusações de invasão de propriedade e violações do código habitacional em anos anteriores — ou seja, pequenos delitos.

Depois que as coisas se acalmaram por um tempo, Strongin foi até a casa. Quando bateu, alguém deu uma espiada, mas ninguém atendeu.

Então ela viu um homem com uma lanterna.

"Qual é o seu nome?", perguntou. "Você é de onde?"

Ela se identificou.

O homem disse que era do KBI. Strongin o reconheceu como Larry Thomas, um dos melhores investigadores de homicídios do departamento. Eles passariam a noite na casa, informou o policial. "Você precisa sair da propriedade."

No *Eagle*, os repórteres verificaram os registros públicos e descobriram que o homem detido tinha dois filhos adultos e uma ex-esposa que morava na zona oeste de Wichita.

Potter foi ao endereço da ex-mulher. Disse ao jovem que atendeu à porta que o pai dele havia sido detido e que informações preliminares indicavam que a polícia talvez o considerasse um suspeito de ser o btk. Potter escolheu as palavras com cuidado.

O jovem se sentou, em choque. Crianças corriam pela casa. Ele contou que tinham acabado de comemorar o aniversário do pai, que estava aposentado. Trabalhara na Coleman grande parte de sua vida.

No jornal, a editora Sherry Chisenhall, Tim Rogers, L. Kelly e outros tiveram uma discussão acalorada sobre o que publicar. Tratava-se de um grande furo jornalístico, e a entrevista de Potter com o filho do homem era exclusiva do *Eagle*. Mas e se a polícia tivesse detido o homem errado? Valeria a pena se arriscar a arruinar a vida de um homem inocente — ou a possibilidade de encarar um processo judicial? Os repórteres e editores ligaram para fontes confidenciais próximas da investigação do btk para se inteirar da situação.

No fim das contas, o *Eagle* noticiou que uma movimentação incomum acontecera no sul de Wichita — uma prisão envolvendo um grande número de policiais, incluindo detetives da unidade de homicídios e do kbi. Mas Chisenhall tratou as informações com cautela, omitindo da reportagem o nome e o endereço do homem e referências ao "btk". Também adiou temporariamente a publicação da apuração feita por Potter, que incluía a entrevista com o filho do homem.

Os instintos de Chisenhall estavam certos. Mas depois que a notícia foi postada no site do *Eagle*, por volta da 1h15 do dia 2 de dezembro, as emissoras de televisão locais se apressaram para se informar e explorar a história. Os jornalistas televisivos ligaram os pontos ao verificarem os registros da cadeia. Às 5h, todas tinham levado ao ar com reportagens que mostravam a fachada da casa do homem. Um canal de tv divulgou o nome do homem e o apresentou como suspeito de ser o btk. Havia tantos curiosos reunidos ali por volta das 7h30 que os boletins de trânsito das rádios aconselhavam as pessoas que estavam indo para o trabalho e para a escola a evitarem a área. Os vizinhos apareceram diante das câmeras dizendo que não conseguiam acreditar que o btk morava por ali. Os repórteres comentaram sobre o quanto era assustador ver brinquedos de criança no quintal. A cena foi transmitida em rede nacional.

Naquela tarde, o chefe Williams censurou a cobertura dos noticiários: "É um absurdo quando você vê o impacto e vê o que aconteceu com uma vizinhança pelo fato de as pessoas presumirem que o Departamento de Polícia de Wichita estava realizando uma prisão relacionada ao BTK". Os policiais não tiveram outra escolha a não ser prender Valadez em razão dos mandados anteriores, informou ele.

Valadez foi liberado mais ou menos uma hora depois do anúncio do chefe de polícia, mas estava com medo de ir para casa. Multidões assistiram enquanto policiais devolviam uma van cheia de itens à casa.

Depois de conseguir tão pouca coisa com a força-tarefa ao longo de nove meses, Potter achou que estava sendo enganado, quando alguns dias depois conseguiu fazer Landwehr dizer em uma entrevista oficial que a amostra do DNA de Valadez o descartava como suspeito de ser o BTK.

Aproximadamente um mês depois, Valadez contou a Potter sua versão da prisão. Ele estava com febre e ficara de cama naquele dia. Por volta das 19h30, ouviu batidas na porta. A polícia a abriu à força. Valadez viu "um bando de caras armados". Não mencionaram o BTK, mas disseram que tinham um mandado de busca e apreensão para o seu DNA. Vamos tirá-lo de você por bem ou por mal, avisou um deles. Dois policiais o seguraram pelos ombros. Um terceiro levou um cotonete à sua boca. Durante as muitas horas seguintes, investigadores levaram itens de sua casa: documentos, máquinas de escrever, fotografias.

"Achavam que tinham capturado quem estavam procurando", disse Valadez.

Ele revelou que a polícia espalhou pelo chão e pisoteou suas fotos de família e abriu buracos nas paredes. Mais tarde, ouviu uma mulher na TV chamá-lo de assassino. Processou alguns veículos de comunicação por causa dessa cobertura.

Valadez sabia que alguns fatos sobre ele eram compatíveis com algumas informações sobre o BTK divulgadas no dia anterior à sua prisão: tinha a idade certa, servira no exército, morava perto da linha do trem. Mas sua vida não se resumia àquilo. Ele era um homem trabalhador — passara 29 anos na Coleman, e grande parte desse tempo como gerente. Era o pai carinhoso de três filhos, com três netos. Não conseguia entender o motivo para a polícia suspeitar dele.

Mais tarde, ganhou um processo de 1,1 milhões de dólares contra a empresa jornalísticas Emmis Communications, que prometeu recorrer. Ele morreu um mês depois.

· · ·

O episódio com Valadez deixou os policiais irritados com os repórteres. Landwehr avisou aos detetives para ficarem de boca fechada.

Otis estava preocupado que houvesse um vazamento na força-tarefa. Repetidas vezes pediu a Potter para contar como fora informado para ir à vizinhança de Valadez. Otis até chegou a oferecer uma troca de informações — "Você me conta e eu conto algo que queira saber". Potter recusou. Otis pediu a Potter que fosse "camarada". O repórter disse que não podia revelar a sua fonte.

Com a preocupação com vazamentos ganhando contornos de paranoia, o próprio Otis se viu sob suspeita. Certo dia, viu a repórter da KAKE Jeanene Kiesling em frente à prefeitura. Otis a considerou "particularmente atraente" com a saia que vestia naquele dia, portanto foi cumprimentá-la, para descontrair um pouco. Eles bateram papo por trinta segundos antes de Otis se reunir ao grupo de detetives do caso BTK. Os outros olharam feio para ele.

"O que você estava falando para ela?"

Dezembro de 2004 e janeiro de 2005

43. AS PRIMEIRAS CHANCES

O prefeito de Wichita, Carlos Mayans, contou ao chefe Williams certo dia que tinha recebido muitos e-mails sobre o caso BTK, alguns dizendo que Landwehr deveria ser substituído.

"O que você acha desses e-mails?", perguntou Mayans.

A pergunta aborreceu o chefe de polícia. "Não vou substituir o tenente Landwehr", respondeu. "Kenny é o melhor. Quem poderia estar mais inteirado de todos os detalhes deste caso do que Landwehr?"

Substituí-lo no meio da investigação transmitiria uma má impressão, explicou Williams. Ele não tinha como controlar a opinião pública, mas podia determinar quem chefiava a força-tarefa, e essa pessoa seria Landwehr.

O prefeito não voltou a mencionar o assunto. Mas os repórteres do *Eagle* ouviram boatos de que Landwehr estaria prestes a se aposentar ou ser substituído. Eles perguntaram às suas fontes a respeito.

"Eu sinto vontade de matar algumas dessas pessoas que fazem essas reclamações", Johnson comentou com Landwehr certo dia.

"Você não quer fazer nada disso", respondeu Landwehr. Então sorriu, incapaz de resistir a uma brincadeira. "Mas, se matar alguém, não se preocupe", brincou. "Sei como fazer *qualquer coisa* parecer um suicídio."

· · ·

No dia 8 de dezembro, Rader usou um telefone público para fazer um novo alerta à imprensa. Não fazia algo assim desde o dia seguinte ao estrangulamento de Nancy Fox, 27 anos antes, mas estava gostando da notoriedade de que desfrutava no momento. Informaria à KAKE-TV onde encontrar o pacote mais recente do BTK.

"Alô, KAKE-TV", atendeu uma voz.

"Aqui é o BTK", anunciou ele.

"Ah, tá!", disse a funcionária da emissora. *Clique.*

Irritado, Rader procurou outro número e discou.

"Joalheria Helzberg."

"Aqui é o BTK", disse ele. "Existe um..."

Clique.

Ele tentou outros números, mas todos continuavam desligando na sua cara. Na década de 1970, os trotes telefônicos mencionando o BTK tinham deixado as mulheres aterrorizadas; as pessoas estavam determinadas a não caírem nesse tipo de brincadeira doentia.

Ele ficou irritado. E ligou para uma loja de conveniência no número 3216 da East Harry.

"QuikTrip", atendeu um funcionário.

"Não desligue; tem uma bomba na sua loja. Aqui é o BTK."

Isso bastou para chamar a atenção. Brandon Saner, o subgerente do estabelecimento, foi chamado ao telefone. Rader lhe mandou anotar algumas instruções.

"Estou ligando para contar sobre um pacote do BTK na esquina nordeste da Ninth com a Minnesota", revelou Rader, então desligou.

Saner chamou a polícia.

Rader se afastou do telefone público soltando fumaça pelas ventas por causa das pessoas que desligaram na sua cara. Algumas delas pareciam jovens.

Essa nova geração, pensou. *Eles não entendem o que é importante.*

· · ·

O local indicado por Rader ficava perto do Murdock Park, ao lado da rodovia interestadual I-135. Quando Landwehr chegou, reparou em uma máquina de vendas de jornal do *Wichita Eagle* vazia — um lugar provável para deixar um pacote, pensou. Vasculhou o bolso à procura de cinquenta centavos. No fundo da máquina, encontrou papel e um pedaço de corda — lixo. Começou a caminhar pelo Murdock Park junto com patrulheiros. Eles olharam dentro de lixeiras, espiaram atrás de arbustos. Estava escurecendo; de suas casas, os vizinhos podiam ver lanternas dançando como vaga-lumes no inverno.

O pacote não foi localizado.

●●●

Três dias depois, o programa televisivo *America's Most Wanted* [Os Mais Procurados dos Estados Unidos], que combina reportagens policiais com reconstituições dramatizadas, transmitiu um segmento sobre o BTK filmado em Wichita. Os produtores da atração tentaram se aproximar da força-tarefa. Quando ligavam para a porta-voz da polícia, diziam: "Não somos da mídia; somos uma força policial". Johnson respondia: "Não, vocês são da mídia, sim!" Em tom resoluto, John Walsh, o apresentador do AMW anunciou no programa: "estou aqui para capturar o BTK". Os produtores pressionavam os policiais por informações não divulgadas e passavam para os telespectadores a falsa impressão de que tinham obtido alguma coisa. Quando Walsh disse no ar que recebera um pedido para ajudar no caso BTK, o chefe Williams ficou furioso; aquilo não era verdade. A agressividade do estilo *estamos-indo-atrás-de-você* de Walsh irritou o chefe de polícia, porque só atrapalharia a estratégia de Landwehr de tentar estabelecer um diálogo com o BTK.

O AMW divulgava informações incorretas em suas transmissões e na sua sala de bate-papo ao vivo, onde membros de uma tal de Força-Tarefa BTK do Mais Procurados da América coletavam perguntas e pistas dos telespectadores. Durante a discussão on-line, um funcionário do AMW identificado como "BTK_Task_Force3" escreveu que o assassino em série usara camuflagem e escondera o rosto durante o ataque contra Kathryn e Kevin Bright em 1974. Não era verdade.

Mas nem todas as avaliações dos policiais eram desfavoráveis. "Eu só tenho coisas boas a dizer sobre Walsh", Relph diria mais tarde. "Ele é um homem sincero." Relph, Gouge, Otis e Snyder fizeram amizade com ele, e esperavam que o alcance nacional do programa conseguisse trazer à tona algo útil. Relph e Otis pegaram um avião para Washington, DC, para oferecer ajuda quando o programa pediu que os telespectadores fornecessem pistas sobre o caso. Para Otis, era inevitável gostar de Walsh, cuja carreira perseguindo criminosos começara quando seu filhinho tinha sido sequestrado e assassinado. "Uma coisa dessas nunca deixa você, não importa o que aconteça depois", Otis declararia mais tarde.

No caso do BTK, o programa gerou muita atenção, mas nenhuma pista útil.

• • •

Ao entardecer do dia 13 de dezembro, um homem chamado William Ronald Ervin viu um pacote perto de uma árvore enquanto caminhava pelo Murdock Park. Ele o levou para a casa da mãe. A pequena sacola branca de lixo continha um saco plástico *ziplock* transparente. Dentro havia uma boneca com as mãos amarradas atrás das costas, diversas folhas de papel presas à boneca com elásticos e a carteira de motorista de Nancy Fox, assassinada 27 anos antes. A mãe de Ervin reconheceu o nome. Olhou para a televisão e viu o número do disque-denúncia do noticiário da KAKE-TV na tela.

Depois que um cinegrafista chegou à casa e gravou um vídeo do pacote em cima do tapete, a KAKE chamou a polícia. Sob ordens de Landwehr, um policial entrou, pegou o material e se retirou. A emissora de TV não conseguiu uma filmagem disso.

• • •

A aparência imaculada da carteira de motorista de Nancy chamou a atenção de Landwehr; o BTK cuidara bem dela. Tinha feito apenas um furinho em uma das bordas para que pudesse amarrá-la aos tornozelos da boneca com um fio branco.

Mas Landwehr e o chefe Williams ficaram ainda mais intrigados com o fato de o BTK lhes ter enviado o documento. Assassinos em série nunca abriam mão de troféus, e o BTK fizera isso. Por acaso estaria tentando se livrar de suvenires incriminadores? Poderia estar morrendo e usando seus troféus para se divertir uma última vez? Talvez achasse que os policiais estavam chegando perto, sugeriu Williams — talvez estivesse descartando provas.

O BTK tinha desenhado pelos púbicos na boneca seminua e enrolado uma meia-calça em volta do pescoço.

Uma carta de duas páginas, intitulada "CAPÍTULO 9, ATAQUES: PJ FOX TAIL-8-12-1977", mostrava que o BTK sentia orgulho do que tinha feito — e que queria dar aos policiais muitas informações.

Eu reparei em Nancy um dia enquanto dirigia pela área. [...] Descobri o nome dela verificando sua caixa de correio e a segui até o trabalho. [...] De perto eu visitei a loja onde ela trabalhava, perguntando sobre algumas joias no mostruário e comprei algumas joias baratas (A propósito as joias que roubei da Nancy eu dei para outra namorada). Claro que não contei para a minha namorada de onde elas vieram.

O BTK estava começando a escrever em um tom mais de conversa e confidência.

Naquele dia eu estacionei a alguns quarteirões de distância e andei até seu apartamento. Cortei a linha telefônica e invadi, esperando. Ela chegou em casa, entrou e foi confrontada na cozinha, ela ficou surpresa e foi pegar o telefone. Eu disse a ela que tinha uma faca e mostrei a Magnum no meu coldre de ombro. Nós conversamos sobre sexo e o perigo se ela não cooperasse. Ela acendeu um cigarro enquanto conversávamos e ela finalmente disse vamos acabar logo com isso, para que eu possa chamar a polícia.

Ele a deixou ir ao banheiro, a obrigou a despir o roupão, em seguida a algemou.

Eu baixei sua calcinha, passei depressa meu cinto por sua cabeça e em volta do pescoço e apertei com força mas não o derradeiro aperto de estrangulamento. As mãos dela encontraram meu escroto e ela tenta enfiar os dedos nas minhas bolas mas eu aperto com mais força isso aumenta minha excitação sexual. Eu diminuo o aperto do estrangulamento e deixo ela recobrar a consciência depois que ela desmaiou, eu falei baixinho no ouvido esquerdo dela. Eu era procurado pelos assassinatos dos Otero e de outras e ela era a próxima. Ela então começou a lutar de verdade e eu dei o aperto final, esta minha tortura mental e repetidos estrangulamentos (SBT).

• • •

O diretor de jornalismo da KAKE, Glen Horn, um profissional de 38 anos de idade e tarimbado pela intensa concorrência dos noticiários locais do sul da Flórida, tinha lembrado seus funcionários para sempre cooperarem com a polícia. Mas também achava que a emissora e o restante da imprensa de Wichita haviam sido colaborativos demais com a polícia. Horn disse que nunca teria guardado na gaveta uma matéria como "O BTK ressurge" por dois dias, como o *Eagle* fizera em março. Estava cansado da recusa dos policiais a responder perguntas, mesmo quando as mensagens do BTK eram enviadas para a KAKE. Não achava que isso fosse justo com os telespectadores, que eram cidadãos pagadores de impostos e potenciais vítimas do BTK. Não achava que fosse pedir demais obter respostas a algumas perguntas e um vídeo dos policiais fazendo alguma coisa, como por exemplo abrindo um pacote do BTK.

Nunca devemos interferir com uma investigação, pensava ele. *Mas também nunca devemos ser ingênuos.*

• • •

Diversos pontos de entrega do BTK ficavam perto da I-135, e ele estava avançando para o norte. Landwehr se perguntava se a polícia deveria instalar câmeras em postes na interestadual para que os investigadores pudessem verificar as placas dos veículos que passassem nos dias em que o BTK fizesse suas entregas. Eles conversaram a respeito, mas isso simplesmente não seria viável. Milhares de motoristas usavam a I-135 todos os dias. Eles não conseguiriam imagens claras; alguns carros apareceriam nas imagens escondidos por outros veículos enquanto passavam a 100 km/h.

Em vez disso, eles decidiram tentar persuadir o BTK a correr mais riscos.

• • •

No dia 4 de janeiro, Wichita foi atingida por uma das mais destrutivas tempestades de gelo de sua história. A chuva caía pesada e congelava depressa nos galhos das árvores, que começavam a quebrar e derrubar redes de alta tensão. As copas das árvores desmoronando soaram como disparos de canhão durante horas. No dia seguinte, enquanto milhares de cidadãos de Wichita sem eletricidade lotavam os motéis locais e a redação do *Eagle* se mobilizava para cobrir a tempestade, Landwehr fez outro anúncio público.

"A investigação revelou que um colar que pertencia a Nancy Fox não pôde ser encontrado depois de seu assassinato. O colar em questão é descrito como uma corrente de ouro com duas pérolas engastadas na vertical. A polícia acredita que [...] o BTK pode ter dado o colar para a mulher que estava namorando na época." Ele pediu que "qualquer um que acredite ter visto este colar, ou ganhado um colar parecido de presente em dezembro de 1977 ou nos primeiros meses de 1978, por favor, ligue para o disque-denúncia do BTK. [...]"

A polícia divulgou uma foto de Nancy usando o colar. A expectativa era que alguém o reconhecesse. Eles também esperavam que o discurso de Landwehr fosse influenciar o BTK a se comunicar de novo.

E foi isso o que aconteceu.

...

Quatro dias depois da tempestade de gelo, um homem dirigindo um Jeep Cherokee preto entrou no estacionamento da loja de materiais de construção e decoração Home Depot na North Woodlawn, no nordeste de Wichita. O estacionamento estava lotado. Milhares de galhos de árvores tinham caído; a Home Depot estava vendendo muitas motosserras. Câmeras de segurança automatizadas gravaram uma imagem borrada de um veículo circulando pelo estacionamento algumas vezes, então parando. O motorista andou até uma picape ali perto e parou ao lado do veículo. Ele pareceu colocar alguma coisa na caçamba do utilitário.

Então se afastou em seu carro.

...

Edgar Bishop trabalhava na Home Depot. Seu amigo Kelly Paul reparou em uma caixa de cereal Special K na caçamba da picape. Escritas na caixa em letras de forma estavam as palavras "BOMBA" e "BTK PRE—".

Bishop achou que fosse uma brincadeira. Quando ele e Paul abriram a caixa, encontraram um colar de contas e diversas páginas de anotações feitas no computador. Havia uma página rotulada "BOOM" com um bilhete dizendo que qualquer um que entrasse no "COVIL DO BTK" desencadearia uma explosão. Em outra página, havia uma longa lista de "PJS", incluindo um parágrafo sobre P.J. Wyatt.

Parecia bobagem. Bishop achou que alguém estava tirando sarro dele. Jogou tudo no lixo.

...

O reverendo Terry Fox ampliara a congregação de sua Igreja Batista Immanuel em centenas de membros nos anos anteriores pregando uma mensagem religiosa conservadora e oferecendo ajuda para as famílias, inclusive as mais pobres. Ele se tornara conhecido em todo o estado alguns meses antes ao liderar um esforço para incluir uma emenda contra o casamento gay em um referendo estadual. Fox então decidiu se concentrar na preocupação mais eminente da cidade. Convocou um encontro de orações da comunidade no dia 11 de janeiro para persuadir o BTK a confessar seus pecados.

Alguns pastores locais o acusaram de agir motivado apenas para ganhar publicidade, mas Fox persistiu. Esperava que centenas de pessoas fossem aparecer, mas com a população ainda em abrigos ou motéis e ocupada com a remoção de entulho depois da tempestade, a igreja acabou recebendo apenas por volta de cem pessoas em seu ginásio. Duas eram policiais: o subchefe de polícia Robert Lee e o detetive da força-tarefa do BTK Kelly Otis.

Fox incitou o assassino a tomar uma atitude: "Você obviamente fez péssimas escolhas, até mesmo trágicas escolhas, até agora. Como pastor, estou convocando você a tomar a escolha certa ao se render para que nunca mais possa machucar alguém."

Ninguém se apresentou. Nos fundos do ginásio, Otis estudou os rostos na multidão.

$$\bullet \; \bullet \; \bullet$$

Os detetives tinham aberto mão de muitas folgas, mas o departamento estava acumulando um volume de pagamento de horas extras que vinha drenando o orçamento, e havia outras contas a pagar. Portanto, foi com gratidão que o chefe de polícia de Wichita recebeu uma série de telefonemas de um congressista do Kansas. O parlamentar republicano Todd Tiahrt providenciou em janeiro para que 1 milhão de dólares do tesouro federal fosse enviado para ajudar a polícia. Para obtê-lo, Tiahrt abordara assertivamente o presidente do Congresso, Dennis Hastert, e o líder da maioria republicana, Tom DeLay, às vezes em seus gabinetes, às vezes no plenário.

Williams e Landwehr ficaram contentíssimos. Usaram o dinheiro para pagar horas extras, carros alugados, computadores, testes de DNA e uma longa lista de outras necessidades.

Ainda que se sentissem gratos, pediram a Tiahrt para manter o trabalho em benefício deles em segredo. Johnson justificou dizendo que os policiais não queriam que o BTK ficasse sabendo. Tiahrt concordou.

"Mas se vocês o pegarem, eu quero estar lá", disse ele.

•••

No dia 25 de janeiro, a KAKE recebeu um cartão-postal do BTK. O endereço do remetente era "S Killett", residente no número "803 da N. Edgemoor", uma referência à residência dos Otero. A missiva estava rotulada como "Comunicação nº 8".

Data: Semana de 17-1-2005
Onde: Entre a 69th e a 77th N na Seneca St.
Conteúdo: Caixa de cereal Post Tosties, C-9, PJ-Pequena Mexicana
& Boneca, refúgio do KS, Lista de Acrônimos e Joias.

Havia mais, porém o diretor de jornalismo Glen Horn mandou Chris Frank, um repórter da KAKE, se dirigir imediatamente para a isolada estrada rural que o BTK tinha mencionado e ver se havia algum pacote.

Horn então tentou decidir o que contar aos policiais. À medida que a história do BTK se desenrolava, ele vinha tentando fazer a coisa certa, às vezes consultando especialistas de ética jornalística do Poynter Institute. Queria muito que a KAKE tivesse acesso exclusivo ao que quer que acontecesse em seguida.

Ele ligou para a polícia para avisar que a KAKE recebera um cartão-postal.

Landwehr mandou Otis lá buscá-lo.

Otis entrou apressado no saguão da sede da emissora minutos depois e pediu o cartão-postal a Horn. Para sua surpresa, Horn começou a tentar negociar um acordo. Disse que queria filmagens dos policiais abrindo o pacote caso algum fosse encontrado no local indicado no cartão-postal. Também gostaria que o chefe Williams fosse à KAKE para que pudessem fazer uma gravação com ele.

"Isto é uma investigação de homicídio", Otis respondeu para Horn. "Preciso daquela mensagem agora." Mas Horn continuou falando, em um tom brusco.

Otis sacou o celular, ligou para Landwehr e explicou em breves palavras o que Horn queria. Otis então entregou o celular para Horn. "Ele quer falar com você", avisou o detetive, soturno.

Horn pegou o telefone.

"Não vou ficar brincando de *Let's Make a Deal*[1] com você", avisou Landwehr. "O detetive Otis precisa dessa informação agora. Você vai entregar essa informação ao detetive Otis imediatamente ou ele vai deter você e o seu pessoal um de cada vez até esvaziar o prédio. Ele vai prender você por interferência em uma investigação de homicídio."

"Tudo bem", disse Horn.

Horn devolveu o celular, então entregou o cartão-postal a Otis. Otis o leu e se retirou.

Horn declarou mais tarde que não teria se incomodado de ir para a cadeia. "Era só me jogar uma gaita que eu teria me sentado na cadeia e tocado uma canção", foi o que disse. Ele se perguntou se havia exagerado na insistência com Otis. "Por outro lado, ser legal não nos tinha levado a lugar nenhum, e eu estava cansado daquilo."

O cartão-postal do BTK continha mais uma pista enigmática e provocativa.

> Me avise de algum modo se você ou o Departamento de Polícia de Wichita recebeu isto. Também me avise se você ou a Polícia recebeu o nº 7 na Home Depot. Lugar de entrega 8-1-05. Obrigado.

Antes de ligar para a polícia, Horn enviara o âncora do noticiário, Larry Hatteberg, para as duas lojas da rede Home Depot da região: "Comece a perguntar por lá se eles viram alguma coisa estranha."

• • •

Quando saiu da KAKE, Otis ligou para Gouge e Relph e lhes disse para seguirem para North Seneca.

Quando o detetive chegou lá, encontrou Gouge, Relph e diversos funcionários da KAKE-TV, incluindo os repórteres Chris Frank e Jeanene Kiesling. Todos estavam olhando para a caixa de cereal Post Toasties enfeitada com uma fita de papel crepom vermelha, presa ao chão por um tijolo, encostada à base de uma placa de curva perigosa.

Gouge estava incomodado. Aquele trecho da Seneca era de terra; os repórteres tinham subido a estrada e manobrado próximo da placa, obliterando as marcas de pneus que poderiam encontrar ali.

---

1 Programa de televisão em que os participantes precisam negociar com o apresentador, decidindo se vão trocar o item oferecido por outro item oculto ou se vão ficar com o primeiro. [NT]

Depois tinham se aproximado quase meio metro da caixa, deixando pegadas na areia macia; quaisquer esperanças de encontrar pegadas do btk desapareceram.

O detetive apontou para bitucas de cigarro largadas a alguns centímetros da caixa. Os policiais adoram encontrar bitucas de cigarro em cenas de crime — eles podem analisá-las à procura de DNA. Gouge estava dizendo a Otis que iria coletá-las quando Kiesling lhe contou que eram dela. Quanto mais Otis ouvia, mais irritado ficava. Teriam que coletar amostras de Kiesling depois disso. Talvez eles devessem abrir uma exceção no caso dela e obter o DNA com uma agulha e uma seringa. *Eu quero sangue*, pensou Otis.

Otis olhou ao redor. Eles estavam em uma zona rural no norte de Wichita, entre as cidades de Valley Center e Park City.

Por que o btk *colocou esse negócio aqui?* Ocorreu-lhe que estavam a uma certa distância a pé de Park City, a cidade natal de Dolores Davis e Marine Hedge... duas mulheres estranguladas, com suas linhas telefônicas cortadas.

Landwehr chegou alguns minutos depois, acompanhado do perito laboratorial da polícia, Patrick Cunningham. O tenente ainda estava agitado por causa da conversa com Horn; pensou em perguntar para a promotora Nola Foulston se a kake estava cometendo o crime de obstrução de justiça. Landwehr ficou mais irritado quando os detetives lhe mostraram as bitucas de cigarro e as pegadas.

Landwehr lançou um olhar para os repórteres da kake.

"Eles abriram a caixa?", perguntou.

"Disseram que não, mas quem é que sabe", respondeu um detetive.

"Chris, você encostou na caixa?", indagou Landwehr em seu costumeiro tom cordial.

Nenhum deles tinha posto as mãos nela, mas Chris Frank, sabendo que Landwehr tinha uma veia cômica, fez uma piadinha. "Fiquei tentado a fazer isso, mas não tinha nenhum leite para colocar no cereal."

"Bom, Chris", disse Landwehr em um tom calmo, "se você tivesse encostado na caixa, eu teria me certificado para que Nola lhe levasse todo o leite de que precisasse na cadeia."

Frank sorriu. Ele achou que Landwehr estava brincando.

Landwehr caminhou de volta até os detetives. "Se encontrarmos qualquer indicação de que eles a abriram, vai ter um bando de jornalistas indo para a cadeia hoje", disse.

Otis lhe mostrou o cartão-postal. Landwehr mandou Gouge e Relph para conferirem as filiais da Home Depot. Quando chegaram à loja da North Woodlawn, viram que uma van da KAKE já estava lá. Hatteberg estava lá dentro, interrogando as pessoas antes dos detetives.

É por isso que não gostamos da imprensa, pensou Gouge.

• • •

Dentro da caixa de cereal Post Toasties, os detetives encontraram o show de horrores de costuma: um bilhete, "LISTA DE ACRÔNIMOS DO BTK" e outra boneca, esta com uma mordaça na boca e fios prendendo os pulsos, a cintura, os joelhos e os tornozelos. A boneca estava nua da cintura para baixo, com a área pubiana escurecida por um marcador permanente. Uma corda de sisal ligava o pescoço da boneca a um curto pedaço de cano de plástico branco. Landwehr o reconheceu como um lembrete provocativo de Josie Otero.

O bilhete mostrava mais uma vez que o BTK se considerava algum tipo de policial ou agente secreto. Policiais adoram abreviações; o assassino também, e tinha usado uma grande quantidade delas nesse bilhete. Explicou que SBT significava *Sparky Big Time* [Hora da diversão do Sparky] ou masturbação; SXF era *sexual fantasy* [fantasia sexual]; DBS era *Death By Strangulation* [Morte por Estrangulamento]; DTPG era *Death to Pretty Girl* [Morte à moça bonita]. E havia muitas outras.

Não foi encontrada nenhuma referência ao outro pacote mencionado no cartão-postal, e interrogatórios e buscas nas duas lojas da Home Depot não deram em nada. Os detetives pediram aos gerentes para afixarem um bilhete nas salas de descanso dos funcionários, perguntando se alguém tinha visto ou encontrado alguma coisa estranha nas últimas semanas.

• • •

Otis não foi a única pessoa a reparar que a caixa de cereal da Seneca Street havia sido encontrada bem perto de Park City e a se perguntar se o BTK não havia matado mais duas pessoas além daquelas que os policiais tinham confirmação. Dois dias depois de o pacote da Seneca Street ser encontrado, o *Eagle* publicou uma matéria escrita por Laviana e Potter destacando a possível conexão entre os homicídios de Hedge e Davis e o caso BTK. Citaram ex-policiais segundo os quais os investigadores havia muito suspeitavam de que os assassinatos em Park City estavam relacionados. Laviana, que tinha feito a cobertura de ambos os homicídios anos antes, escreveu que os residentes de Park City conversavam à boca pequena a respeito dessa ligação fazia anos.

• • •

Quando Edgar Bishop viu o bilhete na sala de descanso da Home Depot, ele se apresentou à polícia de imediato, contando aos policiais sobre a caixa de cereal Special K que encontrara na caçamba da sua picape duas semanas antes.

Bishop a jogou fora, mas logo depois saiu de férias — então seu cesto de lixo não tinha sido levado para a calçada e para a coleta. Ele ainda estava com o pacote.

Otis e a detetive Cheryl James o entregaram para o laboratório do FBI. Viram a descrição do BTK a respeito de como pretendia explodir sua casa com uma bomba de propano e gasolina se os policiais a invadissem. Isso incitou uma sugestão irreverente de Relph e Otis, que ainda estavam irritados com o *Eagle* por ter ido até a casa de Roger Valadez dois meses antes. Eles brincaram que, se a casa do BTK estivesse mesmo preparada para explodir, os policiais deveriam convidar o pessoal do jornal a entrar primeiro.

Landwehr sorriu.

• • •

Grande parte do que foi escrito na caixa de Special K era o material egocêntrico de sempre. Ele gostava de chamar a si mesmo de "Rex", latim para "rei", por exemplo. Mas o bilhete rotulado de "COMUCAÇÃO" era intrigante:

> Será que posso me comunicar com Disquete e não ser rastreado a
> um computador. Seja honesto. Sob a Seção Miscelânea, 494, (Rex,
> vai ficar tudo bem), publique-o por alguns dias caso eu esteja
> fora da cidade-etc. Vou experimentar um disquete para um teste
> em algum momento no futuro próximo-fevereiro ou março.

Ele estava falando sério?

Otis achava que aquilo era mais do mesmo papo furado do BTK. Gouge, Snyder e Relph concordavam. O BTK achava mesmo que podia se comunicar com um disquete e não deixar um rastro? Era burro o bastante para pensar que os policiais iriam "ser honestos" a respeito de um disquete ser rastreável ou não? Claro que um disquete era rastreável.

"Ele só está brincando com a gente", comentou Otis.

"Talvez", disse Landwehr. "Mas vamos desafiá-lo mesmo assim."

Ele se preparou para publicar um anúncio pessoal na seção de miscelânea dos classificados do *Eagle*.

"Seja honesto", escrevera o BTK.

Quando era um jovem policial, Landwehr trabalhara à paisana, deixando o cabelo crescer até os ombros, vestindo-se de maneira desleixada, fingindo vender produtos roubados. Foi assim que aprendera que não era bom nisso, porque não sabia mentir. Não que fosse contrário à ideia de mentir para criminosos; só não era bom nisso.

Mas, se o BTK estivesse mesmo pedindo conselhos sobre um disquete ser rastreável ou não, Landwehr pretendia mentir da melhor maneira que conseguisse.

Ele enviou a detetive Cheryl James ao *Eagle*.

James contou ao funcionário dos classificados que seu nome era Cyndi Johnson. Deu um número de telefone falso e contou que precisava publicar um anúncio por sete dias consecutivos, começando logo no dia seguinte. O funcionário lhe cobrou uma taxa de 76,35 dólares.

O anúncio começou do modo como o BTK instruíra: "Rex, vai ficar tudo bem..."

• • •

Os detetives se espalharam por toda a cidade, verificando códigos de barras e visitando lojas de variedades da rede Dollar General para tentar descobrir onde o BTK havia comprado o cereal e as bonecas. Enquanto isso, a coleta de amostras continuava.

O código da caixa de cereal deixada na Home Depot revelou que ela veio de um mercado Leeker's na 61st com a North Broadway em Park City — logo ao norte de Wichita —, perto da I-135.

• • •

O pai de Tim Potter foi um fuzileiro naval que sobrevivera a combates em Guadalcanal, Okinawa e outras ilhas do Pacífico durante a Segunda Guerra Mundial. Potter aprendeu que, com paciência, conseguia encorajar o pai e convencê-lo a falar sobre a brutalidade da guerra, e também sobre os momentos de humanidade que podiam ser encontrados durante um conflito.

Como repórter, Potter fez da escrita sobre traumas sua subespecialidade — quando assassinatos aconteciam, ele procurava os familiares sobreviventes para conversar. Ao contrário da maioria dos repórteres policiais, Potter raramente falava palavrões e nunca contava piadas macabras. Escrevia com discernimento sobre tragédias, usando as entrevistas com sobreviventes para criar pequenos retratos dos falecidos. Com frequência ficava surpreso com a disposição dos sobreviventes para falar — parecia ser uma forma de terapia para eles.

Com os policiais se abstendo de fazer comentários sobre o BTK, Potter encontrara outras maneiras de escrever sobre o caso em meio ao desenrolar das mais recentes notícias. Tentou, durante meses, conseguir uma entrevista com a proprietária da antiga casa dos Otero. Certo dia, ela ligou desesperada para o repórter. Três dias depois do pacote da Seneca Street ser encontrado, o *Eagle* publicou uma matéria sobre ela.

O nome dela era Buffy Lietz, e morava com o marido na esquina da Murdock com a Edgemoor. Em volta da casinha, tinham plantado íris, rosas, narcisos e lírios-do-vale. Potter foi o primeiro repórter que ela recebeu. Tinha desligado na cara do *America's Most Wanted* cinco vezes até afinal deixar que filmassem seus segmentos e fossem embora. Crianças costumavam ir até a porta dos fundos espiar pelo vidro, mesmo antes de o BTK ter reaparecido, no ano anterior. As pessoas estacionavam na frente da casa e ficavam observando. Imagens da sua residência eram publicadas na internet. Ela estava cansada de ver estranhos sempre por perto. "É assustador", contou a Potter.

Ela e o marido tinham comprado a casa anos antes sem saberem que fora o local de um assassinato. Só queriam ser deixados em paz.

Potter se sentiu como um abutre ao fazer esse trabalho. Ficou em pé na cozinha onde o BTK tinha confrontado a família. L. Kelly insistira que era necessário ver o porão onde Josie Otero tinha morrido.

Quando perguntou a Lietz se podia descer até lá, ela respondeu que não.

···

O estacionamento da Home Depot na North Woodlawn contava com três câmeras de segurança. Landwehr, seus detetives e os agentes do FBI estudaram as fitas até descobrirem qual picape no movimentado estacionamento pertencia ao funcionário Edgar Bishop. Enquanto assistiam às fitas do dia 8 de janeiro, viram uma série de imagens que juntaram em sequência para formarem uma narrativa.

A princípio era tudo um borrão, centenas de veículos entrando e saindo.

Mas então eles reparam em algo interessante: um veículo circulou pelo estacionamento diversas vezes. Às 14h37, um homem saiu desse veículo, se aproximou da picape de Bishop e deu a volta nela. Parecia que estava anotando a placa de Bishop. Então pareceu colocar algo na picape e se afastar.

Eles rebobinaram a fita, avançaram, rebobinaram, avançaram.

Rastrearam a volta do homem ao próprio veículo.

Rebobinaram, avançaram, rebobinaram, avançaram.

Não conseguiam identificar que tipo de veículo ele dirigia. Melhoraram a qualidade do vídeo. Analisaram a curvatura do capô, a inclinação do para-brisa, a distância entre os eixos...

O BTK dirigia um Jeep Cherokee escuro.

Os detetives correram para os computadores e checaram registros de veículos motorizados.

Quantos Jeep Cherokee escuros havia na área de Wichita?

Apenas 2500.

Com alguns toques no teclado do computador, os detetives de Landwehr tinham encurtado drasticamente a lista de suspeitos.

E no vídeo, pela primeira vez, tiveram um vislumbre do BTK.

Fevereiro de 2005

44. A GRANDE OPORTUNIDADE

No dia 3 de fevereiro, a KAKE recebeu um cartão-postal no qual o BTK agradecia à emissora "pela rápida resposta aos n°s 7 e 8" e agradecia à "Esquipe do Noticiário por seus esforços". Pediu que contassem à polícia "que eu recebi a Pista do Jornal para um sinal verde", e prometeu "um teste em breve".

Landwehr planejava chamar o esquadrão antibomba e passar o pacote seguinte por um raio-X antes de abri-lo. Mas isso representava um problema adicional: se a nova remessa do BTK contivesse um disquete, um raio-X embaralharia as informações contidas nele? Os policiais compraram disquetes e os testaram. Os testes mostraram que as informações sobreviveriam à exposição a um raio-X.

Saber disso pouco fez para aliviar o fardo que Landwehr carregava. Em casa, ele e Cindy tinham por fim conseguido dar um pouco de paz de espírito a James, que vinha passando noites de terror, dormindo na cama dos pais com a luz acesa, depois que o BTK reaparecera. Seus pais o tinham convencido de que o BTK era velho demais e cauteloso demais para ir atrás do filho de um tenente com viaturas passando diante de sua casa a cada hora. Landwehr estava tentando manter a proximidade com o garoto apesar das longas horas passadas no trabalho. O tenente ainda estava perdendo peso, ou pelo menos era essa a impressão do chefe de polícia; seus homens achavam que o cabelo de Landwehr tinha ficado muito mais grisalho.

A nova caçada já durava dez meses. Landwehr estava cansado.

• • •

Rader também estava ficando cansado. Seu método de assustar pessoas dava trabalho: escrever a mensagem, tomar cuidado para não fornecer nenhuma pista. Sempre usar luvas. Dirigir até uma copiadora e copiar a mensagem. Então se deslocar até inúmeros outros locais e voltar a copiá-la. Fazer diversas cópias e aparar as bordas do papel tornava difícil para os policiais descobrirem quais máquinas eram usadas. Ele estava cansado de ficar dirigindo por aí. Tinha um emprego e ainda estava perseguindo mulheres; isso demandava tempo e esforço. Estava pensando em otimizar suas tarefas — por isso a ideia do disquete de computador.

Rader usou um computador do trabalho, mas não era muito familiarizado com a informática. Por cautela, vinha fazendo discretamente perguntas a respeito, inclusive para Landwehr. Achava que a polícia não poderia rastrear um disquete.

Ele se divertia em jogar com Landwehr. Sabia que o tenente estava falando com ele e gostava disso. Na grandiosa e magnífica partida que disputavam, eles colocavam todas as suas cartas na mesa, e o cara mau sempre vencia. Rader queria que isso continuasse para sempre, e suspeitava que Landwehr também.

• • •

Durante um longo tempo, a mãe solteira Kimberly Comer vivera com medo do fiscal da prefeitura de Park City, Dennis Rader.

Ela se mudara para Park City um ano e meio antes e logo reparou em uma picape vermelha com vidros escurecidos. O sujeito dentro do veículo tirava fotos polaroides dela e de seus filhos. Ela achava que poderia estar sendo espionada, assim como Michelle McMickin, a amiga com quem dividia a casa. McMickin acionou a polícia de Park City. Mas, quando os policiais chegaram, agiram como se soubessem quem era o sujeito — e como se o fato não tivesse nenhuma importância. Kimberly não conseguiu entender aquela atitude. Pouco depois, de fato conheceu o sujeito. Ele estava dirigindo uma picape branca da prefeitura e disse que era fiscal da prefeitura de

Park City. Em seguida, deu-lhe um sermão sobre os pertences que deixara do lado de fora da garagem.

Ao longo dos meses seguintes, Rader entregou a Kimberly autuações e advertências. Às vezes, enfiava a cabeça para dentro da janela de sua cozinha e olhava ao redor. Costumava fazer perguntas sobre ela para seus filhos.

Depois que ela fez uma reclamação junto aos membros do conselho administrativo de Park City, o fiscal passou a ir à sua casa com mais frequência. Alegava que um Firebird 1995 que ela deixara estacionado no quintal estava abandonado. Kimberly ficava mais agitada a cada vez que ele a abordava. Continuava achando-o sinistro, mesmo depois de ele ter sido gentil e cuidadoso com seus filhos. No início de 2005, os filhos de Kimberly Comer, Kelsey, de onze anos, e Jordan, de nove, estavam brincando em um parque. Um grande cachorro preto começou a latir e a persegui-los. Kimberly estava em casa, a dois quarteirões de distância.

Rader, passando de carro, viu o cão perseguindo as crianças, correu para o parque, pegou as crianças nos braços e as colocou em sua picape. O fiscal as levou para a casa e lhes deu um distintivo adesivo e seu cartão de visitas. Ele era legal, disseram as crianças.

Mas então começou a atormentar Comer de novo a respeito do carro "abandonado". Na primeira audiência sobre o veículo no fórum de Park City, algumas semanas depois, Kimberly foi dirigindo até o prédio da prefeitura. Disse a Rader que seu automóvel "abandonado" estava estacionado do lado de fora. Rader se recusou a ir lá fora olhar. Em vez disso, colocou a mão no ombro dela e lhe disse para transmitir sua queixa na audiência seguinte. Ela se retirou, irritada. Ele se afastou sem demonstrar o menor sinal de incômodo.

Rader andava com a cabeça cheia. Vinha escrevendo bastante nos últimos tempos.

$$\bullet\ \bullet\ \bullet$$

Em um intervalo de alguns dias depois de enviar a mensagem à polícia ameaçando explodi-los em seu covil, Rader aceitara o cargo de presidente da congregação da Igreja Luterana de Cristo, no nordeste de Wichita. O membro da igreja que lhe ofereceu a posição, Monty Davis, editor-assistente de fotografias do *Eagle*, admirava Rader porque ele era trabalhador e confiável.

• • •

No dia 16 de fevereiro, uma recepcionista da KSAS-TV, uma afiliada da Fox, encontrou um envelope de plástico bolha na correspondência, decorado com sete selos da bandeira norte-americana de 37 centavos. "P.J. Fox" era o nome do remetente. Pouco tempo depois, os funcionários da televisão chamaram a polícia. Uma equipe da KWCH-TV, que produzia o noticiário local da Fox, fez uma gravação do conteúdo: uma corrente de ouro e um pingente, e três fichas pautadas — uma das quais instruindo aos policiais como poderiam voltar a entrar em contato com o BTK por meio de outro anúncio no jornal. Havia também um disquete roxo.

Gouge e Otis adentraram a emissora minutos depois, viram as coisas espalhadas em cima de uma mesa e se mostraram impacientes para pegar os itens e ir embora. Um disquete! Seria verdade? Otis começou a interrogar a recepcionista, enquanto Gouge conversava com os diretores da emissora, falando com educação, mas de um modo bem direto: "*Não* divulguem nenhuma das gravações que fizeram aqui — e liguem para o tenente Ken Landwehr antes de fazerem qualquer outra coisa. Não divulguem nem digam nada sobre o disquete."

Eles concordaram. Gouge não queria que os telespectadores soubessem que a polícia estava trocando mensagens com o BTK por meio de anúncios no jornal, e não queria que a notícia de que havia um disquete do BTK em posse dos detetives se espalhasse. Se a KWCH e KSAS transmitissem essas informações, a investigação estaria comprometida — os repórteres entrevistariam especialistas em computadores, e o BTK descobriria que os disquetes são fáceis de rastrear.

Os dois investigadores juntaram os itens e foram embora. Gouge estava ao volante. Otis pegou o celular. "Mande Randy Stone ficar pronto", disse Otis a Landwehr. "Temos um disquete no pacote." Stone era o mago da informática da força-tarefa.

A viagem de volta ao Epic Center, onde a força-tarefa estava baseada àquela altura, levou apenas alguns minutos, ainda que tenha parecido mais longa. Otis, conversando com Gouge, ainda se mostrava cético: "É provável que ele tenha formatado deliberadamente o disquete no computador público que usou, então nós vamos aparecer e revirar o lugar de cima a baixo, enquanto ele fica de longe, só observando."

Gouge dirigiu até o Epic Center o mais rápido que a lei permitia. Quando ele e Otis chegaram lá, entraram no escritório do terceiro andar onde a força-tarefa se reunia e entregaram o disquete a Stone. Gouge acreditava que o disquete poderia fornecer uma pista insignificante, e que ainda precisaria ser compatível com o nome de alguém que dirigia um Jeep Cherokee escuro. Imaginava que isso exigiria muito tempo e esforço.

Stone inseriu o disquete em seu computador, com Landwehr, Relph, Gouge, Otis, Snyder, Cheryl James e o agente do FBI John Sullivan parados atrás dele. Kim Parker e Kevin O'Connor, do gabinete da promotoria, também estavam lá. Todos tinham aprendido a conter a animação até que a prova se revelasse sólida. Gouge achava que seriam necessários dias para resolverem aquilo.

Stone não demorou a abrir o arquivo "TestA.rtf", a mensagem que o BTK tinha escrito para eles: *"Isto é um teste. Veja Ficha 3X5 para detalhes sobre como se comunicar comigo pelo Jornal."*

Stone em seguida clicou no campo "propriedades" do arquivo. E então, em letras claras, leram o nome "Dennis". A tela também informava que o disquete estivera em um computador registrado no nome da Igreja Luterana de Cristo e fora usado pela última vez na biblioteca pública de Park City.

"Olha só isso", exclamou alguém, empolgado. Seria mesmo assim tão fácil?

James e Sullivan se sentaram diante de outros computadores na sala e fizeram uma busca na internet pela Igreja Luterana de Cristo. Demorou apenas alguns segundos. Acessaram um site e apontaram para o nome do presidente da congregação: Dennis Rader.

"Ah, meu Deus!", disse alguém.

Eles tinham um nome.

Gouge, Snyder e os outros só observavam, espantados.

James então usou o serviço de inteligência privada ChoicePoint para obter o endereço de Rader: Independence Street, 6220, Park City.

Ouviu-se o som de arrastar de pés. Stone desviou os olhos do computador e viu que todos os detetives tinham disparado para a porta.

• • •

Snyder e Relph pegaram o carro e saíram às pressas; Gouge e Otis tentaram alcançá-los, mas não chegaram nem perto. Gouge mais tarde afirmou que ele e Relph praticamente apostaram uma corrida na estrada enquanto rumavam em altíssima velocidade para o norte pela I-135, mas a verdade é que, quando Gouge pegou a entrada do bairro de Dennis Rader, Relph estava alguns quilômetros à frente, e Snyder, sentado ao seu lado, estava amedrontado: o modo como Relph dirigia era assustador, mesmo quando não estava em alguma Cruzada. Durante o trajeto, James ligou para contar que uma busca no computador não encontrou nenhuma evidência de que Rader tivesse um Jeep Cherokee.

Eles seguiram em frente mesmo assim, temendo outra enorme decepção. "Talvez o BTK esteja armando para cima de Dennis Rader", especulou Snyder.

Relph dobrou uma esquina e seguiu para o sul pela Independence, vendo os números nas caixas de correio passarem voando. Ele viu a casa de Rader no mesmo instante em que Snyder começou a berrar: "Tem um Jeep na entrada para carros!"

Relph viu um Cherokee preto. Snyder soltou outro grito empolgado e socou Relph no braço repetidas vezes. Snyder berrou "Vai devagar!", em seguida "Acelera!", quase sem parar para respirar enquanto tentava ler a placa do Cherokee. Relph passou em alta velocidade pela casa, depois meteu o pé no freio, pisou no acelerador e deu um cavalo-de-pau com o carro, cantando pneus. "Merda!", exclamou Relph, envergonhado. "Que jeito bom de passar despercebido." Eles não podiam correr o risco de alertar o BTK.

Ele se deram conta de que tanto o carro em que estavam como o de Otis e Gouge eram Ford Taurus, cada um levando dois homens de terno. Era como se tivessem pintado as palavras "SOMOS POLICIAIS" na lataria dos veículos. "Avise os caras para manterem distância", disse Relph para Snyder, que ligou para Otis e passou a mensagem.

"Relph está dizendo para vocês não passarem na frente da casa", contou Otis para Gouge.

"Relph que se foda!", exclamou Gouge. "Eu vou passar ... quero ver com os meus próprios olhos."

"Não, não, não faça isso, cara", disse Otis, aos risos. "Você não vai querer fazer isso."

"Quero, sim", falou Gouge. Mas ele parou o carro.

• • •

Estacionado a meio quarteirão da casa de Rader, Snyder ligou para Landwehr a fim de contar sobre o Jeep Cherokee e perguntar o que fazer. Se Landwehr desse o sinal verde, contou Snyder, ele ficaria feliz em arrombar a porta de Rader a pontapés e arrastá-lo para a calçada. Ele conjeturou, enquanto falava, que os quatro ficariam vigiando a casa e esperariam a chegada de reforços para fazer um cerco à casa antes de entrarem. Mas achava que não deveriam esperar muito tempo. *E se o* BTK *recebesse alguma indicação de que eles estavam de olho nele? O* BTK *poderia se matar ou queimar as provas, caso ainda as tivesse. E se houvesse um vazamento para a imprensa agora, como o negócio com Valadez?*

Landwehr ouviu com atenção enquanto Snyder lhe contava sobre o Cherokee. "Já ligo de volta", disse Landwehr. E desligou.

Otis e Gouge estacionaram em uma ponta da rua de Rader; Relph e Snyder, na outra. Eles esperaram e observaram. O tempo havia voado. A ligação da KSAS chegara pela manhã. Àquela altura, já era mais de meio-dia.

Cheryl James voltou a ligar; ela encontrara um Cherokee, no fim das contas, registrado no nome de Brian Rader, filho de Dennis.

Eles se perguntaram se Rader estava em casa. Ou se tinha uma câmera de segurança, ou se a casa estava armada para explodir com tanques de propano e gasolina.

"É ele, com certeza", Snyder comentou com Relph. "O BTK não faz ideia de que nós vimos a fita da Home Depot e que nós sabemos que ele tem um Jeep Cherokee. Então não tem como ter conseguido armar para cima de outra pessoa plantando o Cherokee nessa casa. É ele!"

Relph concordava. Em breve estaria tudo acabado.

Mas, quando Landwehr ligou de volta, o que ele falou foi uma surpresa para todos.

"Vamos trazer vocês de volta e planejar esse negócio direito", comunicou. "Não vamos fazer isso agora."

Snyder e Relph ficaram incrédulos. Eles estavam com o BTK nas mãos! Depois de 31 anos, estava a apenas alguns metros de distância, mas Landwehr mandou que voltassem para a base.

Vindos do sul, carros sem identificação pegaram as rampas de saída da I-135 e entraram em Park City. Os veículos, com dois policiais à paisana em cada, tomaram posições nas duas pontas da curta rua de Rader. Os homens passariam a noite inteira ali. Landwehr recomendara cuidado; Park City tinha apenas 7 mil habitantes. As pessoas em cidades pequenas detectavam a presença de estranhos com facilidade.

Os detetives dirigiram de volta a Wichita. No caminho, à medida que a adrenalina ia diminuindo, Snyder discutiu o caso com Relph.

Decidiram que, depois de três décadas, não valia a pena se apressar e arriscar estragar a prisão ou o processo judicial. Landwehr estava tomando a decisão certa.

Mesmo assim, ter que dar meia-volta os irritou.

. . .

Nos escritórios da força-tarefa, no Epic Center, o promotor-assistente Kevin O'Connor viu Landwehr atender à ligação de Snyder. "Já ligo de volta", respondera Landwehr. Então ele desligou o celular e disse algo sobre precisar fazer as coisas direito.

O'Connor jamais se esqueceria do que aconteceu em seguida.

Landwehr fez uma piadinha, tirando sarro de Snyder "por querer arrombar a porta da frente de Rader a pontapés".

Landwehr ficou imóvel por alguns instantes.

Então disse, para aqueles parados ao redor, que chamaria os detetives da força-tarefa de volta para a base e executaria a prisão de Dennis Rader sem pressa e seguindo uma abordagem bastante metódica. Considerando o medo de vazamentos que tinha atormentado a força-tarefa desde o ocorrido com Valadez, O'Connor ficou surpreso.

Mas Landwehr disse que não queria ferrar com o caso, não queria estar errado. Queria que o processo judicial, se houvesse um, fosse sólido e irrepreensível. *Foi preciso coragem para tomar essa decisão*, pensou O'Connor.

Landwehr tinha um plano para ter certeza absoluta de que Rader era o BTK.

Conforme ouvia Landwehr descrevê-lo, O'Connor começou a sorrir.

"O BTK vinha perseguindo pessoas fazia trinta anos", O'Connor diria mais tarde. "E você sabe que é ele e que pode provar. E mesmo assim, Landwehr queria se certificar de que tudo fosse feito direito, apesar do perigo de vazamentos para a imprensa, apesar de toda a pressão. Havia se preparado mentalmente para aquele momento muito tempo antes. Com certeza ele planejou tudo anos antes: 'E se nós realmente encontrarmos esse cara? Como vamos prendê-lo? Como vamos nos preparar?' Ficou claro que ele já tinha planejado tudo."

. . .

Gouge, Otis, Relph e Snyder chegaram ao Epic Center quase pulando de empolgação. Houve cumprimentos, abraços e apostas: com certeza Rader era quem estavam procurando. Mas, em volta deles, enquanto comemoravam, outros detetives continuavam trabalhando no caso. Cheryl James e outras pessoas juntavam freneticamente uma pilha de papéis em cima de mesas, destacando nomes, endereços, números de telefone e descrições do relacionamento que parentes, amigos, colegas de trabalho e outros mantinham com Rader.

Landwehr contou aos detetives o que já tinha revelado a O'Connor e aos outros. Queria pegar o DNA de algum parente — sem alertar Rader ou seu círculo familiar mais próximo — e ver se o material genético da família tinha alguma compatibilidade com o do BTK. Isso não foi nenhuma surpresa para os detetives. Landwehr já usara essa técnica antes em outros crimes, com outros homens e outras famílias.

James descobriu por meio dos registros públicos que Rader tinha uma filha chamada Kerri. Landwehr disse que iriam encontrar os médicos dela, obter acesso a prontuários médicos e conseguir uma intimação para a obtenção em sigilo de uma amostra de algum antigo exame de Papanicolau. Uma busca no banco de dados mostrou que Kerri Rader estudara na Universidade Estadual do Kansas, em Manhattan, duas horas e meia a nordeste de Wichita. Ray Lundin era formado pela K-State, como era conhecida a universidade, e servira como agente da lei no condado de Riley, do qual a cidade faz parte. Ele reconheceu um dos endereços de Kerri, um alojamento para estudantes. Lundin acreditava que ela poderia ter feito consultas e exames no centro médico estudantil. E se ofereceu para ir até lá.

Landwehr tentou dormir um pouco naquela noite, apesar da empolgação pelo que vinha pela frente. Precisava montar um enorme plano de prisão, mas também se mostrar diante das câmeras uma última vez e falar com o BTK sem alertá-lo de nada ou assustá-lo.

• • •

O plano de Landwehr para obter o DNA da filha desencadeou outro debate intenso no gabinete da promotoria. O'Connor se mostrou completamente a favor de permitir que a polícia obtivesse o DNA em sigilo, mas Foulston, sua chefe, questionou se isso não violava os direitos de privacidade de Kerri Rader. A jovem não tinha feito nada de errado, até onde sabiam. Embora a obtenção de seu DNA em segredo não fosse ilegal, argumentou Foulston, tratava-se de uma questão pessoal e potencialmente embaraçosa para Kerri Rader, além de um recurso bastante invasivo.

"Não existe nenhuma outra maneira de conseguir o DNA, incluindo o do próprio Rader?", perguntou Foulston.

"Nenhuma boa maneira", respondeu O'Connor. "Aquele negócio de CSI que a gente vê na TV... as coisas não funcionam assim na vida real."

"Não me venha com esse papo-furado, Kevin", ela retrucou. "Podemos justificar isso legalmente? Me diga todos os motivos para fazermos isso. Mas depois me dê todos os motivos para não fazermos."

"Estamos tentando capturar alguém que matou pessoas", disse O'Connor. "E, considerando as evidências e circunstâncias, tenho certeza de que não deveríamos nos preocupar com alguém nos processando por violações de privacidade."

Foulston mais tarde se encontrou com Landwehr e a força-tarefa, ela concordou em dar sua autorização. Mas lamentou muito por Kerri Rader, e gostaria de ter encontrado outra maneira de proceder.

• • •

Às 10h do dia 17 de fevereiro, Landwehr entrou na sala de imprensa do quinto andar da prefeitura e conduziu outra entrevista coletiva. Como de costume, manteve o tom indiferente e formal, e seu rosto não traía nada. Mais uma vez, falou diretamente com o BTK:

"A Unidade de Análise Comportamental do FBI confirmou duas cartas como comunicações autênticas do BTK", começou. "A carta que foi deixada em uma caixa da UPS na esquina das ruas Second e Kansas em outubro de 2004 foi autenticada. Essa comunicação continha informações sobre o BTK que foram em seguida divulgadas ao público no dia 30 de novembro de 2004. O FBI pode confirmar que é uma comunicação do BTK, mas não pode confirmar a exatidão das informações que ele escreveu sobre si mesmo na carta.

"A outra comunicação que o FBI confirmou ser do BTK é o pacote encontrado no Murdock Park por um residente de Wichita, em dezembro. Esse pacote continha a carteira de motorista pertencente a Nancy Fox, que o BTK levou consigo da cena do crime.

"Comunicações recentes do BTK incluem diversas joias. Havia joias no interior da caixa de cereal Post Toasties que foi deixada na North Seneca Street [...] e no pacote recebido ontem pela KSAS-Fox 24. O conteúdo da comunicação de ontem para a KSAS-Fox 24 foi enviado para o FBI.

"Estamos no processo de determinar se algumas dessas joias pertenciam ou não às vítimas."

Landwehr levantou o olhar do texto impresso e se dirigiu para as câmeras em um tom mais amigável, como se estivesse falando com alguém que conhecia.

"Eu disse antes [...] que a investigação do BTK é o caso mais desafiador no qual já trabalhei, e que seria muito interessante conversar com o BTK. Ainda afirmo que este é o nosso caso mais desafiador, mas estou muito satisfeito com o diálogo contínuo por meio dessas cartas."

• • •

Em Park City, policiais à paisana espiavam a casa à distância.

Nos escritórios do Epic Center, Landwehr e os policiais trabalhavam freneticamente nos preparativos. Gouge ouviu algumas ideias sofisticadas sendo discutidas, desde se aproximarem de modo sorrateiro e prenderem pequenos dispositivos de rastreio nas picapes de Rader até trazer aviões de vigilância do FBI para observá-lo do céu. Eles queriam que Rader os levasse até seu acervo de evidências. Achavam que poderia estar tão bem escondido que jamais fosse possível encontrá-lo de outro modo. Mas, enquanto conversavam, Gouge se pronunciou.

"Olhem só", disse. "Já realizamos prisões antes. Sabemos o que estamos fazendo, então não vamos inventar moda; vamos cuidar das coisas do jeito que sempre fizemos."

Landwehr estava pensando a mesma coisa — era melhor manter a simplicidade. Nada de dispositivos de rastreio, nem de vigilância aérea. Mesmo assim, ainda acabaram com o plano de prisão mais complexo que qualquer um deles já tinha visto. Quando o chefe de polícia o finalizou, havia sido passadas a 215 pessoas tarefas bastante específicas, entre elas algemar Rader, levá-lo para a penitenciária do condado, coletar amostras de seu DNA, levar o material para um laboratório e abordar e interrogar seus parentes.

Gouge se perguntou como iriam fazer tudo aquilo. Digitando mandados de busca, com Parker ao seu lado, ficou acordado até as 4h de uma manhã para ter certeza de que todos os detalhes estavam certos.

Como vamos conseguir fazer isso e manter tudo por baixo dos panos?

De preferência, queriam manter a prisão longe dos noticiários até poderem revistar a propriedade. Mas, quando Landwehr contou a Williams que queria manter a prisão de Rader em segredo por umas duas semanas, o chefe de polícia deu risada.

"Você não vai conseguir duas semanas", disse Williams.

"Bom, será que poderemos conseguir pelos menos uns dois dias?"

Williams sorriu. "Vocês terão sorte se conseguirem duas horas antes de que a notícia se espalhe."

...

No dia 18 de fevereiro, dois dias depois de a polícia fazer a conexão entre o disquete e Rader, Lundin levou uma intimação para a K-State. Kerri Rader estava vivendo em Michigan, mas os prontuários médicos de seus anos de universidade ainda estavam arquivados no centro médico estudantil; uma amostra do esfregaço de Papanicolau estava em um laboratório médico em Manhattan. Lundin obteve imediatamente uma segunda intimação, uma outra ordem judicial permitindo pegar o esfregaço de Papanicolau no laboratório. Quatro dias depois, Lundin conseguiu uma amostra do tecido de Kerri Rader, aplicada em uma lâmina e encerrada em resina. Lundin dirigiu 72 km para leste até um laboratório do KBI na capital do Kansas, Topeka. Antes de deixar Manhattan, contudo, Lundin alertou a todos os funcionários da saúde com quem conversou para o fato de o juiz ter ordenado que todos ficassem de bico calado sobre o caso. Eles não podiam ligar para Kerri Rader nem contar a ninguém sobre a busca.

...

Às 6h do domingo, dia 20 de fevereiro, uma mulher de Park City chamada Deana Harris precisou às pressas de uma ambulância. Ela sofria de complicações de diabetes, seu marido estava no trabalho, e a casa não tinha telefone. Mandou a filha de onze anos procurar ajuda. "Ligue para a emergência", pediu ela.

A menina atravessou correndo a Independence Street. Dennis Rader atendeu à porta correndo e a levou ao telefone. Os Rader estavam cozinhando o café da manhã. Ele disse que estavam se preparando para a igreja.

A menina ligou para a emergência, depois correu de volta para a mãe. O homem gritou para ela: "Espero que sua mamãe fique bem".

...

Na manhã de quinta-feira, 24 de fevereiro, Sindey Schueler, uma supervisora do departamento de biologia do KBI em Topeka, começou a extrair o DNA do esfregaço de Papanicolau.

Lundin lhe contara apenas que a força-tarefa tinha "um bom suspeito" no caso BTK e que o material poderia ajudar. Schueler trabalhava no KBI desde 1991 e analisara milhares de amostras de DNA. Aquela, coletada havia pelo menos dois anos, apresentava um desafio. Schueler teve dificuldades para remover a fina cobertura de vidro da lâmina. Levou horas para desbastar pedaços microscópicos da resina e da cobertura de vidro. Quando afinal atingiu o tecido, processou o material e dispôs o padrão de DNA em papel: uma linha reta intercalada por picos.

Em seguida, comparou o perfil de DNA do esfregaço de Papanicolau com o de uma das cenas de crime do BTK.

...

Naquela semana, Paula Rader reparou na presença de homens desconhecidos em carros estacionados mais adiante em sua rua.

Os sujeitos tinham cabelos longos e ficavam ali durante horas, observando os transeuntes.

Achou que deveriam ser policiais à paisana. Talvez tivessem descoberto um ponto de venda de drogas no local. Ela não disse nada para Dennis — não valia a pena mencionar o fato. Dennis andava ocupado nos últimos tempos, trabalhando até tarde.

...

Os detetives de Wichita chegavam a passar sete dias por semana trabalhando, às vezes passando algumas noites sem dormir; mas tinham lares e famílias para os quais voltar, se quisessem. Ray Lundin e Larry Thomas, os dois agentes do KBI cedidos para Landwehr, vinham se dedicando com o mesmo afinco que os demais, dormindo em motéis durante os últimos dez meses, longe de casa e da família.

Lundin, de volta a Wichita no dia 24 de fevereiro, tinha acabado de comer uma rabanada recheada em um IHOP e estava fazendo uma caminhada para queimar as calorias. No celular, viu que Schueler acabara de telefonar do laboratório do KBI. Ele ligou de volta.

É agora, pensou. *Como é que que vai ser?*

Quando terminaram de conversar, Lundin a agradeceu e digitou o número do celular de Landwehr.

• • •

Landwehr estava em casa ajudando James com a lição de casa. Ainda vestido de terno e gravata, estava pronto para pegar o carro e voltar ao Epic Center. Quando seu celular tocou e o nome de Lundin apareceu na tela, Landwehr foi para a garagem e fechou a porta. Vinha esperando aquela ligação fazia algumas horas.

"Landwehr falando", atendeu.

Lundin, querendo ser tão meticuloso quanto Schueler, começou a repetir o que ela dissera, passo a passo e com todos os jargões técnicos. Landwehr andava de um lado a outro e escutava. Por fim, Lundin comunicou que "dois dos alelos não batiam". Landwehr sentiu um frio na barriga. Ele sabia que a análise de DNA que Schueler conduziu tinha treze marcadores genéticos — ou alelos — para homens, e doze para mulheres. Eles estavam esperando que todos os doze fossem compatíveis entre o BTK e Kerri Rader.

"Então não é ele", disse Landwehr, profundamente desapontado.

"Não, é ele, *sim*", falou Lundin. A questão não era que aqueles dois alelos não eram compatíveis, e sim que a velha amostra de tecido não rendeu material suficiente para analisar duas das áreas. Eles conseguiram *dez em dez* de compatibilidade nas partes que conseguiram analisar.

Houve um breve silêncio; Landwehr respirou fundo.

"Filho da puta, pegamos ele", disse o tenente. "Trate de voltar para cá. E Ray? Vou pagar um bifão para você no jantar."

Ele desligou o celular, voltou para dentro de casa e disse a Cindy que estava voltando para o trabalho.

Cindy observou o rosto do marido. Ele sorriu. Longe dos ouvidos de James, ele a puxou de lado.

"Acabou, querida", avisou.

Ficou em casa só o tempo suficiente para colocar o filho na cama.

• • •

Em casa, a promotora Nola Foulston observava uma fotografia na tela de seu computador e começou a rir. Na foto, Dennis Rader sorria e parecia satisfeito consigo mesmo. Um membro da força-tarefa lhe enviara a imagem por e-mail.

"Você não faz ideia do que tem pela frente", disse Foulston para a fotografia. Seu filho de 15 anos, Andrew Foulston, escutou a mãe rindo alto de novo. "O que foi, mãe?", perguntou. "Você está fumando crack?"

"Não", respondeu. Ela não podia contar o que estava acontecendo. Portanto, apenas sorriu.

No centro de comando, os detetives comemoraram, bateram as mãos, abraçaram uns aos outros. Mas de repente Relph quis ficar sozinho. Landwehr tinha uma sala privativa, em um canto afastado, e estava vazia. Relph entrou e fechou a porta.

Ele ficara convencido, ao longo de dezesseis anos investigando homicídios, que Deus sempre estava presente e sempre era bondoso.

A população sofrera muito, mas o BTK estava liquidado. Relph se ajoelhou. Lágrimas começaram a escorrer pelo seu rosto, e seu lábio inferior começou a tremer.

"Eu agradeço...", começou.

RADER ERA PRESIDENTE DA CONGREGAÇÃO DA IGREJA
LUTERANA DE CRISTO, NA ZONA NORTE DE WICHITA

PROFILE

profile

BTK

DENNIS LYNN RADER

ROY WENZL / TIM POTTER / HURST LAVIANA / L. KELLY

24 de fevereiro de 2005

45. O PERSEGUIDOR É PERSEGUIDO

Os policiais trabalharam noite adentro no dia 24 de fevereiro. Gouge digitou quatro mandados de busca e pediu que O'Connor e Parker os revisassem. Eles precisavam que um juiz assinasse os documentos, mas os promotores achavam que os jornalistas poderiam estar de olho nos juízes dos tribunais do condado de Sedgwick, observando quem entrava e saía. Parker ligou para o juiz Gregory Waller e lhe pediu para subir a rua até a sede da força-tarefa no Epic Center.

Janet Johnson planejava como anunciar a captura para o mundo. Ficou surpresa por não ter havido nenhum vazamento até então. Morton, o especialista em perfis do FBI, foi informado por telefone para viajar de Quantico a Wichita no primeiro avião disponível. O chefe Williams tinha decidido que a melhor maneira de fazer o BTK confessar era designar Landwehr e Morton como primeiros interrogadores.

Dan Harty e outros investigadores da unidade contra o crime organizado vinham coletando amostras de pessoas para a força-tarefa desde julho. Era um trabalho repetitivo, e Harty já estava cansado de tanta monotonia. Ele ficou surpreso com o que Landwehr lhe disse naquele momento: "Preciso que você vista seu uniforme amanhã; você e Scott Moon vão estar na equipe de detenção".

Landwehr afirmou que queria uma dupla de policiais uniformizados para dar início à prisão, mandando Rader encostar o carro e transmitindo a impressão de que se tratava de uma blitz rotineira. Landwehr queria Harty e Moon porque ambos já haviam detido centenas de membros de gangues, muitos deles armados e violentos, algumas vezes perseguindo-os a pé. Landwehr estava convicto de que seus detetives conseguiriam dar conta de Rader, mas queria Harty e Moon lá também.

Uma reunião no Epic Center foi marcada para finalizar os planos sem demora. Landwehr, o capitão John Speer e o subchefe de polícia Robert Lee encontraram as portas fechadas; esperaram até que alguém pudesse deixá-los entrar. Speer se lembraria dos minutos seguintes pelo resto da vida. Eles ficaram em pé no estacionamento silencioso, olhando para as luzes da cidade. Apenas os três e um punhado de outros policiais tinham conhecimento da notícia que a cidade esperava ouvir havia 31 anos: o BTK seria posto atrás das grades. Landwehr estava sorrindo. Ele e os outros nunca tinham demonstrado muita afeição, exceto pelo grosseiro senso de humor policial, mas muitos homens tinham se abraçado naquela noite. Landwehr pegou seus cigarros e acendeu um.

"Sabe, Kenny", disse Lee. "Se for mesmo ele, eu vou fumar um cigarro com você." Lee não fumava fazia anos.

Landwehr puxou metade de um cigarro para fora do maço e o estendeu para Lee. Em seguida entregou outro para Speer, que parara de fumar quinze anos antes. Nenhum dos não fumantes tinha fósforos, então Landwehr ofereceu o isqueiro aceso para os dois amigos. Então ficaram ali, fumando na garagem silenciosa.

• • •

Na reunião, os detetives do caso BTK de repente se viram passados para trás e putos da vida. O chefe de polícia queria que a equipe da SWAT, não a força-tarefa do BTK, realizasse a prisão.

Fazia sentido; aquela seria a maior prisão que o departamento já fizera. Havia uma chance de que, se a ação não fosse realizada de forma perfeita, o BTK pudesse queimar as evidências, explodir a casa, se matar ou tentar levar alguns policiais consigo. A equipe da SWAT era bem treinada.

Otis soltava fogo pelas ventas. Mas não adiantava muito discutir. Os departamentos de polícia eram bem parecidos com unidades militares — ordens eram ordens.

Mas Otis era Otis.

"Chefe, eu quero muito fazer parte dessa prisão."

Williams apenas olhou para ele.

"Escute só", continuou Otis, "a única diferença entre mim e a equipe da SWAT é que um cara da SWAT tem uma metralhadora e eu não. Mas quer saber de uma coisa? Eu não *preciso* de uma. Todos nós trabalhamos neste caso e queremos muito realizar a prisão."

O'Connor pensou: *Otis tem colhões.*

Outros detetives também se pronunciaram. E Landwehr em seguida. "Acho que esses caras querem cuidar disso, chefe", disse. "E eu também acho que eles devem cuidar disso."

Williams assentiu. "Bom, ninguém conhece o BTK melhor do que esses caras."

Ele ordenou que a força-tarefa realizasse a prisão. Otis se recostou, aliviado. Se o chefe de polícia não tivesse cedido, o detetive teria vestido seu colete à prova de balas e feito parte da prisão mesmo assim, torcendo para que o colete e o capacete escondessem sua identidade dos comandantes.

Em seguida, Landwehr fez dois telefonemas para pessoas em quem confiava. O primeiro era Paul Holmes, o Caça-Fantasmas aposentado que atuara como membro não oficial da força-tarefa. Holmes dedicara centenas de horas não remuneradas à força-tarefa desde o reaparecimento do BTK. Landwehr então lhe ofereceu uma chance de ouro: Holmes poderia estar presente para a prisão.

Holmes recusou.

"*Quê?* Ah, vamos, você vai perder isso?", perguntou Landwehr.

Holmes foi obrigado a dizer não. Ele agradecia a honra, mas estava indo visitar a filha.

Landwehr também ligou para a mãe. Desde o início, Landwehr solicitara que viaturas passassem diante da casa de Irene de hora em hora. Os patrulheiros tinham feito seu trabalho tão bem que uma vez flagraram um lapso de memória de Landwehr. Certo dia, ele recebeu uma ligação da central, dizendo que um carro branco estava estacionado na entrada para carros de sua mãe.

"Ah, droga, esse é o carro novo da minha mãe", contou. "Desculpe, esqueci de avisar vocês." Ele ficou contente em ver que os policiais estavam fazendo bem o seu trabalho.

"Não posso contar muita coisa", disse Landwehr para Irene naquele momento. "Mas eu queria contar, vamos pegar esse cara amanhã. Acabou."

Ele dormiu bem uma noite pela primeira vez em onze meses.

• • •

Os comandantes tinham designado quatro equipes de policiais à paisana para a vigilância de Rader. Eles não o observavam 24 horas por dia... iam embora à noite. E ficavam nas sombras quando observavam, tentando não o assustar.

Rader era uma criatura de hábitos. Saía para o trabalho no mesmo horário todos os dias, pegava o carro para ir almoçar em casa às 12h15 e chegava às 12h18. Como um relógio.

Os comandantes planejaram tudo de acordo. Harty e Moon parariam o carro de Rader enquanto ele voltava para casa. Para essa operação policial, o chefe Williams lhes emprestou seu automóvel particular, que não tinha identificação, mas contava com luzes estroboscópicas de polícia embutidas na grade frontal. Isso era conveniente, porque o veículo não se parecia com uma viatura de Wichita. Os policiais não queriam deixar a população de Park City desconfiada.

Assim que Harty e Moon fizessem Rader encostar, Gouge, Relph, Otis, Snyder, Lundin, e John Sullivan e Chuck Pritchett do FBI parariam os carros e sacariam suas armas. Lundin foi designado para arrastar Rader para fora da picape da prefeitura, com Otis dando cobertura a Lundin com uma escopeta. Um helicóptero faria a cobertura aérea. Alguns metros atrás da equipe de detenção, Landwehr e Relph observariam de dentro de um carro, e em seguida levariam Rader para o centro de Wichita.

Além dos policiais que realizariam a detenção, havia mais de duzentas pessoas envolvidas, designadas para executar buscas simultâneas. As equipes entrariam na casa de Rader, em sua igreja, na casa de sua mãe, em seu escritório na prefeitura, na biblioteca. A picape da prefeitura usada por Rader seria confiscada. O esquadrão antibombas estaria de prontidão.

Havia uma equipe de apreensão de computadores, equipes de socorro, equipes de interrogatório. Entre os interrogados estariam Rader, sua esposa, seu filho, sua mãe e seus dois irmãos que viviam na região.

O'Connor perguntou, meio de brincadeira, se podia participar da prisão. Ele se ofereceu para se esconder no porta-malas de um carro e ficar fora do caminho. Os policiais sorriram e disseram que não.

Todos estavam de dedos cruzados para que a ação continuasse sigilosa. Otis tinha aproveitado uma conversa que tivera no começo da semana para despistar o repórter do *Eagle* que tinha seguido a polícia na prisão de Valadez.

Tim Potter tivera que cancelar diversas folgas e fins de semana prolongados com a esposa à medida que a cobertura do BTK progredia. Ele ligou para Otis no meio da semana, sem saber que o detetive estava ajudando no planejamento da prisão. Potter estava exausto devido a uma longa sequência de dias de doze horas de trabalho. No telefone com Otis, disse que estava levando a esposa para Kansas City para um fim de semana prolongado. Ele fez uma piada: "Você pode me fazer um favor e não prender o BTK enquanto eu estiver fora?"

"Ah, cara", disse Otis em um tom tranquilizador. "Você não precisa se preocupar."

PROFILE

profile

BTK
DENNIS LYNN RADER
ROY WENZL / TIM POTTER / HURST LAVIANA / L. KELLY

25 de fevereiro de 2005

46. "OLÁ, SR. LANDWEHR"

Landwehr e Johnson estavam morrendo de medo de que os repórteres acabassem arruinando seus planos. Portanto, Johnson ficou naturalmente aborrecida às 9h da manhã do dia seguinte, quando recebeu um telefonema de um repórter televisivo de Kansas City. Ele ouvira falar que haveria uma prisão ligada ao caso BTK. Era verdade?

Johnson mentiu, afirmando se tratar de um boato. E voltou a mentir quando um repórter da KWCH-TV de Wichita telefonou. Àquela altura, três horas antes da horário planejado para a prisão, diversas agências policiais já haviam passado um bom tempo organizando policiais em suas posições designadas.

Johnson ficou agitadíssima: a notícia estava vazando.

Quando foi à coletiva diária das 10h para os repórteres locais, sentiu que estava ficando paranoica. O comunicado correu normalmente; uma declamação dos crimes que a polícia tinha investigado na noite anterior. Ela olhou para o relógio: faltavam duas horas.

. . .

Em uma rua secundária em Park City, a dois quarteirões da casa de Rader, os policiais Harty e Moon estavam sentados no Chevy

Impala do chefe Williams, ainda admirados por terem recebido aquela responsabilidade. A equipe de detenção tinha entrado sem alarde em Park City, sem notificar as autoridades locais, e estavam de ouvido na frequência de seus rádios da polícia. Atrás deles, havia detetives em outros carros. Às vezes as pessoas que passavam por eles os encaravam.

Rader conseguiria fugir, ou atirar em si mesmo, ou atirar neles? O que quer que fosse fazer, Harty e Moon decidiram que estariam prontos. Moon tinha 35 anos e servira na unidade contra o crime organizado e na equipe da SWAT. Harty tinha 38; quando se juntou à força policial, aos 21 anos, parecia tão jovem que Speer o chamava de "Coroinha". Mas não era nenhum ingênuo. Harty e Moon prendiam membros de gangues todos os dias.

Gouge e Snyder estavam atrás deles em um carro, Lundin e Otis, em outro; Sullivan e Pritchett, os dois agentes do FBI, em um terceiro; Landwehr, Relph e Larry Thomas, em um quarto carro.

Gouge encostou seu carro ao lado do veículo onde estavam Lundin e Otis. Os minutos até as 12h15 arrastavam-se, tiquetaqueando. Todos estavam usando coletes à prova de balas.

Otis tinha cochilado em uma poltrona reclinável em casa naquela noite, mas não dormira profundamente. Segurava uma escopeta calibre .12, ansioso por começar. Houvera vezes nos últimos onze meses em que quase precisara carregar o parceiro para o carro depois de Gouge sofrer espasmos musculares nas costas devido ao estresse do trabalho. Em um determinado dia, Otis arrebentara a porta de uma casa onde a linha telefônica tinha sido cortada, achando que enfrentaria o BTK — mas acabou descobrindo que se tratava apenas de um plano de um fracassado qualquer para evitar que a namorada se mudasse para outro lugar. Durante semanas, Otis lera os obituários buscando alguma pista de que o BTK pudesse estar morto. Em funerárias, coletou amostras das narinas de meia dúzia de cadáveres, esperando conseguir um DNA compatível. Estava mais que disposto a ver tudo aquilo terminar.

Algo ocorreu a Snyder enquanto esperava com Gouge: "Ei, quem vai algemar o Rader?"

"Não sei", respondeu Gouge. Ele se voltou para Otis no carro ao lado: "Quem vai algemar o Rader?"

"Não serei eu", disse Otis. "Estou carregando a escopeta."

Snyder se lembrou de que havia muitos policiais do Departamento de Polícia de Wichita aposentados fazia muito tempo — Drowatzky,

Cornwell, Thimmesch, Stewart e muitos outros — que acreditavam que o fracasso em capturar o BTK tinha manchado suas carreiras. E naquele momento o Departamento de Polícia de Wichita estava sentado entre agentes do FBI e do KBI.

"Acho que quem quer que seja precisa ser do DPW", comentou Snyder.

"Eu também", concordou Gouge.

Snyder pensou por alguns instantes.

"Acho que tem que ser você, então", disse Snyder para Gouge. "Você vai ficar mais perto do Rader, e Otis vai estar com as mãos ocupadas pela escopeta."

Gouge deu de ombros.

Snyder sorriu. "Ok", disse para Gouge. "Mas você tem que usar as minhas algemas."

"Ok", concordou Gouge. Snyder lhe entregou suas algemas.

Eram 12h15. "Ele está em movimento", avisou uma voz no rádio.

Durante os instantes seguintes, o policial à paisana seguindo Rader informava pelo rádio cada curva que o carro dele fazia, cada rua pela qual passava.

Harty olhou pelo espelho retrovisor e viu Rader, dirigindo a picape branca da prefeitura na direção deles. Harty sentiu o coração disparar enquanto Rader passava; Harty não se atreveu a olhar na direção dele. "Está tudo bem", disse Moon. "Ele nem olhou para nós."

Harty deu partida no motor e foi atrás de Rader. Moon acionou as luzes estroboscópicas embutidas na grade. Rader encostou de imediato.

O que aconteceu a seguir demorou apenas alguns segundos: Harty saiu depressa do carro enquanto Lundin passava e freava derrapando até parar em diagonal a apenas um metro do carro de Harty, que de repente se viu preso entre dois veículos.

Moon saiu pelo outro lado, sacou sua Glock e mirou em Rader, que estava saindo da picape com uma expressão irritada. O rosto de Rader congelou quando viu Moon usando a farda marrom-claro do Departamento de Polícia de Wichita. *Ele está com cara de quem acabou de ter seu cérebro fundido*, pensou Moon.

Lundin sacou sua pistola nove milímetros e avançou na direção de Rader; mas Otis, que estava saindo pelo lado do passageiro, acabou preso entre os carros com Harty; não havia espaço para sair nem para apontar a escopeta.

"Ray!", gritou Otis para Lundin. "Você me bloqueou!"

Ele jogou o quadril direito, o ombro e seus 105 kg contra a porta — e fez um amassado na lateral do carro do chefe de polícia.

"Não se mexa!", gritou Moon para Rader. "Mantenha as mãos onde eu possa ver!" Rader parecia congelado; Lundin, depois de um momento de hesitação, correu na direção de Rader.

"Deita no chão!", mandou Lundin. Ele tinha 1,83 m de altura e pesava 103 kg; além de grandalhão, havia sido halterofilista. Agarrou Rader pela nuca e o empurrou para o chão.

Todos os outros se aproximaram correndo, com as armas em punho. O coração de Snyder parou quando ele viu um dos dois policiais à paisana sacar um par de algemas, mas Gouge avançou depressa com as suas, e em seguida o próprio Snyder se aproximou, segurando a Glock com uma das mãos e revistando Rader com a outra. Harty torceu o braço esquerdo de Rader para trás das costas; outra pessoa puxou o braço direito para a posição; Gouge prendeu as algemas de Snyder nos pulsos de Rader. Snyder levantou os olhos e precisou segurar o sorriso; Sullivan, o agente do FBI, encarava Rader furioso enquanto apontava uma submetralhadora. Sullivan ficaria conhecido para sempre na história da força-tarefa como "Sully Submetralhadora".

Snyder notou que não houve nenhuma das perguntas costumeiras — "O que eu fiz? O que que é isso?" — que as pessoas costumam fazer durante prisões. Rader parecia resignado.

Ele estava usando seu uniforme marrom-claro de fiscal da prefeitura, com um cinto de tecido que continha um spray de pimenta e um bastão expansível. Um dos policiais perguntou a outro: "Quer que a gente tire isso?"

"Pode ser, se quiser", disse Rader em um tom petulante, achando que estavam se dirigindo a ele. Os homens o ignoraram e retiraram o cinto.

Lundin puxou Rader e o fez ficar de pé. Rader olhou nos olhos de Lundin de uma distância de poucos centímetros e falou: "Ei, você pode fazer o favor de ligar para a minha esposa? Ela estava me esperando para almoçar. Suponho que você saiba onde eu moro."

Esse é culpado mesmo, pensou Snyder. *Ele sabe por que estamos aqui.*

Enquanto empurravam Rader para o fim da fileira de carros, Rader espiou o interior do carro no qual seria transportado. No banco traseiro viu um homem com um rosto bronzeado e conhecido. Os policiais posicionaram Rader no assento.

"Olá, sr. Landwehr", disse Rader em um tom cordial.

"Olá, sr. Rader", respondeu Landwehr.

Landwehr lançou um olhar para Relph, que tinha se virado para espiar a cena de trás do volante. Landwehr pôde ver que Relph estava pensando a mesma coisa:

Rader vai confessar.

· · ·

A força policial de Park City tinha sido deixada às escuras. O chefe de polícia local, Bill Ball, se deu conta de que havia uma grande operação se desenrolando em sua cidade quando viu um helicóptero voando baixo a leste da I-135. Na prefeitura, Ball descobriu que Rader tinha sido preso. A polícia de Wichita apareceu com um mandado. Queriam revistar o escritório de Rader.

"Se prepare, porque a imprensa vai vir com tudo", avisou um dos policiais.

· · ·

Landwehr e o FBI tinham planejado uma tática padrão de policiais bonzinhos e policiais cruéis[1]: os que tinham jogado Rader no chão eram os policiais cruéis. Landwehr e os demais que o levariam ao Epic Center eram os policiais bonzinhos. Rader seria conduzido sem demora para longe do local da detenção e tratado com respeito. A prisão abrupta seguida por uma cortesia cordial foi calculada para soltar sua língua. Landwehr, outrora um coroinha, queria ser o confessor de Rader. Não haveria um confronto encenado para as câmeras de TV. Landwehr passara onze meses construindo uma conexão com o BTK. Tinha chegado a hora de explorar essa conexão.

Rader reclamou de forma educada que suas algemas estavam apertadas demais. Landwehr levou a mão às costas de Rader e ajustou a posição, mas não as soltou. O tenente tentou pensar em algo amigável para dizer.

"Está um dia bonito de sol", comentou ele, olhando pela janela. "Você joga golfe?"

---

1 Do inglês "good cop, bad cop", uma técnica psicológica utilizada em interrogatórios e negociações. Envolve uma dupla que adota abordagens aparentemente opostas ao assunto em questão, como forma de criar uma tênue confiança entre o "policial bonzinho" e o interrogado, facilitando a obtenção de informações. [NT]

"Não", respondeu Rader. "Gosto de caçar e pescar, e me interesso mais por jardinagem."

"Um jardim?", disse Landwehr. "Bom... você estará plantando batatas logo, logo."

Enquanto estacionavam na garagem do Epic Center, Larry Thomas se virou no banco da frente e percebeu que Rader estava inquieto. Thomas viu por quê: o boné que usava estava quase caindo de sua cabeça. Rader, com as mãos algemadas, estava inclinando a cabeça para mantê-lo no lugar.

"Posso ajudar você com o boné?", perguntou Thomas.

"Sim, por favor."

Enquanto entravam, Landwehr estava preocupado em não arruinar o interrogatório.

PROFILE

profile

BTK

DENNIS LYNN RADER

ROY WENZL / TIM POTTER / HURST LAVIANA / L. KELLY

25 de fevereiro de 2005

47. O INTERROGATÓRIO

Otis e os outros detetives acreditavam que era um erro encarregar Landwehr e Morton do interrogatório de Rader.

Interrogatório é uma arte que exige prática. Landwehr, um oficial de comando, não interrogava ninguém fazia dez anos. Os detetives achavam que ele estava enferrujado e que Morton era mais acadêmico do que investigador. *Rader pode ser burro*, pensou Otis, *ou pode ser esperto e estar preparado. Mas o caso é do Landwehr*, concluiu Otis. *Depois de vinte anos, ele merece ser o primeiro a entrar.*

O próprio Landwehr estava preocupado com sua falta de prática. Mas o chefe de polícia já descartara as objeções. Ser interrogado pelo comandante da força-tarefa do BTK e pelo especialista em perfis do FBI alimentaria o ego de Rader. O BTK adorava se sentir importante.

Morton chegara de Quantico poucos minutos antes de Rader ser levado ao Epic Center.

Os dois investigadores deram uma Sprite para Rader e conversaram com ele para se conhecerem melhor. Os detetives, os agentes do FBI e os promotores assistiam de um monitor de circuito fechado em outra sala.

• • •

Interrogatórios quase nunca são como aqueles mostrados na televisão, Landwehr diria mais tarde. Aquelas coisas bobas que os atores fazem — gritar, ameaçar, agarrar o suspeito pela garganta — arruinariam boa parte das investigações. Na vida real, a maioria dos interrogatórios começa como aquele — de forma tranquila, compreensiva e amigável, com os policiais estabelecendo uma relação de confiança. Landwehr queria que Rader acreditasse que ele era o seu melhor amigo, sua última e melhor boia de salvação, na tentativa de resolver um problema.

Existe uma estrutura para um interrogatório policial. Como um contador de histórias, o detetive de homicídios habilidoso escolhe um ponto de partida e trabalha em uma sequência: "Ok, então você sabe por que estamos aqui hoje?" As perguntas do interrogador constroem uma estrutura de lógica e pouco a pouco arrebanham o sujeito para dentro de um cercado. Se a pessoa for inocente, existe uma grande chance de que consiga se explicar e sair desse cercado. Mas, se for culpada, acaba enredada pelas próprias mentiras.

Depois de algemarem Rader à mesa, Landwehr e Morton apresentaram Rader a Gouge, que trazia um mandado de busca. Apenas vinte minutos tinham se passado desde que Lundin tinha jogado Rader no chão. Landwehr disse a Rader que a polícia queria coletar o seu DNA. Rader concordou, pediu para ver o mandado e brincou com Gouge. Enquanto defendia os policiais depois da prisão de Valadez, Foulston tinha cometido um erro ao anunciar que os homens da força-tarefa haviam coletado amostras de aproximadamente 4 mil pessoas desde o reaparecimento do BTK. "Eu sou o número quatro mil e um?", perguntou Rader.

Gouge, sem achar graça, coletou quatro amostras do interior da bochecha de Rader. Duas foram enviadas de imediato para o laboratório forense do condado; as duas outras foram enviadas ao laboratório do KBI em Topeka. Rader recebeu a advertência de Miranda: "Você tem o direito de permanecer calado..."

Rader concordou em falar.

Durante as três horas seguintes, enquanto Gouge, Otis e os demais assistiam a televisão de circuito fechado, o homem da carrocinha de Park City se esquivava de perguntas e falava em terceira pessoa, como se "Dennis Rader" fosse um outro homem. Gouge estava furioso: Landwehr estava deixando Rader enrolar à vontade.

Rader não perguntou por que a polícia o tinha detido.

Landwehr e Morton tinham demorado um tempo excessivamente longo antes de fazerem a pergunta preparatória: "Você sabe por que estamos aqui?" Começaram com questionamentos inofensivos: quem Rader era, onde trabalhava. A princípio o mantiveram algemado à mesa. Em determinado momento, Rader fez uma ameaça insolente: "Ainda bem que estou algemado."

Depois de um tempo, Rader pediu para ir ao banheiro. Quando o levaram de volta à sala de interrogatório, Landwehr não voltou a prender as algemas. Foi um toque sutil, com a intenção de deixá-lo mais relaxado.

Rader não revelou nada, mas parecia impressionado por estar conversando com Landwehr e por um agente do FBI ter voado para Wichita por sua causa. Conversou com os dois como iguais, assinalando que também fazia parte do sistema de aplicação das leis. Rader parecia inquieto, mas não ansioso. Remexia nas canetas, papéis e guardanapos à sua frente, arrumando-os asseadamente, com movimentos compulsivos. Landwehr ficou tentado a estender o braço e cutucar algumas coisas para mexer com a cabeça de Rader. Mas não fez isso. Gouge e Otis poderiam achar que a conversa estava demorando demais, mas Landwehr acreditava que a paciência era vital.

"Por que você acha que estamos aqui?", perguntou Landwehr. Rader disse que presumia que os policiais queriam conversar sobre um caso.

Ele já ouvira falar da investigação do BTK?

"Sim", respondeu Rader, sem aparentar surpresa. "Sou um fã do BTK há anos, um observador do caso." Quando lembraram a Rader de que tinham coletado o seu DNA, ele assentiu. "Suponho que eu seja um dos principais suspeitos."

Três meses antes, Roger Valadez ficara furioso por ser visto como um suspeito; Rader zombou da situação. Seu refrigerante veio em um copo de uma lanchonete fast-food: "Escreva 'BTK' na tampa", disse com um sorriso.

• • •

"Não tem como meu marido ser o homem que vocês estão procurando", garantiu Paula Rader. "Ele é um homem bom. Um pai excelente. Nunca machucaria ninguém!"

Relph sentia pena dela. Parecia uma boa pessoa, e incapaz de mentir. Tão logo Dennis Rader foi posto sob custódia, a polícia reunira seus parentes.

"Não estou aqui para convencê-la de nada, sra. Rader", respondeu ele. "Estou aqui só para comunicar que prendemos seu marido e explicar por quê."

Ela nunca tinha reparado em alguma coisa estranha nele?

"Não!"

Ela acompanhara a investigação do BTK nos noticiários. Sabia que a polícia invadira a casa de Valadez em dezembro — e que ele não era o BTK.

"Vocês estavam errados sobre Valadez daquela vez", argumentou ela, "e estão errados sobre o meu marido agora."

• • •

Landwehr ficou sabendo mais tarde que os detetives que o observaram achavam que ele demorou demais. Mas Landhwer acompanhara diversos interrogatórios do lado de fora, observando seus próprios investigadores em ação — e nessas ocasiões também achara que eles tinham demorado demais. A verdade é que, quando um policial está conduzindo um interrogatório, o tempo parece voar.

Morton passou a ir direto ao ponto. "Sabe por que fomos atrás de você?" Rader disse que não.

"Você se lembra de alguma coisa a respeito dos assassinatos dos Otero?", perguntou Landwehr, afinal.

"Sim", respondeu Rader. "Quatro... bem, o que quer que tenha aparecido no jornal. Um homem e uma esposa, dois filhos. E do jeito que o jornal deu a entender, foi muito... muito brutal."

"Por que você acha que os Otero foram assassinados?", indagou Landwehr.

"Bem, se você pegar esse assassinato e alguns outros, eu diria que tem um assassino em série à solta."

O que ele achava do BTK?

O assassino era uma espécie de "lobo solitário", disse Rader. "Meio que um espião ou algo do tipo."

• • •

O início do circo midiático do BTK começou com a redação do *Wichita Eagle* quase vazia, com grande parte dos repórteres almoçando. Hurst Laviana estava com um dos gatos da filha no consultório do veterinário quando seu celular tocou.

"Tem alguma coisa acontecendo em Park City", avisou sua chefe, L. Kelly. Não só havia muitas viaturas do Departamento de Polícia de Wichita por lá, mas o *Eagle* recebera alguns telefonemas de repórteres de Kansas City que ouviram boatos sobre a prisão iminente do btk de fontes fidedignas. Kelly estava em um drive-thru de um Taco Bell quando recebeu o primeiro alerta.

"Estou a caminho", avisou Laviana. Ele pagou o veterinário, deixou o animal em casa, então dirigiu vinte minutos até Park City, onde encontrou a Independence interditada de ponta a ponta. Repórteres e residentes começaram a se juntar.

Você sabe quem eles prenderam?, perguntou Laviana a um vizinho. "Dennis Rader", contou alguém. "Ele é o homem da carrocinha."

"O que você sabe sobre ele?"

"Ele é um tremendo de um idiota", respondeu o homem. "Todo mundo acha isso."

Era um belo dia. As pessoas estavam observando o helicóptero da polícia passar, zunindo acima de suas cabeças. Alguém apontou para uma casa não muito longe da residência de Rader.

"Aquela é a casa de Marine Hedge."

Isso surpreendeu Laviana. Uma prisão no mesmo quarteirão de um dos assassinatos? Enquanto fazia a cobertura do caso, vinte anos antes, Laviana tinha ido de porta em porta, perguntando sobre Hedge. Olhou para a casa de Rader de novo e tentou se lembrar se tinha conversado com alguém ali.

Quando voltou para a redação, Kelly tinha despachado via celular um esquadrão de repórteres e fotógrafos para Park City. Mas estava tentando freneticamente entrar em contato com Potter em Kansas City — ele tinha deixado o celular no quarto do hotel. Quando atendeu, horas depois, ele se desculpou com a esposa e voltou de carro para Wichita de imediato. Ele e muitos outros trabalhariam sem folga durante os quatorze dias seguintes.

• • •

"O que você acha que aconteceria se o seu dna fosse compatível com o dna do btk?", perguntou Morton.

Rader balançou a cabeça.

"Acho que estaria comprovado então."

Ele pensou por um instante.

"Veja, isso sempre... isso sempre me intrigou", disse Rader. "Eu suponho que essa pessoa tenha deixado alguma coisa nas cenas dos crimes que vocês poderiam vincular ao DNA. Mas, depois de todos esses anos, ainda têm esse negócio?"

Sim, eles disseram. Ainda tinham.

Estava na hora de acionar a armadilha.

Landwehr sacou um disquete roxo. Landwehr contou a Rader que aquele disquete, enviado pelo BTK, tinha apontado o caminho até a igreja de Rader e até ele. Qual era a explicação dele para aquilo?

"Quando você digitou isto?", perguntou Landwehr.

Rader parecia abatido. "Você tem a resposta para isso bem aqui", respondeu. Ele começou a remexer nas coisas. Para o deleite de Landwehr, até pediu um calendário. Landwehr, impassível, mas contente, lhe ofereceu uma caneta. Talvez Rader fosse começar a escrever tudo.

"Não tem como eu me safar dessa ou mentir", admitiu Rader.

Rader fez perguntas sobre a lei: a pena de morte se aplicava aos assassinatos do BTK?

Não.

E a prisão?, Rader quis saber. O BTK poderia ter problemas na prisão. "O BTK matou algumas crianças e tal."

A conversa tinha se estendido por quase três horas, mas Landwehr percebeu que Rader queria continuar.

Rader perguntou se poderia ver o seu pastor. "Talvez", respondeu Landwehr. Eles conversaram mais um pouco. Rader voltou a mencionar o ministro. O nome dele era Michael Clark; seria possível vê-lo, por favor? Precisava dele, porque estava prestes a desmoronar emocionalmente, explicou Rader.

"Claro", disse Landwehr. "Vou cuidar disso." O tenente saiu da sala e ficou fora por alguns minutos, mas não tinha nenhuma intenção de trazer mais ninguém — principalmente alguém que poderia aconselhar Rader a parar de falar. Quando Landwehr voltou, Rader lhe disse: "Eu preciso mesmo de ajuda".

Landwehr disse que poderia ter toda a ajuda que quisesse. "Mas primeiro você precisa falar."

Rader explicou que estava preocupado com a maneira como seus filhos reagiriam à sua prisão e com "Park City ter sua reputação manchada".

"O que aconteceria com a casa do BTK?", perguntou Rader.

"Nós iríamos virá-la de cabeça para baixo procurando por evidências, a não ser que soubéssemos onde encontrá-las", respondeu Landwehr.

Rader fez uma careta.

"Vocês me pegaram... Como posso sair dessa?"

Landwehr e Morton contaram que não viam como ele poderia se safar.

Rader ponderou a respeito da amostra coletada. "Não tem como escapar do DNA, certo?"

Ele ficou sentado, imóvel, com um cotovelo apoiado no tampo da mesa e o queixo repousando na mão erguida. Foi Morton, o especialista em perfis do FBI, o primeiro a perder a paciência:

"Já chega, já chega! Você tem que dizer! Diga logo quem você é!"

"Eu sou o BTK", confessou Rader.

"Deus", comentou Otis, assistindo da outra sala. "Já não era sem tempo."

• • •

"Quanto dinheiro você tem?"

Sam Houston, um capitão da polícia, estava ouvindo uma voz conhecida no telefone: o subchefe Robert Lee, comandante da divisão de investigação do Departamento de Polícia de Wichita.

"Por que quer saber?"

"Porque você vai me levar para jantar", respondeu Lee. "Você está me devendo um bifão. O cara aqui está falando sobre Hedge e Davis, e está confessando."

"Você está de sacanagem!", exclamou Houston. Ele investigara os dois homicídios e viera a conhecer bem as famílias. A filha de Dee Davis estava grávida na época da morte da mãe; Dee nunca chegou a conhecer o neto. Isso marcou Houston, porque na época sua esposa também estava grávida .

Lee disse para Houston ir para lá interrogar o BTK.

• • •

Rader batia sem parar no disquete.

"Por que você mentiu para mim? Por que você mentiu para mim?"

"Porque eu estava tentando pegar você", respondeu Landwehr com uma risada.

Rader parecia aturdido. "Sabe, eu achava que conseguiria me safar, e me aposentar, e ter recordações; isso não aconteceu, vocês levaram a melhor."

Rader tinha se precavido na história do disquete. "Eu verifiquei as propriedades e as outras coisas e não tinha nada lá, nada. [...] E conversei com algumas outras pessoas, que disseram: 'Ah, não, disquetes não podem ser rastreados, disquetes não podem ser rastreados'."

Ele se sentia traído.

"Eu achei mesmo que Ken estava sendo honesto quando ele me deu... quando ele me deu o sinal de que disquetes não podiam ser rastreados."

• • •

Depois que Landwehr saiu da sala, O'Connor abordou o tenente. Não conseguia imaginar que Landwehr pudesse se arriscar a entregar ao BTK uma prova original como aquela, mas queria ter certeza.

"Aquele disquete que você mostrou para ele", perguntou O'Connor. "Era um falso ou era o verdadeiro?"

Os olhos de Landwehr se arregalaram.

"Você acha que eu sou *idiota*, porra?", indagou ele, então caiu na risada.

Enquanto conversavam, outros detetives estavam com Rader. Sempre em duplas, interrogaram Rader sobre cada caso: os Otero, Bright, Vian, Fox, Hedge, Wegerle, Davis. Rader recebeu cada detetive que entrava para vê-lo com um insulto. Fez um gracejo sobre a compleição corpulenta de Relph. Ele disse para Otis: "Você fica melhor na televisão."

"É a maquiagem", respondeu o investigador, em um tom seco.

Rader fingiu reconhecer Gouge: "Você investigou a cena do assassinato de Vian."

Gouge não achou graça; ele estava no ensino médio naquela época.

Aquele comportamento era uma grande idiotice, Gouge diria mais tarde. O cara tinha assassinado dez pessoas e estava indo para a prisão, mas queria insultar os policiais e se impor com algum tipo de ritual de dominância.

Àquela altura, Otis estava entediado com Rader. Imaginara durante anos que seria fascinante interrogar o BTK. Mas, pelo jeito, o BTK era um imbecil.

● ● ●

A polícia tinha um segredo enorme para divulgar ao mundo, e pretendia revelá-lo com brevidade e dignidade em rede nacional. Os boatos de que o BTK tinha sido capturado circulavam pelas ruas, pelas ondas de rádio e pela internet. Todos sabiam que a imprensa nacional iria em breve armar barracas e acampar na calçada diante do tribunal. As autoridades queriam mostrar o que a força policial de Wichita tinha de melhor.

Já havia um plano para a coletiva de imprensa, desenvolvido pelo chefe de polícia e por Johnson meses antes. Williams anunciaria a prisão do BTK. Em seguida Landwehr informaria o nome do suspeito e os crimes dos quais ele era acusado de ter cometido. Em seguida responderiam a algumas perguntas.

A coisa toda deveria levar dez minutos, no máximo.

Mas Johnson logo percebeu que conduzir o comunicado com "brevidade e dignidade" seria impossível.

A polícia havia permitido que os políticos entrassem em cena.

● ● ●

Thomas e Lundin se recostaram, sentindo-se assombrados quando Rader, recontando os assassinatos dos Otero, se levantou de repente, colocou as mãos atrás das costas e imitou os gritos de Josie Otero, de doze anos, enquanto sua mãe era estrangulada. "Mamãe! Mamãe! Mamãe!" Então Rader riu — um cacarejo agudo e estridente: "Rá!"

Otis, assistindo pelo circuito fechado, se viu rezando para que Rader atacasse os policiais na sala de interrogatório para que pudesse entrar correndo e atirar nele.

Lundin incitou Rader a "ser homem" e contar onde guardava seus troféus.

Desenhando um mapa do interior de sua casa, Rader disse: "Bem aqui fica o que chamam de armário, onde você guarda todos os alimentos secos. Ok, a gaveta de baixo, você a retira, a última, você vai ver um fundo falso." Eles tinham que olhar ali embaixo.

E em um closet, encontrariam uma caixa de plástico grande cheia de fotos que ele cortara de suplementos do jornal com imagens de propaganda de roupas femininas e infantis. Os anúncios sensuais eram "quase como tesouros para mim, ando guardando essas coisas há anos."

Ele explicou, contudo, que grande parte de suas "coisas" estava em seu escritório na prefeitura, "porque basicamente o que eu estava fazendo era acabar com isso de maneira gradual, porque iria parar com tudo em mais ou menos um ano. Se eu conseguisse acabar com isso, uma vez que a história chegasse ao fim, eu poderia... eu poderia realizar outro ataque e eu poderia não realizar outro ataque.

"Neste canto, vocês vão encontrar meu kit de ataque básico, ok? E [...] isso é provavelmente bastante incriminador. E vocês vão encontrar minha... minha automática calibre .25, ok? Essa é outra das minhas reservas, ok? Elas estão em uma bolsa preta pequena." O sótão de sua casa continha "o que eu chamo de velhas revistas policiais. E todas tendem a pender para o *bondage*. Sabe, na década de 1950, eles costumavam enforcar as garotas. [...]"

$$\cdots$$

Embaixo do fundo falso do armário, os investigadores encontraram a aliança de casamento de Marine Hedge e diversas fotos — de seu corpo, do corpo de Dolores Davis e do próprio BTK, amarrados.

Os detetives que estavam interrogando Rader ficaram perplexos ao ouvirem da boca dele que as fotografias de Hedge foram tiradas dentro da sua igreja.

Eles encontraram equipamentos para a prática de *bondage* — incluindo talhas de alavanca e coleiras para cachorro — em uma área de armazenamento anexada aos fundos de sua casa e em um galpão de metal no quintal dos fundos. Rader gostava de usar coleiras.

O FBI enviou uma equipe com uma carreta cheia de equipamentos para reunir e catalogar as evidências. Os trabalhos se estenderiam por dias.

No escritório de Rader, na prefeitura, encontraram o que ele chamava de "Mina de Ouro", troféus e todos os seus escritos originais, na gaveta inferior de um armário de arquivos bege. O'Connor ajudou a catalogar e descrever o que encontraram: sete fichários de três fechos e mais de 25 pastas suspensas; recortes de jornal sobre muitos dos assassinatos; desenhos representando mulheres amarradas a máquinas de tortura projetadas por Rader; uma cópia do pôster de "procurado" da polícia pelos homicídios dos Otero; e disquetes rotulados de acordo com os capítulos do "livro" do BTK.

Um grande fichário de três fichas estava rotulado como LIVRO DE COMUNICAÇÕES. Ele continha:

- Uma cronologia escrita à mão das cartas e pacotes que ele enviou em 2004, incluindo o número de cada comunicação e uma breve descrição.
- A carta original sobre Wegerle enviada ao *Eagle* em março de 2004. Presas com fita adesiva à folha de papel branco estavam as três fotografias polaroides originais do corpo de Vicki e sua carteira de motorista. O símbolo do BTK estava desenhado a lápis.
- A versão original e integral de "Morte em uma manha fria de janeiro" e o desenho original em tinta que o acompanhava.
- A versão integral da história fictícia de Rader sobre "Jakey".
- Fotografias polaroides originais retratando Rader praticando *bondage* em si mesmo, às vezes vestindo roupas femininas, maquiagem e uma peruca loira. Em muitas das fotos, Rader usava a máscara que mais tarde deixou junto ao corpo de Dolores.
- Uma versão original do bilhete no qual Rader pergunta se um disquete pode ser rastreado ou não, junto com um recorte do anúncio que a polícia usou para responder.

Dentre os itens encontrados, um outro fichário continha:

- A carta datilografada original para a KAKE de fevereiro de 1978.
- Recortes de jornal sobre o homicídio de Bright e a narrativa sobre o crime digitada pelo BTK.
- Recortes de jornal sobre o homicídio de Wegerle e um relato de onze páginas sobre o encontro de Rader com Vicki.
- O poema original intitulado "Ah, Anna Por Que Você Não Apareceu" com partes escritas à mão com caneta, assim como o desenho original em tina azul retratando sua fantasia não realizada.
- Um desenho original em tinta azul com a intenção de retratar Dee Davis.
- Três fotografias polaroides originais mostrando Dee em sua cova rasa, com a máscara de Rader sobre o rosto.
- A carteira de motorista de Davis e seu cartão do Seguro Social.
- Recortes de jornal sobre o desaparecimento e o homicídio de Davis. Um mapa feito à mão foi codificado com quatro cores de tinta para indicar os caminhos que Rader usou antes e depois do assassinato.
- A carta original digitada enviada a Mary Fager, junto com o desenho original em tinta de sua concepção da cena do crime.

Em uma pasta de papel pardo, foi encontrado o poema original "Cachos da Shirley", envolvido por um plástico protetor.

Rader mantinham registros meticulosos. Os detetives sabiam que o BTK assassinara dez pessoas. Ao lerem seus diários, descobriram que ele tinha seguido mais centenas.

Os investigadores demoraram um mês para digitalizar todo o acervo de Rader — os documentos e fotos de tudo, desde imagem dele usando sapatos de salto alto até erguendo a si mesmo em galhos de árvores usando polias. Em um determinado momento, O'Connor ficou chocado ao encontrar uma foto de um corpo mascarado enrolado em plástico, parcialmente enterrado em uma cova rasa arenosa.

Ele a levou para Landwehr. "Kenny, não sei se temos outro corpo aqui."

Landwehr ficou perplexo a princípio, mas então analisou a foto.

"Não", respondeu Landwehr. "Está vendo este fio? Ora, vamos. Ele está tirando a própria foto com um controle remoto." Landwehr sorriu para O'Connor. "Ok", disse. "É por isso que você é o advogado e eu sou o detetive."

• • •

Rader parecia gostar de revelar aos detetives fatos sobre sua vida e seus hábitos.

Era "um lobo completamente solitário", afirmou; nunca houve mais ninguém envolvido.

Ele gostava de praticar *bondage*. "Se eu transo, prefiro praticar *bondage*. Sabe, eu ainda conseguia desempenhar com a minha esposa e tudo o mais, mas é assim que eu gosto de transar. Porque gosto de ter aquela pessoa sob controle."

Tudo começou na infância, contou. Certa vez viu seus avós abaterem galinhas, quando ele tinha oito anos, e se lembrava do sangue e do modo como as aves saíam pulando depois que suas cabeças eram cortadas, e o sentimento que experimentou enquanto observava.

À medida que crescia, percebeu que pensava em garotas de uma maneira diferente da expressada por seus amigos. Todos queriam segurar a mão da estrela infantil da televisão Annette Funicello e beijá-la; ele queria amarrá-la e estrangulá-la.

Ao longo das décadas, sentira vontade de matar muito mais gente. Mas costumava se contentar em segui-las, algumas vezes invadindo suas casas para xeretar, roubar roupas íntimas e fingir que era um espião.

Algumas mulheres se tornaram alvos quando ele trabalhou em regime de meio-período para o serviço de recenseamento dos Estados Unidos em cidadezinhas do Kansas em 1990, e outras enquanto trabalhava na rua instalando alarmes residenciais. Seu alvo mais distante morava a aproximadamente 320 km de Wichita. Ele escavara uma cova para uma mulher do norte do Kansas que pretendia matar, mas ela não estava em casa na ocasião escolhida para o ataque. Em quartos de motéis, ele vestia sutiãs e calcinhas roubados e — usando um tripé e um controle remoto — tirava fotos de si mesmo.

Os policiais debateram se deveriam ou não revelar às pessoas que conseguiram identificar que quase tinham se tornado vítimas do BTK. Landwehr não queria deixá-las abaladas. Mas decidiu que os investigadores deveriam contatá-las — para se certificarem de que não havia mais corpos. Não havia.

Algumas pessoas ficaram irritadas ao receberem a informação de que tinham chamado a atenção de um assassino em série; a ignorância nesse caso era uma bênção. Nenhuma delas quis que sua identidade viesse a público.

$$\bullet\ \bullet\ \bullet$$

Rader descreveu seus crimes no mesmo tom monótono que a maioria das pessoas reserva para falar de tarefas rotineiras.

Quando confrontou a família Otero na cozinha da casa, Joe Otero teve dificuldades para entender o que estava acontecendo: "Ele disse: 'Meu cunhado mandou você fazer isso'. Eu disse: 'Não, isto não é uma brincadeira'. Eu disse para ele que tinha uma arma, uma calibre .22 com projéteis de pontas ocas que eu usaria se necessário. Então eles começaram a deitar. Eles começaram a deitar na sala de estar.

"Eu não tinha um controle muito bom sobre a família, eles estavam surtando e tal. Então eu os amarrei o melhor que pude." Rader tinha preparado as amarras com antecedência. "Eu já estava com os fios comigo e acho que alguns deles já estavam amarrados, quero dizer, já com os nós."

Rader relatou que a família agira de maneira cooperativa porque ele havia usado uma artimanha.

"Eu simplesmente disse a eles que estava indo para a Califórnia; eu precisava de dinheiro, e precisava... precisava de um carro. E eu ia... ah, eu usei isso com várias pessoas, eu disse que precisava de comida."

Ele amarrou os pés de Joe à cama para impedir que ele fugisse. Rader tinha usado luvas para evitar impressões digitais, mas não tinha se dado ao trabalho de usar uma máscara. Eles tinham visto o seu rosto. Portanto, não havia dúvidas a respeito do que aconteceria em seguida. "Eles estavam acabados."

Rader recorreu ao seu "kit de ataque" na sala de estar para pegar sacolas plásticas; ele voltou ao quarto.

"Tudo virou um pandemônio quando eles descobriram que eu estava indo atrás deles. Eu o derrubei, coloquei uma sacola na cabeça dele. E acho que tive que enrolar alguma coisa em volta. E ele endoideceu, tentando abrir um buraco na sacola a mordidas ou sei lá."

Os gritos da família o enervaram. "Aquele foi um momento ruim", como ele recordou.

Ele estrangulou Julie até ela desmaiar, depois focou sua atenção em Joey — colocando uma sacola na cabeça do menino. Julie recobrou a consciência e "gritou para mim: 'Você matou meu filho, você matou meu filho'. E ela estava enlouquecendo. [...] Foi quando eu a estrangulei pela segunda vez."

Rader então foi até a garota, que estava gritando "Mamãe" e chorando. Ele a estrangulou, mas ela também voltou a si.

"Sabe, eu estrangulei cães e gatos, mas nunca tinha estrangulado uma pessoa antes. [...] Estrangulamento é um jeito difícil de matar uma pessoa, sabe, elas não apagam em um minuto como nos filmes. [...] Eu achava que quando você estrangulava uma pessoa, ela estaria liquidada." Mas se um pouco de oxigênio entrar nas vias respiratórias, "você volta a si. [...] Você sabe que está sendo estrangulado, essa é a sua tortura."

Em determinado momento, ele narrou, Joe ainda estava se mexendo, "então eu dei o golpe de misericórdia".

Rader contou que em seguida levou o "Pequeno Joseph" para seu quarto e colocou uma camiseta embaixo da sacola plástica para que ele não pudesse abrir um buraco a mordidas. "Arrumei uma cadeira para assistir. [...] Acho que o coloquei em cima da cama e acho que ele rolou para fora da cama e foi ali onde morreu."

O primeiro pensamento de Rader depois de assistir Joey se debater e morrer foi: "Nossa, sabe [...] Eu sempre tive um desejo sexual por mulheres mais jovens, então achei que Josephine seria meu alvo principal". Quando voltou para o quarto principal, viu que ela havia "acordado".

Foi quando ele optou por um "bis".

"Eu a levei para o porão, abaixei sua calcinha, a amarrei um pouco mais, encontrei o cano de esgoto." Antes de enforcar a menina, Rader perguntou a Josie se o pai dela tinha uma câmera, porque queria tirar uma foto. Ela disse que não.

O "bis" chegou ao fim, Rader explicou, quando ele passou a corda por cima da cabeça dela e se masturbou. Ele a deixou pendurada com os dedos dos pés a pouquíssimos centímetros do chão.

Matar os Otero não foi suficiente. Ele contou aos policiais que também fantasiava em escravizá-los no além-túmulo. Em seus escritos chamava isso de AFLV, sigla para Afterlife Concepto of Victim [Conceito de Vítima no Além-Túmulo].

Joseph Otero seria seu guarda-costas.

Julie Otero iria banhá-lo e servi-lo no quarto.

Joey seria um criado e um brinquedo sexual.

Josie seria sua "jovem donzela". Ele a instruiria no sexo, *bondage* e sadomasoquismo.

. . .

Thomas, precisando de uma pausa, perguntou se Rader estava com fome. Sim, ele queria um jantar leve — uma salada. Passou a Lundin instruções precisas sobre quais vegetais incluir, quais deixar de fora e que tipo de molho queria.

E traga café depois, pediu.

O cara é atrevido, pensou Lundin. Mas Lundin providenciou o pedido. Eles queriam mantê-lo falando.

. . .

Snyder entrou depois. Ele interrogou Rader a respeito de Kathryn e Kevin Bright.

Para se preparar para aquele ataque, Rader contou a Snyder, ele treinou apertando bolas de borracha para fortalecer as mãos. Os detetives encontraram uma bola assim com o lema "a vida é bela" na mesinha de cabeceira de Rader, ao lado de seu distintivo de voluntário da igreja.

O rosto de Snyder deve ter demonstrado seu desgosto.

"Sinto muito", disse Rader. "Sei que ela é um ser humano. Mas eu sou um monstro."

Relph interrogou Rader sobre Nancy Fox.

No além-túmulo com o qual ele fantasiava, ela seria sua principal amante.

Para ajudar a esclarecer seu relato sobre o assassinato, Rader desenhou uma planta detalhada e precisa do apartamento.

Quando era aluno da Escola de Ensino Fundamental Riverview, uma das matérias favoritas de Rader fora educação artística. Como BTK, ele gostava de esboçar ideias para câmaras de tortura. Uma delas era uma câmara de calor cheia de água até a metade. Ele controlariam o calor, fazendo a mulher em seu interior suar e urinar dia após dia. Ela se afogaria aos poucos nos próprios fluídos.

Rader só parou de falar perto das 22h daquela noite, e apenas porque os policiais queriam deixá-lo descansar. Queria continuar falando. *Foi quase cômico*, pensou Relph.

Mas não tão cômico como o que aconteceria no dia seguinte.

RADER USA AS ROUPAS ÍNTIMAS DE
DOLORES DAVIS E UMA MÁSCARA COBRINDO
O ROSTO ENQUANTO LEVANTA A SI MESMO DO
CHÃO COM POLIAS EM UMA DE SUAS FOTOS
NAS QUAIS PRATICA *BONDAGE* EM SI MESMO

RADER ENROLOU A SI MESMO EM PLÁSTICO E SE DEITOU
EM UMA COVA RASA QUE ESCAVARA EM CHENEY RESERVOIR,
UM DESTINO POPULAR PARA ACAMPAMENTOS EM FAMÍLIA.

PROFILE

ROY WENZL / TIM POTTER / HURST LAVIANA / L. KELLY

26 de fevereiro de 2005

48. "O BTK ESTÁ PRESO"

O chefe Williams, Landwehr e a maioria dos oficiais do alto-comando tinham passado quase toda a vida em Wichita. Conheciam as virtudes da cidade — um lugar excelente para criar filhos, uma comunidade onde os vizinhos tratavam uns aos outros como família, lar de alguns dos mais inteligentes engenheiros aeronáuticos e dos centros mais sofisticados de fabricação de aeronaves do planeta. Mas essas qualidades nunca tinham sido suficientes para eliminar a insistente insegurança que os nascidos ali sentiam a respeito do local onde moravam. Recém-chegados costumavam ficar perplexos pela maneira como as pessoas falavam mal da própria cidade. Os cidadãos de Wichita gostavam dos deslocamentos de apenas dez minutos para chegarem ao trabalho, do trânsito tranquilo e dos lindos crepúsculos, mas muitos reclamavam abertamente de que não havia "nada" para fazer, nenhuma praia, nada de montanhas e (supostamente) nenhum feito do qual se orgulhar. O mundo adorava *O Mágico de Oz*, mas muitos locais faziam caretas diante de referências a Dorothy e Totó; achavam que o filme fazia com que os cidadãos do Kansas parecessem caipiras.

Os policiais tinham isso em mente enquanto se preparavam para anunciar que haviam acabado de colocar um fim ao mais extenso reinado de medo de um assassino em série da história dos Estados Unidos. Também estavam conscientes de que a estratégia e as táticas concebidas por Landwehr e pelo FBI serviriam de modelo de um trabalho policial sofisticado, a ser estudado em Quantico e em outros lugares em anos vindouros. A cidade tinha muito do que se orgulhar.

O anúncio seria transmitido para todo o planeta, e Wichita, representada por sua força policial, poderia se mostrar orgulhosa em um palco de alcance mundial. Tivesse a polícia mantido a ideia de um comunicado marcado pela brevidade e dignidade, como planejado originalmente, as críticas públicas à cidade teriam sido evitadas.

Mas, no dia da prisão de Rader, Williams concluiu que não seria possível ser breve. O chefe de polícia prezava pela generosidade. Por achar que devia gratidão a inúmeras pessoas, queria que todas estivessem com ele no anúncio. O KBI, uma divisão da promotoria do estado, cedera agentes e recursos durante onze meses. O FBI se mantivera envolvido na investigação por décadas. O deputado Todd Tiahrt providenciara 1 milhão de dólares em fundos federais justamente quando os administradores do departamento estavam ficando desesperados sobre como pagar as horas extras, as coletas de DNA e outras despesas.

Havia outras considerações: Landwehr queria seguir o protocolo e ter o xerife Gary Steed anunciando a solução dos homicídios de Hedge e Davis, porque o seu departamento tinha cuidado daqueles casos. A promotora Nola Foulston precisava explicar as acusações e o processo pendentes. O prefeito queria confirmar o fim do longo calvário da cidade.

Williams decidiu deixar todos se pronunciarem.

Mas, assim que os políticos entraram em cena, o departamento de polícia teve uma discussão feia com alguns deles.

Os policiais pretendiam ligar para as famílias das vítimas naquela noite e contar que o BTK tinha enfim sido preso e que todos estavam convidadas para a coletiva de imprensa na manhã seguinte. Quando Johnson contou isso para os políticos locais, alguns apresentaram vigorosas objeções. Disseram que as famílias não deveriam ser informadas de nada, porque poderiam dar com a língua nos dentes e contar para a imprensa antes — e roubar os holofotes.

Quando os policiais ouviram isso, alguns ficaram furiosos: seus nervos estavam à flor da pele devido aos onze meses com semanas de setenta horas de trabalho e ao estresse diário de imaginar se o BTK deixaria um novo cadáver para eles encontrarem a qualquer momento. Alguns dos membros da força-tarefa tinham criado laços com as famílias das vítimas, que tinham convivido com o pesar durante décadas. Os detetives ligaram para as famílias, uma a uma, e contaram o que aconteceria pela manhã.

. . .

Em um intervalo de poucas horas após a prisão de Rader, ainda que a polícia ainda não tivesse feito nenhum anúncio, os repórteres do *Eagle* já tinham descoberto seu nome e profissão, que seria acusado de ser o BTK, que os policiais estavam enchendo um caminhão de evidências retiradas de dentro de sua casa, que tinham revistado a prefeitura de Park City, a biblioteca local e a igreja que ele frequentava. Entrevistando os vizinhos, consultando registros públicos e pesquisando na internet, os funcionários do jornal começaram a construir um retrato de Rader e de sua família e a reunir fotos dele. Rader parecia um homem diferente em cada foto — era um camaleão humano. Naquela tarde, a editora Sherry Chisenhall ficou surpresa ao receber um e-mail com o que se alegava ser uma foto da carteira de motorista do suspeito, junto com um bilhete descrevendo a aparência do "monstro". Seguindo a cadeia de endereços de e-mails encaminhados, constatou que o remetente original trabalhava para a prefeitura de Wichita. Querendo confirmar que era mesmo Rader — o sujeito naquela foto se parecia com o ator de *Monty Python*, John Cleese, com uma barba; a foto de Rader no website de Park City se parecia mais com um sorridente Jason Alexander de *Seinfeld* —, ela entrou em contato com Landwehr. Para confirmar que a foto era de Rader, disse o tenente, ele precisaria vê-la, junto com a sequência de e-mails. Um número limitado de pessoas teria acesso a algo assim. Chisenhall lhe encaminhou tudo. De fato, era a foto da carteira de motorista do suspeito, confirmou Landwehr. O remetente original era um detetive do Departamento Contra Roubos e Assaltos.

Landwehr não ficou contente com o vazamento. Disse a Chisenhall que, a partir daquele momento, o sujeito era um *ex*-detetive — mas, no fim das contas, o investigador apenas recebeu uma advertência e se desculpou.

. . .

Com a prisão de Valadez ainda fresca na memória, Chisenhall voltou a optar pela cautela: a primeira página do *Eagle* daquele sábado,

26 de fevereiro, relatava que uma prisão tinha sido realizada em Park City e que uma coletiva de imprensa sobre o BTK estava agendada para aquela manhã. O jornal não publicou nem o nome, nem a foto, nem detalhes específicos sobre a vida de Rader.

O auditório do conselho da cidade não demorou a ficar lotado. Alguns detetives apareceram com uma expressão sombria e ameaçadora para o que deveria ter sido um anúncio alegre.

O que viam diante deles era uma comédia.

Repórteres locais, nacionais e internacionais disputavam os melhores lugares. A CNN e a MSNBC transmitiram a coletiva de imprensa ao vivo. Quando o prefeito de Wichita, Carlos Mayans, deu início ao comunicado, pouco depois das 10h, ele se deparou com uma multidão na prefeitura e com a expectativa dos cidadãos de que aquele seria o melhor momento de Wichita.

Mayans falou por aproximadamente dois minutos, e grande parte de seus comentários se resumiu a chavões: "Foi uma jornada muito longa [...] Com certeza foi um desafio [...] Os holofotes do país estavam focados sobre nós [...] Hoje eu me vejo como um prefeito orgulhoso da cidade de Wichita. [...]"

Em seguida veio o chefe de polícia Williams, que introduziu com brevidade as várias pessoas que falariam. Então pronunciou seis palavras que desencadearam uma ovação de pé: "Em suma: o BTK está preso!"

Mas Williams não revelou o que todos estavam esperando para ouvir: o nome do suspeito.

Ele cedeu o pódio para a chefe do gabinete da promotoria do distrito, Nola Foulston. A brevidade estava indo para o espaço. Foulston, uma democrata em um condado em grande parte republicano, tinha sido reeleita, muitas vezes com grandes margens, em cada eleição desde 1988. Seus detratores tinham admitido fazia tempo que ela era uma advogada de talento, mas também ressaltavam que sua habilidade rivalizava com seu ego e seu amor pela publicidade. Para os telespectadores, um minuto pode parecer uma eternidade, razão pela qual a maioria das "entrevistas" exibidas são trechos de apenas oito a dez segundos. Foulston falou por incríveis 9 minutos e 44 segundos. Agradeceu a todos os políticos que se encontravam atrás dela, embora Mayans e Williams já tivessem feito isso. Então começou a falar não sobre o BTK, mas sobre sua promotoria.

"No último ano, desde o reaparecimento do indivíduo, do assassino em série desconhecido, eu nomeei e mantive uma equipe de promotores confiantes e extraordinariamente qualificados para trabalhar com a força policial 24 horas por dia, sete dias por semana."

Ela apresentou Parker, relembrando o público de seu trabalho no caso Carr, e O'Connor, explicando que ele foi escolhido graças ao seu espírito de "irlandês lutador". E ainda continuou por um tempo considerável. Confirmou o que Laviana escrevera meses antes: o BTK não encararia uma execução — cometera todos os seus assassinatos durante os anos em que o Kansas não tinha pena de morte. Destacou também que restrições de informação continuariam; moções judiciais seriam emitidas sob sigilo. Quando ela terminou, mais de meia hora tinha se passado desde o início da coletiva, e a audiência local e nacional não estava nem um pouco mais perto de descobrir quem era o BTK e por que cometera aqueles crimes.

O procurador-geral do Kansas, Phill Kline, subiu ao pódio em seguida para agradecer ao prefeito e elogiar os agentes da força policial ali representados. Prometeu que o público estaria em breve "cara a cara com o mal", mas incluiu em seu discurso ainda mais chavões: "A perseverança e a dedicação à verdade e à justiça deixou o Kansas orgulhoso. Neste dia, a voz da justiça é ouvida em Wichita."

Otis, sentado com os Wegerle, lançou um olhar para os parentes da vítima e se perguntou se estavam tão igualmente entediados e desapontados como ele se sentia. Até então só tinham ouvido um monte de autocongratulações, a maioria de pessoas que quase não fizeram parte da caçada ao BTK.

Larry Welch, o diretor do KBI, felizmente falou por menos de um minuto; então Kevin Stafford, do FBI, se pronunciou por outros noventa segundos.

O congressista Tiahrt assumiu o microfone (por dois minutos) e apresentou mais uma dimensão aos procedimentos: "A comunidade da fé de Wichita se juntou e não rezou apenas para que o que estivesse oculto fosse revelado, mas também rezou pelas famílias das vítimas, e eu sei que muitas delas estão aqui."

Em seguida foi a vez de o xerife Gary Steed falar, e trouxe notícias mais concretas: a prisão do BTK solucionava os homicídios de Hedge e de Davis, o que confirmava um total de dez assassinatos cometidos pelo BTK.

E então, finalmente, 39 minutos depois do início da coletiva, Landwehr teve permissão para se aproximar do microfone.

A CNN interrompera a cobertura do evento vinte minutos antes, com uma confusa âncora em Atlanta pedindo ao seu correspondente em Wichita que "por favor, volte se e quando eles tiverem alguma coisa para anunciar por aí". A CNN voltou a transmitir a coletiva em rede nacional quando Landwehr se pronunciou.

Ele não demonstrou, mas estava bastante irritado com o fato de as famílias das vítimas terem sido, em grande parte, ignoradas e de muitas pessoas que não faziam parte da força-tarefa terem recebido agradecimentos nominais, algumas delas múltiplas vezes.

Ele não pretendia agradecer a ninguém, mas agora se via obrigado a isso:

"Eu quero agradecer às famílias das vítimas, que depositaram sua confiança em nós e nos apoiaram", começou Landwehr. "Quero agradecer o apoio que as famílias de nossa força-tarefa nos deram."

Em seguida, dando uma boa olhada para os presentes (ele fez uma piada sobre como vinha ficando míope recentemente), Landwehr começou a agradecer nome a nome todos os policiais e civis que trabalharam na força-tarefa ou que ajudaram nos esforços de alguma maneira mais tangível. De cabeça, conseguiu nomear 42 deles — alguns duas vezes.

"Estão vendo?", disse. "Estou perdendo a conta. Quero agradecer a todos e às suas famílias, que abriram mão de muita coisa pela força-tarefa."

Ele respirou fundo.

Então Landwehr proferiu o que para Otis foi uma reprimenda sutil para os políticos parados logo atrás.

"Vou parar de enrolar", avisou Landwehr. "Vamos lá. Vamos fazer isso *agora* mesmo."

Ele abaixou o olhar para uma folha de papel.

"Pouco depois do meio-dia de ontem, agentes do KBI, agentes do FBI e membros do Departamento de Polícia de Wichita prenderam Dennis Rader, de 59 anos, caucasiano, em Park City, Kansas, pelos assassinatos de Joseph Otero, Julie Otero, Josephine Otero..."

Naquele momento, Landwehr pareceu ficar com a voz um pouco embargada de emoção. Ele se recuperou logo e continuou: "Joseph Otero Jr., Kathryn Bright, Shirley Vian Relford, Nancy Fox e Vicki Wegerle", anunciou. "Ele foi preso por homicídio qualificado de todas essas vítimas. Está detido neste momento em um local confidencial. Vamos acionar a promotoria na semana que vem, listar as acusações e ver se as acusações serão feitas contra este indivíduo. Agradeço muito a todos vocês pelo apoio."

Era o fim da caçada.

Depois de 31 anos, além de mais uma hora e milhares de palavras supérfluas, todos em Wichita afinal conheciam o nome do BTK.

• • •

Uma emissora de televisão de fora da cidade ofereceu a um policial de Park City quinhentos dólares para que entrasse na casa de Rader e voltasse com alguma coisa com o nome "Dennis Rader". O policial recusou a oferta.

Curiosos foram chegando à Independence Street, alguns vindo do próximo Kansas Coliseum, não muito longe dali, onde um torneio de luta greco-romana entre escolas estaduais do ensino fundamental estava sendo realizado. Quando uma garota de uma equipe de animadoras de torcida levantou o celular para tirar uma foto da casa errada, o chefe de polícia Ball solicitamente lhe indicou a direção certa.

Alguém fez menção de arrancar a caixa de correios do jardim de Rader, que continha seu nome. Quando as pessoas presentes protestaram, o ladrão largou a caixa e fugiu.

Os policiais de Park City direcionavam o tráfego nas ruas, assim como nas calçadas, para manter os curiosos em movimento. Os vizinhos com vista para a casa estabeleceram negócios improvisados, vendendo garrafas de água, cigarros por unidade e bons lugares de onde poderiam fazer vídeos.

• • •

Os detetives continuaram a interrogar Rader, ainda mais do que disposto a continuar falando, no dia seguinte à prisão.

Relph e o agente do FBI, Chuck Pritchett, mostraram o desenho de Nancy Fox deitada seminua e amarrada à cama. Enquanto explicava a cena, Rader de repente se desculpou: estava tendo uma ereção. Relph arrancou o desenho de cima da mesa.

Ao longo de dois dias, Rader falou por 33 horas. Contou a Otis que tinha seguido Vicki Wegerle por três semanas. Disse que a artimanha do técnico de manutenção de telefones que usara para conseguir entrar na casa dela também havia aberto outras portas. E se gabou que, se um policial o tivesse parado por uma violação de trânsito enquanto dirigia o carro de Vicki, ele o teria baleado.

Deveria ter havido muito mais vítimas, contou Rader aos detetives. Mas sua família e trabalho o atrapalharam.

Ele planejava matar uma décima primeira vítima e enforcá-la no dia 22 de outubro de 2004. Mas, quando encontrou operários construindo meios-fios no bairro dela, recuou. "Então o que diabos você faz?", disse Rader. "Você só bate em retirada e espera por um outro dia. Eu ia fazer outra tentativa na primavera ou no outono."

Depois de matá-la, planejava se aposentar da matança com um último comunicado — uma "última apresentação".

Quando a força-tarefa prendeu Rader, ele estava planejando fazer o que chamou de "entrega Vian" — uma boneca em uma miniatura de caixão envolto em fios para se parecer com uma bomba. Estivera trabalhando nisso em seu escritório na prefeitura na noite anterior à prisão, justificando para a esposa que estava fazendo hora extra. Ele explicou para os detetives: "Eu consigo me safar por chegar em casa tarde, fazendo as coisas do BTK. É hilário." Rader tinha uma queda por bonecas. Fotografava seus sapatos; as amarrava; pendurava uma e usava um espelho para vê-la de diversos ângulos.

• • •

Os mais de vinte repórteres, fotógrafos e editores do *Eagle* escalados para trabalhar na cobertura naquele sábado começaram a discernir os contornos da mentira que Rader fizera de sua vida. Ele era o presidente da congregação da igreja; um eleitor republicano registrado; pai de um escoteiro de longa data; um bom vizinho. Criara dois filhos que eram bons alunos e bons cidadãos; o filho acabara de se formar da escola para submarinistas da marinha. Muitos dos membros da igreja e dos escoteiros descreviam Rader nos mais belos termos. O *Eagle* citou Ray Reiss, um amigo de Rader desde seus dias na Escola Secundária Heights. "Parece repetitivo dizer que ele é um cara muito legal. Bom... ele é legal."

Mas os repórteres também descobriram que ele compartimentalizava sua vida e, no que dizia respeito a vestir um uniforme e trabalhar como fiscal da prefeitura, tinha sido cruel com as pessoas de maneira deliberada.

O *Eagle* citou um antigo colega de trabalho da ADT Security Services, onde Rader trabalhou de 1974 a 1988. Esse foi o período em que Rader cometeu a maioria de seus assassinatos. "Não acredito que o cavalheiro em questão fosse uma pessoa querida", disse Mike Tavares. Ele descreveu Rader como grosso, arrogante e rude.

• • •

Houston, o capitão, reparou que, quando Rader descreveu como levou o corpo de Dee Davis até a ponte, ele passou a falar cada vez mais rápido, com uma excitação evidente.

Nos escritos de Rader, os investigadores encontraram um diário no qual ele descreveu o quanto Dee tinha implorado: "Por favor, senhor, eu tenho filhos".

Os investigadores encontraram fotografias que Rader tirou de si mesmo amarrado no porão da casa dos pais. Ele estava usando as roupas íntimas de Dee.

• • •

Dois dias depois da prisão de Rader, o celular de Bonnie Bing tocou. Era Landwehr, parecendo animado, dizendo à colunista de moda do *Eagle* que ela não precisava mais ter medo do BTK. Na verdade, a carta que Cindy Carnahan tinha recebido em setembro não era do BTK. Quando Relph o questionou, Rader dissera que nunca teria se arriscado a seguir uma jornalista. Quando o detetive lhe mostrou uma cópia da carta, Rader disse que aquilo não era obra sua. Landwehr e Relph agora tinham certeza de que a carta fora escrita por um homem de uma preeminente família local; ele tinha problemas mentais, mas era inofensivo.

Bing ficou aliviada.

"Então por que você está me ligando?", brincou com Landwehr. "Olha só, parceiro, não estamos mais namorando."

Landwehr riu. Ele parecia fortalecido e feliz.

Contou que tinha jogado uma partida de golfe naquela manhã.

• • •

Muitos cidadãos de Park City, depois que tiveram seus nomes publicados no jornal junto com uma citação ou duas sobre Rader, receberam dezenas de ligações urgentes de agências de notícias pedindo mais informações. No *Eagle*, L. Kelly pediu aos repórteres em campo para ligarem apenas para o seu celular — o telefone de sua mesa estava sobrecarregado com telefonemas de editores e produtores de noticiários de todo o país e do exterior querendo entrevistas. Embora os repórteres tivessem ficado felizes em dar entrevistas sobre o caso no passado, a prioridade no momento era a cobertura do caso para os leitores locais.

Ela e o seu chefe, Tim Rogers, monitoravam a cobertura televisiva do BTK em âmbitos local e nacional. Rogers atravessou correndo a redação quando viu em um canal de notícias da TV a cabo relatando que a filha de Rader fora a responsável por denunciá-lo à polícia: "Nós temos isso? Nós temos isso?"

"Estou verificando", respondeu Kelly, cética, digitando um número de telefone. Ela ligou para o maior fofoqueiro sobre o caso da cidade, que tinha enviado ao jornal e à força-tarefa centenas de e-mails no último ano. ("Não podemos controlar quem nos envia e-mails", Otis diria mais tarde.) Kelly contou a Robert Beattie o que acabara de ver na TV. Ele tinha ouvido alguma coisa assim?

"Ah, fui eu que contei isso para eles", disse ele, soando surpreso.

"Bob, você *tem certeza disso* ou apenas ouviu falarem por aí?", perguntou Kelly.

"Só estou passando adiante tudo o que ouço." O advogado disse que nunca imaginou que a pista fosse ser reportada como fato.

Kelly em seguida entrou em contato com a emissora de TV a cabo; não, contou a mulher que a atendeu, eles não verificaram a informação antes de levá-la no ar. Simplesmente presumiram que Beattie tivesse acesso ao núcleo duro da investigação.

A emissora mais tarde desmentiu a notícia.

• • •

A repórter do *Eagle* Suzanne Perez Tobias estava em uma sala de estar cercada por pessoas que amavam e sentiam saudade de Vicki Wegerle.

O marido e os filhos crescidos de Vicki, dentre outros, tinham se reunido para falarem sobre fotos antigas, mas estavam esperando que Bill saísse do telefone da cozinha. Tobias trabalhava em um dos dez perfis que o *Eagle* estava preparando para homenagear os mortos. Na edição do domingo seguinte, as vítimas não seriam mais apenas um nome, uma foto e uma data de falecimento.

"Sinto muito, Suzanne", disse Bill Wegerle. "Não vamos poder fazer isso hoje."

Bill explicou que acabara de receber uma ligação da promotoria avisando que falar com Suzanne poderia prejudicar o caso. Ele não queria fazer nada que pudesse permitir que o assassino de Vicki fosse posto em liberdade. Tobias não conseguiu entender como conversar sobre Vicki como pessoa — uma esposa amada, uma mãe excelente — poderia ter impacto no julgamento, mas ficou claro que Bill estava abalado. Pediu para Tobias ligar para o gabinete da promotoria para esclarecer melhor o que lhe fora dito, mas já passavam das 18h, e ninguém atendeu. Todos ficaram desapontados, a entrevista tinha acabado antes mesmo de começar.

A mesma coisa aconteceu com outras famílias e repórteres. Kelly ficou enfurecida. Rader tinha confessado, os repórteres estavam tentando retratar as vítimas como pessoas de carne e osso, e agora o fardo de um processo judicial fora depositado sobre os ombros das famílias das vítimas. Quando Kelly recebeu um e-mail do gabinete da promotoria avisando que as famílias das vítimas do BTK estavam solicitando que não fossem mais contatadas pelos repórteres — com uma lista que incluía os Wegerle e outros que cancelaram as entrevistas depois de receberem os telefonemas para que "não falassem" —, ela transformou *isso* em uma matéria.

A reportagem citava a porta-voz da promotoria, Georgia Cole: os membros da família não tinham recebido ordens de não falarem com os repórteres: "nós apenas explicamos as repercussões do que poderia acontecer caso o fizessem".

• • •

Três dias depois da prisão de Rader, Laviana encontrou o endereço de um tal de George Martin, que, de acordo com o que repórter ficara sabendo, poderia ter conhecido Rader nos escoteiros. Ele passou o nome de Martin para Wenzl que, com a fotógrafa Jaime Oppenheimer, se deslocou até Park City. Martin falou por meia hora, contando que Rader era bom com os garotos dos escoteiros. Wenzl se lembrou dos nós mencionados na carta sobre os Otero, de 1974.

"Eu fiz parte dos escoteiros por uns cinco minutos quando era criança", contou ele a Martin. "E eles só falavam que eu precisava aprender a dar nós de escoteiros. Rader era bom em dar nós e ensinar a dar nós?"

"Ah, sim", respondeu Martin. "Ele era um dos melhores professores que tínhamos para ensinar os nós. Todos os nós, o nó direito, o nó de encurtar, o nó de engate, o lais de guia, o lais de guia sob tensão para amarrar os postes de barracas, ele conhecia todos. E aposto que ele mesmo aprendeu a dar nós quando era criança, nos escoteiros."

Era um furo jornalístico — um dos assassinos em série mais notórios dos Estados Unidos tinha amarrado e estrangulado suas vítimas usando nós que aprendera com os escoteiros. Wenzl pediu que Martin lhe contasse tudo que pudesse sobre Rader e os nós.

O celular de Oppenheimer tocou. Ela interrompeu Wenzl para dizer que os dois tinham acabado de ser designados para ir para as casas dos sogros e da mãe de Rader.

"Até parece que alguém vai abrir a porta para a gente nessas casas", comentou Wenzl. Ele ignorou as instruções e questionou Martin sobre quem mais nas tropas de escoteiros de Park City poderia ter conhecimento sobre a habilidade de Rader com os nós. Ao longo da meia hora seguinte, os editores ligaram repetidas vezes para o celular de Oppenheimer, mas Wenzl, anotando cada vez mais nomes dos membros dos escoteiros, desconsiderava os telefonemas.

Quando o repórter terminou de entrevistar Martin, os editores pareciam à beira do desespero. Wenzl e Oppenheimer dirigiram primeiro para a casa dos sogros de Rader, e enquanto iam até a porta o repórter reclamava da tarefa — "Ninguém vai atender à porta." Oppenheimer se virou para ele.

"Por que você simplesmente não cala a boca e faz o seu trabalho?", perguntou ela.

"Porque eu já tenho uma matéria excelente sobre os nós, e essa história de parentes é uma perda de tempo", respondeu ele.

Ninguém atendeu à porta.

Wenzl queria deixar aquilo para lá e ir encontrar mais líderes dos escoteiros, mas Oppenheimer dirigiu até a casa da mãe de Rader. Minutos depois, se dirigiram até a porta, com Wenzl ainda esbravejando com Oppenheimer. "Se eu fosse um parente do Rader, mandaria a gente para o inferno", disse. "Eles não vão querer falar."

Wenzl bateu.

A porta foi aberta, e um homem grande de olhos azuis e um bigode basto os encarou.

"O que vocês querem?"

"Conversar com os membros da família de Dennis Rader", respondeu Wenzl.

O homem deu um passo para fora, fechou a porta atrás de si e cruzou braços musculosos na frente do seu macacão de brim azul.

"Sou o irmão dele", informou o homem. "O que vocês querem saber?"

Wenzl olhou para Oppenheimer. Ela suprimiu um sorriso.

• • •

Seu nome era Jeff Rader, informou. Tinha cinquenta anos, era encanador. Nunca acompanhara com muita atenção os assassinatos do BTK, e Dennis nunca tocara no assunto. A primeira vez em que percebeu que havia algo errado foi na tarde do dia 25 de fevereiro, quando um agente do FBI e dois detetives de Wichita o interrogaram. Quando um deles deixou escapar que seu irmão era o BTK, Jeff dera risada.

"Eu disse: 'De jeito *nenhum*. Vocês pegaram o cara errado'. Mas eles só balançaram a cabeça. E um deles disse: 'Temos certeza'."

Jeff avisou que Wenzl não podia entrar para ver a sua mãe, de 79 anos. "Isso é difícil demais para minha mãe", explicou. "E você vai fazer os cachorros começarem a latir. Mas eu vou conversar um pouco com você."

Sua mãe estava muito fragilizada, contou. "Ela cai de vez em quando. Os médicos acham que ela pode ter água no cérebro."

A família nunca viu nenhum sinal de que seu irmão pudesse ser um assassino, relatou Jeff. "Minha mãe ainda não consegue acreditar. Ainda está em negação. E eu também. Mas talvez, comigo, a aceitação esteja começando a surgir. Não acho que o meu irmão seja o BTK. Mas se for, se isso for verdade, então vou deixar a verdade ser a verdade."

Pessoas cruéis tinham passado trotes para atormentar sua mãe, contou ele. "Existem muitas pessoas doentes por aí. Do tipo que querem chutar alguém quando estão caídos."

Transmissões televisivas tinham divulgado erros e especulações sobre a família, ele se queixou. Ninguém na família tinha denunciado Dennis, por exemplo. Os quatro irmãos Rader foram criados por uma mãe amorosa e um pai rigoroso, mas decente, contou Jeff. O pai, William Rader, servira como fuzileiro naval e era um homem temente a Deus, severo, mas não insensato.

"Todos os quatro garotos foram escoteiros", continuou Jeff. "Éramos uma família normal. Todos os garotos gostavam de ficar ao ar livre, fazer trilhas. Adorávamos caçar e pescar."

Não havia problemas na família, nada de abuso, contou. O agente do FBI tinha perguntado se ele ou algum dos garotos sofrera abusos sexuais do pai.

"Eu disse a eles que não. E essa é a verdade."

Como havia nove anos de diferença entre os dois, ele não passava muito tempo com o irmão mais velho, revelou. E Dennis às vezes não o queria por perto quando eram mais novos. "Mas era comum que um irmão mais velho não quisesse um irmão mais novo por perto para dedurá-lo", explicou Jeff. Seu irmão foi uma criança comportada. "Eu não", contou Jeff. "Eu era uma peste. Mas Dennis não."

Depois de adultos, os irmãos se reuniam com a mãe no Dia de Ação de Graças, no Natal. Eles gostavam da companhia uns dos outros. Dennis e a esposa, Paula, iam sempre até lá para cuidarem da mãe, revelou Jeff. Seu irmão costumava tomar a frente nesses casos, levando a mãe ao médico, quando necessário.

A família nunca teve a menor ideia a respeito de quem era BTK, repetiu Jeff. Disse que seus pais tentaram ensiná-lo a ser religioso e a saber a diferença entre o certo e o errado.

• • •

Naquele mesmo dia, os policiais pararam de interrogar Dennis Rader. Ele ficou arrasado. Tinha adorado tudo aquilo, conversar com "Ken", "ajudar" a polícia, "trabalhar nos casos".

Os policiais, contentes por se livrarem dele, o entregaram para o xerife Steed. A primeira residência de Rader na prisão do condado de Sedgwick foi uma cela pequena no centro médico. A prisão, a maior do estado, já abrigara presidiários notáveis antes, incluindo Terry Nichols, um dos acusados pelo Atentado de Oklahoma City. Os carcereiros não costumavam colocar os presidiários em isolamento, mas os funcionários tiveram que improvisar com Rader. Era preciso avaliar onde ele poderia ser colocado em segurança.

Os carcereiros instruíram Rader a responder um questionário que perguntava sobre seu estado emocional, inclusive se ele sentia vergonha ou remorso.

Sim, escreveu. *Porque eu fui pego.*

PROFILE

profile

BTK

DENNIS LYNN RADER

ROY WENZL / TIM POTTER / HURST LAVIANA / L. KELLY

27 de junho de 2005

49. DEZ VEZES CULPADO

Enquanto os policiais e os promotores se preparavam para a audiência preliminar de Rader em junho, mulheres escreviam para ele com pedidos de casamentos e lhe enviavam dinheiro. Enfim ele passara a tirar proveito da aura mística e romântica de assassinos em série como Ted Bundy e John Wayne Gacy, que se casaram na prisão com suas correspondentes. Fãs escreviam pedindo autógrafos ou entrevistas, e acadêmicos e pseudoacadêmicos enviavam perguntas sobre sua psique. Rader respondia com entusiasmo. Pessoas tentavam vender suvenires do BTK/ Rader na internet: documentos de fiscalização municipal com sua assinatura, cartas da prisão, cópias do *Eagle* com a manchete "BTK ESTÁ PRESO". Ele disse aos carcereiros que as correntes com que prenderam seus tornozelos valeriam mil dólares no mercado de memorabília.

Uma analista do setor de petróleo e gás de Topeka chamada Kris Casarona escreveu longas cartas para Rader. Tinha 38 anos e era casada; ela o visitava com frequência na cadeia e lhe escrevia quase todos os dias. Eles insistiam que não havia nada ali exceto o desejo de uma mulher cristã em estender as mãos para outra pessoa de fé.

Rader escreveu para os três âncoras dos noticiários da KAKE-TV. Recortou uma fotografia de Susan Peters e Jeff Herndon de um anúncio no *Eagle*, autografou e enviou para eles com um bilhete alegre; além disso, mandou uma fotografia colorida de seu jardim de flores em Park City para Peters. Desenhou a caricatura de um sapo com asas no envelope de uma carta para Larry Hatteberg. Comentou que não podia conversar sobre o processo judicial, mas que adorava o trabalho de Hatteberg, em especial o segmento chamado "Hatteberg's People" [O Pessoal de Hatteberg]. Talvez o jornalista pudesse escrever algo comovente sobre os aspectos positivos de sua vida e obra.

"Pense nisso", escreveu Rader, "e eu também vou. [...] Vou manter a porta aberta. E se não der certo — bem — qualquer um pode fazer uma matéria nas mesmas linhas de — Controle de Animais Cumprimento dos Regulamentos — ajudar a sociedade como um 'Policial para Melhores Residências e Jardins'. Pode ser um começo."

Hatteberg respondeu em termos educados, mas irônicos: "Você menciona em sua carta a possibilidade de fazer uma matéria com um toque humano para a sua vida como Fiscal da Prefeitura de Park City. Se entendi suas ideias (talvez você tenha que me ajudar um pouco aqui) [...], eu quero ser transparente, sou um jornalista e se eu fizer um lado [...] vou precisar fazer o outro. [...]."

O âncora de telejornais acreditava que a emissora fizera um bom trabalho na cobertura da história do BTK, embora ainda achasse que a confusão que a KAKE arrumara com os policiais por causa da caixa de cereal deixada na Seneca Street tinha sido desnecessária. O que estava tentando conseguir naquele momento era uma entrevista com Rader. A primeira.

Susan Peters havia dado dois furos jornalísticos: ela foi a primeira a entrevistar o filho de Shirley Vian, Steve Relford, que quando criança tinha deixado o BTK entrar em casa. Peters também fizera a primeira entrevista com Kevin Bright — um contato que causou a ira de Landwehr. Nos meses anteriores, houve vezes em que Peters telefonava para a unidade de homicídios às lágrimas implorando por informações sobre o caso. Em determinado momento antes da prisão de Rader, a jornalista ligou para Landwehr para avisar que Kevin estava na cidade. A equipe da KAKE mostrara a Bright algumas fotos de homens considerados potenciais suspeitos de serem o BTK, e ele tinha apontado um. Landwehr gostaria de conversar com Bright?

Claro, respondeu o tenente.

Ele estava furioso, mas não revelou isso a Peters. Landwehr estava cansado de ter que lidar com amadores metidos a detetive. Quando Bright chegou para a reunião, Landwehr mandou que a equipe da KAKE ficasse do lado de fora. Depois de algumas cordialidades, Landwehr tirou uma fotografia do bolso da camisa e a colocou diante de Bright.

Era do mesmo homem que Bright achava que poderia ser o BTK. Também era alguém que os policiais tinham descartado como suspeito fazia tempo por meio da análise de DNA. Quando Landwehr viu o espanto no rosto de Bright, falou em um tom cortante.

"Por que você acha que eu sabia qual fotografia você iria tentar me mostrar?", perguntou Landwehr. "Acha que eu sou *vidente*, seu idiota filho de uma puta?"

Bright ficou imóvel, em silêncio e em choque.

Um detetive resolveu intervir. "Kenny, você não está falando com um suspeito."

· · ·

Após a prisão, grande parte do contato que Rader teve com a família foi por meio de Michael Clark, o ministro da Igreja Luterana de Cristo. Ele visitava Rader em média uma vez por semana, algumas vezes para repassar longas mensagens. Em um segunda-feira, ele foi à prisão acompanhado de um dos irmãos de Rader, Paul, que tinha conseguido uma licença de emergência de seu serviço militar no Iraque.

De tempos em tempos os amigos de Rader entravam em contato com o *Eagle* para defendê-lo. E, às vezes, pessoas que tinham os próprios suspeitos em mente, e se sentiam frustradas pela recusa dos policiais em prendê-los, ligavam garantido que o homem errado estava sendo acusado.

· · ·

No dia 27 de junho, Rader se apresentou com um blazer de cor creme para sua audiência preliminar. O *Eagle* e outros veículos de comunicação tinham confirmado por meio de fontes internas que Rader confessara, mas ninguém, a não ser os advogados de defesa, sabia se ele iria se declarar culpado. O que todos estavam esperando era uma explicação.

Do lado de fora do tribunal, o circo midiático habitual estava armado, com vans com antenas para transmissão via satélite e dezenas de jornalistas e equipes de televisão. Rader conseguira a audiência nacional que desejava.

Otis e outros detetives se encontraram com as famílias das vítimas a um quarteirão de distância do tribunal. Os policiais se posicionaram em volta do grupo e o acompanharam até o tribunal, passando pelos repórteres. As famílias andavam de modo solene, como se estivessem em um funeral, com os olhos voltados para a calçada quente; alguns se davam as mãos. Os profissionais que empunhavam bloquinhos de nota e câmeras se comportaram com discrição; ninguém perguntou sobre "sentimentos" ou "sensação de encerramento" a respeito daquela história.

. . .

A internet ajudou a criar um público global para as notícias sobre o BTK. Apesar de a audiência ter sido transmitida ao vivo pela televisão, centenas de milhares de pessoas ao redor do mundo acompanharam os procedimentos por meio das frequentes atualizações no site do *Eagle*. Rader de imediato se declarou culpado de todas as dez acusações de assassinato. Mas o juiz Gregory Waller não permitiu que ele deixasse as coisas só por isso.

WALLER: A respeito da primeira acusação, por favor, me conte em suas próprias palavras o que você fez no dia 15 de janeiro de 1974, aqui no condado de Sedgwick, Kansas, que o faz acreditar que seja culpado de homicídio qualificado.
RADER: Bem, no dia 15 de janeiro de 1974, eu maliciosamente...

Waller interrompeu. Não queria que Rader apenas repetisse as acusações.

WALLER: Sr. Rader, preciso encontrar mais informações. Naquele dia em particular, o dia 15 de janeiro de 1974, você pode me dizer aonde você foi para matar o sr. Joseph Otero?"
RADER: Hum... Acho que é Edgemoor, 1834.

Na redação do *Eagle*, os repórteres soltaram um suspiro de susto: quem não sabia que a casa dos Otero ficava no número 803 da North Edgemoor? Rader tinha mesmo esquecido ou era apenas um insulto às famílias e autoridades?

> WALLER: Certo, você pode me dizer aproximadamente que a hora do dia foi até lá?
> RADER: Algo entre 7h e 7h30.
> WALLER: Neste local em particular, você conhecia aquelas pessoas?
> RADER: Não, isso era parte do que... acho que do que se pode chamar de minha fantasia. Essas pessoas foram selecionadas.
> WALLER: Então você estava envolvido em algum tipo de fantasia durante aquele período de tempo?
> RADER: Sim, senhor.
> WALLER: Então, quando você usa o termo *fantasia*, isso é algo que estava fazendo por prazer pessoal?
> RADER: Fantasia sexual, senhor.

Ficou claro então que Waller também queria uma explicação — uma explicação detalhada. Mas até mesmo o juiz ficou surpreso quando Rader compartilhou detalhes horripilantes em abundância, apesar de ter trocado os nomes das vítimas.

> WALLER: Certo, o que você fez com Joseph Otero?
> RADER: Joseph Otero?
> WALLER: Joseph Otero Sênior, o sr. Otero, o pai.
> RADER: Eu passei uma sacola plástica sobre a cabeça dele e depois alguns fios e apertei.

O diálogo entre Waller e Rader prosseguiu por mais de uma hora, com as descrições sem nenhum sentimento de Rader sobre sua obra se tornando cada vez mais vívidas conforme ele falava. O juiz o conduziu a uma descrição detalhada de todos os dez assassinatos e uma revelação pública sobre o que aconteceu depois que estrangulou Marine Hedge com as mãos.

> RADER: Já que eu ainda estava na fantasia sexual, fui em frente e a despi. Não tenho certeza se a amarrei naquela hora, mas de qualquer maneira ela estava nua. Eu a coloquei em um cobertor, revirei a bolsa e seus itens pessoais dentro da casa. Encontrei um jeito de

tirá-la de lá. No fim, a carreguei para o porta-malas do carro — o porta-malas do carro dela — e levei o carro até a Igreja Luterana de Cristo, essa era a igreja mais velha, e tirei algumas fotos dela.

O pastor, sentado atrás de Rader na tribuna, fez uma careta de desgosto. Nola Foulston, a chefe do gabinete da promotoria, se virou para Ron Sylvester, repórter de assuntos jurídicos do *Eagle*, e, com olhos arregalados, articulou com os lábios: "Na igreja!"

Em determinado momento, tentando se lembrar dos detalhes do assassinato de Dee Davis, Rader revirou os olhos e emitiu ruídos que a pessoa responsável pela transcrição dos autos do tribunal tentou descrever:

> RADER: Eu a levei até o carro dela... isso é complicado, e depois as coisas que eu tinha — roupas, armas e tal — levei tudo isso de carro para outro lugar, me livrei de tudo. Ok, depois levei o carro de volta para a casa dela, deixei ele... me deixe pensar, agora [faz estalos com a boca diversas vezes].

Landwehr, parecendo envergonhado, se virou para Relph e Otis e falou em um sussurro fingido como se estivesse se dirigindo a Rader: "Meu Deus, seu imbecil filho de uma puta, por acaso dá para você parecer mais burro que isso? Assim pode fazer com que todo mundo que está assistindo pense que *qualquer um* poderia ter pegado você a qualquer momento."

Relph e Otis suprimiram o riso, mas eles também estavam envergonhados.

• • •

Os policiais, com Otis assumindo a dianteira, escoltaram as famílias para fora do tribunal. Dessa vez, todos foram cercados pelas câmeras e abordados com uma postura mais agressiva.

"Como estão se sentindo?", perguntaram os repórteres. "Como estão se sentindo?"

As famílias não disseram nada.

Landwehr caminhava ao lado deles.

"Algum comentário, tenente?", perguntou alguém.

"Agora não, obrigado", respondeu.

A alguns passos de distância, Steve Relford andava devagar, olhando diretamente para a frente.

Quando menino, ele deixara Rader entrar em sua casa, e depois ficou chorando no banheiro enquanto Rader enfiava uma sacola na cabeça de sua mãe. Ele passara grande parte da vida desde então à deriva, ficando chapado e fazendo tatuagens de crânios humanos.

Havia feito inúmeras ameaças contra Rader. Os policiais o repreenderam algumas vezes, então ele estava tentando ficar em silêncio.

"Como você está se sentindo?"

"Bem", respondeu Relford. Ele continuou andando, com o rosto ficando vermelho.

"Você sente que essa história agora finalmente terminou?"

"Não."

PROFILE

profile

BTK

DENNIS LYNN RADER

ROY WENZL / TIM POTTER / HURST LAVIANA / L. KELLY

2 de julho de 2005

50. DEMÔNIOS DENTRO DE MIM

Os telefones da redação da KAKE não aceitavam ligações a cobrar, portanto, todos os três âncoras da emissora tinham incluído seus telefones residenciais nas cartas pedindo que Rader conversasse com eles.

Quando escreveu para Rader, Larry Hatteberg já estava trabalhando no caso havia 31 anos. Tinha 23 quando fez uma reportagem em frente à casa dos Otero, em 1974. Estava com 59 quando ajudou a noticiar o retorno do BTK, em 2004.

Durante anos, trabalhara nas vinhetas de três minutos chamadas "Hatteberg's People" em seu escritório residencial. Gostava de ficar sozinho e tinha câmeras e equipamentos de edição melhores que os dos estúdios da KAKE. Ainda assim, não estava preparado quando seu telefone tocou, às 10h20 do dia 2 de julho, um sábado, interrompendo sua degustação de um Americano grande da Starbucks no deque do quintal dos fundos. Do outro lado da linha, uma gravação lhe perguntou se aceitaria uma ligação a cobrar da penitenciária do condado de Sedgwick. Ele disse que sim. Então uma voz falou.

"Aqui é Dennis L. Rader."

Hatteberg de repente ficou nervoso. Aquela era a primeira entrevista do BTK para a imprensa. O jornalista deixara a maioria de suas anotações na KAKE, não estava com seu equipamento de gravação ligado e sentiu um pouco de medo de dizer algo idiota para um assassino em série, como "que bom falar com você" ou "obrigado por ligar".

Portanto, Hatteberg decidiu se arriscar. Pediu para Rader ligar de volta em alguns minutos, para que preparasse seu gravador. Rader concordou, e nos instantes que se seguiram Hatteberg ficou angustiado, com medo de ter perdido a entrevista. Mas Rader ligou de volta; parecia ansioso para falar.

Com a voz comedida e calorosa que Rader ouvira saindo de sua televisão havia décadas, Hatteberg perguntou a respeito da recitação dos crimes do BTK no tribunal, cinco dias antes: "Parece que você agiu com uma incrível frieza a esse respeito e falou sobre isso do mesmo modo que falaria sobre produtos em um mercado. Poderia fazer algum comentário sobre isso?"

Durante aproximadamente trinta segundos, Rader divagou da mesma forma peculiar com que se comportara na audiência, tentando sair pela tangente, mas depois se acalmou.

"Eu estava totalmente despreparado para o que o tribunal me perguntou. Fiquei um pouco chocado que a defesa não tenha se adiantado e me dado tapinhas no ombro para dizer 'vamos reconsiderar isso' ou para se aproximar da bancada.

"Na prática eu falei sem pensar. Percebi que fui frio e tudo o mais, mas eu só queria apresentar os fatos o mais rápido possível, tentar não me envolver muito emocionalmente. Se eu me sentar e de fato... se alguém se sentar comigo em uma sala e nós começarmos a falar sobre os casos, eu fico bastante emotivo. Até mesmo agora minha voz está um pouco embargada."

A voz dele, porém, não estava embargada.

"Está sendo uma coisa muito penosa e difícil para mim."

Então o homem que escrevera em 1978 "quantas eu preciso Matar para ter meu nome no jornal ou receber alguma atenção nacional" disse a Hatteberg: "Acho que o principal é que eu quero que as pessoas do condado de Sedgwick e dos Estados Unidos e do mundo saibam que eu sou um assassino em série.

"Existem algumas coisas que você pode aprender com isso. Não estou tentando tirar proveito de nada. Vou pagar pelo que fiz com uma sentença de prisão perpétua."

Hatteberg perguntou: "Você sente algum remorso pelos assassinatos?"

"Sinto, sim. [...] Eu culpo o Fator x", disse Rader, uma referência à sua carta de 1978. "Não faço ideia. Eu sou muito compartimentado. Posso viver uma vida normal, trocar depressa de uma marcha para a outra. Acho que é por isso que sobrevivi tão bem durante esses 31 anos; muito compartimentado. Posso ter muitas facetas. Posso trocar de marcha bem depressa. Posso me tornar emocionalmente envolvido; posso me tornar frio. Isso é algo que eu talvez venha a entender afinal, se algum dia vier a entender; é um mistério."

Hatteberg perguntou como ele se sentia sobre matar crianças, destacando que "muitas pessoas ficam incrédulas [...], especialmente considerando que você mesmo tem filhos".

"Acho que no fim das contas era uma fantasia sexual, as crianças. Se você analisar bem, elas foram mais uma ramificação, a ação de avançar na direção do crime, não o crime em si; o crime subsequente foi mais um — acho que dá para chamar assim — um barato para mim. [...] Provavelmente tinha um fantasia sexual naquilo. Grande parte da coisa era direcionada para os adultos; as crianças por acaso estavam lá, acho. Não era assim com os adultos; Josephine foi provavelmente a única com quem eu expressei de verdade essa fantasia sexual."

Rader então disse esperar que Hatteberg pudesse editar a conversa antes de transmiti-la para que não chocasse tanto a comunidade.

Isso deixou o jornalista desconcertado. Como algo poderia ser mais chocante do que os crimes de Rader?

"Você poderia falar um pouco mais sobre o Fator x? Quando escreveu para nós na década de 1970, você disse que era o Fator x que o obrigava a matar. Poderia descrever o que é isso?"

Rader observou que, às vezes, assaltantes armados atiram nas pessoas porque têm medo de serem pegos. Mas o que o impelia era "uma questão muito, muito profunda", que uma conversa telefônica não conseguiria dar conta de abordar. "Só sei que é um lado sombrio meu. Ele meio que me controla. Eu pessoalmente acho que é... sei que não é muito cristão, mas eu acho de verdade que existem demônios dentro de mim."

Hatteberg ofereceu a Rader outra chance de assumir responsabilidade por suas ações: "O que você gostaria de dizer às famílias a esta altura? As famílias que sofreram tanto."

Rader respondeu como um profissional incumbido de um projeto: "Na condenação, será algo com bastante arrependimento... vou me mostrar bastante pesaroso diante deles. Vou trabalhar nisso. É parte do que eu e a defesa estamos trabalhando, é o discurso preparado para isso. Eu tenho muitos pensamentos ruins em se tratando disso: como um cara como eu — membro da igreja, que formou uma família — sai por aí e faz esse tipo de coisa? A única coisa que consigo compreender é que sou compartimentado; em algum lugar do meu corpo eu consigo fazer esse tipo de coisa e voltar a levar uma vida normal. O que é inacreditável.... Vi os olhos do sr. Fox na TV uma vez, as lágrimas nos olhos dele. Eu poderia estar na mesma situação. Sinto muito por eles. Sei que eles não entendem isso, mas sinto."

Em março de 2004, quando o BTK começou a se comunicar depois de décadas de silêncio, muitos em Wichita especularam que ele queria ser pego. Quando Hatteberg perguntou a respeito, Rader disse: "Não, eu não estava planejando ser pego. Eu só brinquei de gato e rato com a polícia por tempo demais, eles por fim descobriram tudo."

"Você ia matar de novo?"

"Não. Apesar de eu ter armado algumas coisas para a polícia e colocado algumas coisas para despistar, estava basicamente encerrando as operações."

Isso não batia com o que as autoridades tinham declarado após a prisão de Rader.

"Então você não ia matar de novo; não tinha nenhum projeto em andamento?"

Rader foi evasivo.

"Bem, sim e não. Isso é segredo. Provavelmente havia mais um, eu estava pensando mesmo nisso, mas estava começando a ir mais devagar por causa da idade, meu processo mental, então provavelmente isso nunca seria posto em prática; provavelmente foi mais um lance de ego dizer a eles que iria..."

"Você já tinha escolhido a pessoa?"

"Sim... já havia uma escolhida."

"Você sabe o nome dela?"

"Não, agora não. Não, não, não, eu nunca vou revelar isso. Não quero causar aborrecimento para ninguém."

Interessante; ele estava preocupado com os sentimentos da possível vítima.

"Você sente alguma coisa pelas pessoas que matou?"

"Ah, sim, achava que já tinha dito isso antes; eu passei um pouco por isso. Vi o sr. Fox... você está falando sobre as vítimas? Ah, sim, sinto. Sinto muitas coisas por elas; elas foram uma... acho que elas foram um tipo... um tipo de conquista ou objeto. [...] Elas na verdade foram só um objeto para mim."

Estimulado para falar a respeito, Rader continuou: "Quando estava no ensino fundamental, eu comecei a ter alguns problemas."

"Que tipo de problemas eram esses?"

"Fantasias sexuais; provavelmente mais do que o normal. Você tem que se lembrar da puberdade... todos os homens provavelmente desenvolvem algum tipo de fantasia sexual. Foi provavelmente mais esquisita do que as das outras pessoas. [...] Acho que, em um determinado momento, provavelmente eu sabia quando estava na oitava série, ou no primeiro ano do ensino médio, eu sabia que tinha algumas fantasias anormais. Mas elas explodiram no dia 15 de janeiro de 1974. Foi então que a barreira rompeu. [...]

"Vou ter muito tempo para compreender isso", concluiu Rader. "Mais muitos anos."

• • •

Rader convidou Hatteberg e o âncora Jeff Herndon para visitá-lo dois dias depois, no feriado de Quatro de Julho, na penitenciária do condado de Sedgwick. Eles não tiveram permissão para levar uma câmera, mas fizeram anotações. Perguntaram a Rader por que ele resolveu reaparecer se poderia ter escapado daquelas acusações de assassinato.

O gatilho que o levou a isso foi ler a reportagem de Hurst Laviana sobre o trigésimo aniversário do BTK no *Eagle*, em janeiro de 2004. Laviana entrevistou um advogado que estava trabalhando em um livro sobre os assassinatos, e Rader explicou que ficou incomodado por outra pessoa estar escrevendo sua história.

Disse que sua esposa não sabia de nada. Ele nunca tinha contado a ninguém sobre o BTK antes de ser preso; e nunca teria contado a ninguém.

Ele não estava preocupado com a prisão. "Não deve ser tão ruim assim." Na penitenciária, tudo o que os presidiários faziam era ficar sentados e aprender como cometer crimes — como roubar um banco, como começar um incêndio. "Curso Básico de Criminalidade", foi a definição dele.

Ele alguma vez tinha postado uma mensagem nos fóruns de discussão sobre o BTK na internet? Não, respondeu Rader. Tinha medo de que a atividade fosse rastreável.

"Você alguma vez teve um cúmplice?", perguntou Hatteberg. Charlie Otero, que viera do Novo México para a audiência preliminar, achava que não havia como Rader ter conseguido matar seu pai sem ajuda.

Rader hesitou.

Não, disse ele.

"Mas eu tinha um amiguinho comigo."

O amigo, disse, era um sapo imaginário que ele batizara de "Batter" [Espancador]. Em tempos recentes, fizera o desenho de um sapo alado sorridente nos envelopes de sua correspondência. Enquanto Rader falava, Hatteberg compreendeu que a ideia por trás daquilo tudo era que o demônio dentro dele era Batter.

PROFILE

profile

BTK

DENNIS LYNN RADER

ROY WENZL / TIM POTTER / HURST LAVIANA / L. KELLY

11 de julho de 2005

51. LEILÃO BIZARRO

Era uma residência pequena, de apenas 89 m², uma casa em estilo fazenda de 1954 onde ele e Paula tinham criado os dois filhos, onde Rader tinha planejado assassinatos e guardado troféus. Seus crimes tinham custado a Paula seu ganha-pão e seu lar. Ela queria vender a casa.

Tim Potter convenceu o leiloeiro, Lonny McCurdy, a deixá-lo visitar o imóvel vazio alguns dias antes da venda. Potter queria uma reportagem exclusiva; McCurdy desejava atrair mais possíveis compradores.

Quando Potter viu o contorno empoeirado da cama no chão de madeira de lei do quarto principal, ele se deu conta de que estava olhando para o lugar onde o BTK dormia, planejava e fantasiava.

No banheiro, Potter considerou o próprio reflexo no espelho, em seguida, abriu a porta do armário de remédios. Aquele era um território íntimo. Havia dois recortes da seção de destaques do *Eagle* presos com fita adesiva no interior; dicas para como descobrir se a pessoa está resfriada ou gripada.

Para o leilão, o *Eagle* enviou dois fotógrafos, além de Potter, Hurst Laviana e um jovem repórter chamado Brent Wistrom, que encarava seu primeiro turno da noite completo fazendo reportagens policiais.

Também presentes estavam o *New York Times*, o *Los Angeles Times*, o *National Enquirer*, a revista *People*, o programa *Inside Edition*, e cinegrafistas de redes de televisão, de emissoras de TV a cabo e canais locais com seus fios elétricos e vans com antenas para transmissão via satélite — todos se acotovelando com os compradores de casas, os curiosos e os simplesmente enxeridos.

A polícia bloqueou a rua e manteve o público afastado da propriedade. Alguns se aproximaram mesmo assim e tiraram fotos.

Michelle Borin-Devuono, proprietária de um clube de strip-tease bastante conhecido pelos cidadãos de Wichita por seus anúncios engraçados e sedutores na programação noturna da televisão local, entrou na casa de Rader com um corretor de imóveis e seu marido musculoso e tatuado, Len "Devo" Devuono, ex-jogador de hóquei do Wichita Thunder. Ela e os outros candidatos a compradores se reuniram ao redor do leiloeiro no quintal dos fundos. Alguns deram lances via celular. Um casal tinha uma câmera de vídeo e negociava aninhando um chihuahua no colo.

Bill Ball, o chefe da polícia de Park City, tirou uma foto de seus agentes monitorando o quintal de Rader. Eles por sua vez bateram uma fotografia dele. Ball então apontou a câmera para os repórteres e fotógrafos. "Fogo trocado é jogo limpo, certo?", disse ele.

Muitos dos vizinhos tinham colocado fita amarela de isolamento e placas de "Entrada Proibida" nos quintais. Nos meses que se sucederam à prisão de Rader, equipes de notícias e filmagem de lugares tão distantes quanto a Dinamarca tinham batido às suas portas.

McCurdy lembrou os compradores de que o fogão, a geladeira, a lava-louça, a secadora e a máquina de lavar ficariam na casa.

"Pensem no potencial de aluguel que este imóvel tem", exclamou ele.

Ele destacou a conveniência da localização, a apenas alguns metros da I-135.

"Park City é uma cidade em crescimento", declarou.

Ele não mencionou o BTK.

A proprietária do clube de strip-tease deu o lance vencedor de 90 mil dólares — 33 mil dólares acima do valor de mercado.

"Faço investimento em imóveis", declarou ela a Potter. "Eu gostaria de ver todo o lucro ir para a sra. Rader e ajudar sua família. Trabalhei duro toda a minha vida para chegar onde estou hoje. Não consigo nem imaginar o que ela está passando. Isso é o mínimo que posso fazer." Mas Paula Rader não veria nenhum lucro tão cedo. As famílias das vítimas do BTK abriram um processo para confiscar o "ágio" de 33 mil dólares, que eles alegavam ser fruto da notoriedade do marido dela. Durante a batalha legal, a compradora voltou atrás. No fim, a prefeitura acabou demolindo a casa. O terreno se tornou uma entrada para um pequeno parque com uma quadra de basquete, mesas de piquenique e um balanço.

Depois do término do leilão, Laviana se viu sozinho no quintal dos fundos do BTK, ouvindo Wayne Newton cantando através dos alto-falantes do leiloeiro:

Danke schoen, darling, danke shoen. Thank you for all the joy and pain...[1]

---

1   Muito obrigado, querida, muito obrigado. Obrigado por todas as alegrias e mágoas. [NT]

PROFILE
profile
BTK
DENNIS LYNN RADER
ROY WENZL / TIM POTTER / HURST LAVIANA / L. KELLY

17 a 19 de Agosto de 2005

52. O MONSTRO É BANIDO

Para a leitura da sentença de Rader, em agosto, a chefe do gabinete da promotoria do distrito, Nola Foulston, acreditava que um testemunho detalhado sob os holofotes do país inteiro seria conveniente.

Muitos cidadãos de Wichita, incluindo alguns advogados de defesa, criticaram essa decisão. Rader tinha confessado e aceitado seu destino. Por que arcar com os custos de uma audiência desse tipo? Por que colocar todos os detalhes sórdidos na televisão, para chocar as famílias das vítimas e envergonhar de maneira desnecessária a esposa e os filhos inocentes de Rader? Foulston estava tentando atrair atenção para si mesma?

O promotor Kevin O'Connor desprezava as fofocas dos bastidores. Por um lado, Foulston perguntara a cada uma das famílias das vítimas do BTK se tinham algum problema com a divulgação das evidências. Ninguém objetou. Por outro lado, O'Connor disse: "Se quiséssemos chamar atenção, a melhor maneira de fazer isso teria sido convocar uma coletiva de imprensa e ficar ali em pé, apenas a promotora pública, falando e falando sem parar durante horas diante das câmeras. Mas não foi isso o que Nola fez."

As pessoas precisavam ouvir dos policiais a respeito do que eles sabiam, ela decidiu. Caso contrário, a única explicação pública completa sobre os crimes do BTK teria vindo do próprio Rader, na audiência preliminar. Embora o relato de Rader para o juiz tivesse sido detalhado e horripilante, ele minimizou o aspecto da tortura.

O'Connor disse que havia outro motivo para prosseguirem. Foulston tinha longa experiência com vítimas de crime. Mantivera a promessa, feita anos antes, de lidar com alguns julgamentos de homicídios ela mesma, além do trabalho que já tinha para supervisionar mais de cinquenta promotores-assistentes. Ela sabia como era terapêutico para familiares de vítimas confrontarem pessoalmente um assassino em seu momento de justiça. "É quase como uma maneira de a família dizer 'você não se safou disso'", justificou O'Connor.

Havia outras vantagens, algumas delas de motivação mais sombria. Otis sabia o bastante sobre Rader para saber que ele temia pela própria vida na cadeia e queria que os presidiários achassem que estavam prestes a conhecer um assassino em série dos mais cruéis — um homem perigoso, que deveria ser levado a sério. Otis também sabia o que os criminosos aprisionados pensavam sobre molestadores de crianças e sujeitos que gostavam de vestir roupas femininas. Esperava que todos os detentos planejassem assistir à condenação de Rader pela televisão.

Na audiência, realizada ao longo de dois dias, Foulston pediu aos detetives que relatassem detalhes repugnantes sobre cada assassinato quando se sentassem no banco das testemunhas. "Eu estava tão cansada da arrogância que ele tinha demonstrado na audiência preliminar", a promotora diria mais tarde. "Muito do que fizemos na audiência foi planejado deliberadamente para acabar com aquela arrogância ao mostrar ao público quem ele era de verdade."

Ray Lundin, do KBI, contou que Rader tinha zombado de Josie Otero durante sua confissão. Dana Gouge calçou luvas de borracha e mostrou os brinquedos que o BTK tinha jogado dentro do banheiro para deixar os filhos de Shirley Vian ocupados enquanto ele a estrangulava. Foulston, O'Connor e o promotor Kim Parker exibiram fotografias que Rader tinha tirado de si mesmo praticando *bondage*, usando sutiã e camisola roubados.

Otis tentou fazer com que o réu estabelecesse contato visual com ele enquanto relatava como se dera a confissão do assassinato de Vicki Wegerle, mas Rader evitou encará-lo, erguendo os olhos apenas para espiar as fotos do corpo dela quando eram mostradas no telão do tribunal.

Algumas das coisas que Foulston e os policiais fizeram no tribunal foram planejadas para abalar a mente de Rader. Foulston queria mandá-lo para a prisão como um homem abalado psicologicamente. Vinha ponderando sobre como fazer isso, e as descrições vívidas de Landwehr de Rader como um maníaco por limpeza compulsivo lhe deram uma ideia de como fazer isso.

Quando Landwehr tomou seu lugar na tribuna, Foulston se aproximou dele com uma sacola cheia de recortes de mulheres em fichas pautadas que Rader mantinha presas com elásticos de forma caprichosa. Ela as despejou sobre a mesa, soltou os elásticos e fez uma bagunça deliberada ao espalhá-las com as mãos. Rader, vendo tudo com raiva da mesa da defesa, jogou sua caneta no chão. Mas Foulston acabou encontrando uma surpresa na pilha: ela pegou uma das centenas de fichas ao acaso, a virou e leu o nome "Nola" na parte de trás.

Aturtida, mostrou para Landwehr, sentado no banco das testemunhas. "Você sabia que isto estava na pilha?", sussurrou ela.

"Não", respondeu Landwehr em um sussurro surpreso. Ambos tinham examinado as fotos enquanto se preparavam para a audiência e tinham deixado aquela passar.

No dia seguinte, depois de ouvir as declarações dos familiares das vítimas, Waller condenou Rader a dez prisões perpétuas consecutivas, uma para cada homicídio. Rader, àquela altura com 60 anos, seria elegível para liberdade condicional apenas após seu centésimo aniversário.

Rader tinha se preparado para isso. Certo dia, quando os oficiais o levavam algemado e acorrentado pelas pernas para outra parte da prisão, ele começou a correr sem sair do lugar. Explicou que estava se exercitando para não entrar na cadeia como um fracote. E, embora tivesse sido heterossexual a vida toda, passou a considerar alternativas. A homossexualidade poderia ser interessante na prisão, contou aos policiais.

● ● ●

Antes da aurora da manhã após a condenação, policiais levaram Rader para a viagem de trinta minutos de Wichita à penitenciária El Dorado. Ele estava vestindo um macacão vermelho e chinelos, algemado nos tornozelos e nos pulsos e acorrentado pela cintura.

O xerife Gary Steed, que anos antes tinha investigado o assassinato de Dolores Davis, designou a si mesmo e a dois de seus homens para a viagem.

No caminho, ouviram uma estação de rádio tocar uma gravação de vozes acusadoras da audiência do dia anterior:

"Sou Carmen Julie Otero Montoya", dissera a filha dos Otero para Rader no tribunal. "Apesar de nunca termos nos encontrado, você já viu meu rosto antes. É o mesmo rosto que você matou há mais trinta anos — o rosto da minha mãe, Julie Otero. Ela me ensinou como amar, como ser uma boa pessoa, como aceitar os outros como são e, acima de tudo, como encarar nossos temores. Tenho certeza de que você viu isso no rosto dela enquanto ela lutava para viver. Minha mãe contra sua arma. Você é tão *covarde*. [...]"

Ela descreveu cada membro da família, começando por seu pai brincalhão.

"Tenho certeza de que você conseguia sentir o amor dele pela família enquanto arrancava dele sua última respiração. Você é tão covarde."

Sua irmã, Josie.

"Fico espantada que você tenha conseguido ser tão cruel com uma criança doce e bonita."

Joey, eternamente com nove anos.

"O nome dele era Joey, *não* 'Junior', mas acho que isso não importa muito para você. [...] Um homem com uma arma contra um menininho. Você com certeza é um covarde. [...]

"Há bem pouco tempo eu me dei conta de que não conseguia me lembrar da voz da minha mãe. Isso foi uma descoberta dolorosa, mas, à medida que colocava meus pensamentos no papel, o seguinte me ocorreu — eu sou a voz da minha mãe. E eu sei que nós fomos ouvidas."

O juiz permitiu que representantes de todas as sete famílias falassem. No carro com Steed, Rader ouvia as suas vozes enquanto olhava para pastos verdejantes passando pela janela. Steed se perguntava como Rader estava lidando com aquilo. Algumas das pessoas tinham chorado durante as declarações do dia anterior; algumas se dirigiram a Rader com palavras duríssimas, como o filho de Dee Davis, Jeff, um ex-policial:

"Eu decidi que, pelo bem de nossas vítimas inocentes e de suas famílias e amigos amorosos conosco aqui hoje, para mim este será um dia de comemoração, não de retaliação. Se meu foco fosse o ódio, eu encararia você e o chamaria de demônio do inferno que profana este tribunal à vista de sua presença cancerosa. [...] Se eu fosse rancoroso, eu iria lembrá-lo de que é nada mais do que justo que um psicopata perverso e narcisista, obcecado por atenção pública, logo tenha seu mundo reduzido a uma existência solitária isolada em uma cela de 8 m², condenado a apodrecer pelo resto da sua vida miserável, sozinho."

No carro, Rader abaixou a cabeça e tirou os óculos com as mãos algemadas. Ele olhou para Steed, que viu lágrimas nos olhos do condenado.

Rader fizera uma tentativa patética de se desculpar durante a audiência, mas ninguém o levara a sério. Algumas das famílias de suas vítimas sequer o ouviram; para expressar seu desdém, deixaram o tribunal antes que ele começasse o que ficaria conhecido em Wichita como "o discurso do Globo de Ouro". Divagando por mais de vinte minutos, Rader agradecera cada pessoa no tribunal e cada pessoa que conhecera depois de preso, como se estivesse fazendo uma última reverência.

Ele destacou as características que tinha em comum com as pessoas que matou: serviço militar, escolaridade, hobbies, animais de estimação. E falou com nostalgia sobre seu "relacionamento" com os policiais.

"Eu senti que tive uma conexão com os oficiais da polícia durante a confissão", falou. "Quase senti que eles eram meus amigos. Em determinado momento, perguntei se talvez LaMunyon não poderia ir me ver e tomar uma xícara de café comigo."

Steed se perguntou: Rader estaria lamentando pelo que fez ou sentia pena apenas de si mesmo, por tudo estar acabado, porque em breve se encontraria sozinho em uma cela, enquanto a imprensa passava a trabalhar em outras histórias?

Rader comentou com Steed sobre como os pastos estavam verdejantes. Steed concordou. O Kansas costumava ficar seco feito osso em agosto, a grama de um marrom cor de ferrugem, mas a chuva tinha reavivado a terra. O mundo parecia revigorado e renovado.

Rader olhou para a pradaria luminosa ao amanhecer. Steed se deu conta de que aquele poderia ser o último olhar do BTK para o campo e o grande céu do Kansas. Ele seria alocado junto com os presidiários do corredor da morte, mantido em uma cela durante 23 horas por dia.

Quando alcançaram a entrada da prisão, Rader saiu e, por um instante, se espreguiçou de um modo estranho para ajeitar as costas.

Arrastou os pés até a porta da prisão, forçando a vista contra o sol nascente, cercado por alambrados encimados por círculos de arame de concertina.

Ele entrou.

SAM HOUSTON, CAPITÃO DA POLÍCIA DO CONDADO
DE SEDGWICK, EXIBE A MÁSCARA QUE RADER
DEIXOU JUNTO AO CORPO DE DOLORES DAVIS

90% RADER, 10% BTK

EPÍLOGO

PROFILE

profile

BTK

DENNIS LYNN RADER

ROY WENZL / TIM POTTER / HURST LAVIANA / L. KELLY

Restou aos vivos ponderarem duas questões: por que Dennis Rader cometeu aqueles crimes e por que foram necessários 31 anos para capturá-lo?

Os detetives que pesquisaram os registros e entrevistaram sua família e amigos não encontraram nenhum lar desfeito em seu passado, nenhuma evidência de abuso na infância, nenhuma das explicações clichês para comportamento anormal. O fato é que alguns seres humanos matam sem nenhum motivo, e muitas pessoas de lares desfeitos, monoparentais e com familiares alcoólatras, acabam bem. A coisa mais perturbadora que os amigos de infância contaram ao *Eagle* sobre a juventude de Rader foi que ele não tinha nenhum senso de humor. Nenhum deles sabia sobre sua vida interior e sobre os hobbies secretos que começara a cultivar quando jovem.

O próprio Rader, conversando francamente com os detetives durante o interrogatório que durou 33 horas, disse que nada em sua família ou em seu passado o transformou no que era. Alegou que a explicação que fabricara — a de que havia um demônio dentro dele, um monstro que o controlava, o "Fator X", como às vezes o chamava — era a única que fazia sentido. Como entender um homem que fez muitos amigos, mas estrangulou pessoas, que criou dois filhos com muito amor, mas que matou crianças?

Ao ouvir isso, Landwehr e seus detetives da unidade de homicídios reviraram os olhos. Por conversar com assassinos o tempo todo, eles sabiam que a personalidade de muitos deles parece ser moldada por um egocentrismo insensível. Tudo gira em torno deles; a culpa é sempre dos outros; a culpa é sempre de "fatores" — como foram criados, ou o fato de estarem bêbados e fora de si quando mataram um bebê. Grande parte dos assassinos relata algum tipo de justificativa após serem presos para se recusar a aceitar responsabilidade por seus atos. Os policiais ouvem os pretextos dos assassinos com tanta frequência que acabam ficando entediados com esse tipo de conversa. No fim das contas, Rader pode ter angariado mais publicidade do que a maioria dos assassinos, mas, aos ouvidos de seus interrogadores, suas justificativas não soavam nem um pouco originais ou interessantes.

Então por que ele cometeu aqueles crimes? Por que um escoteiro se torna um assassino em série, enquanto outros escoteiros como Kenny Landwehr, Kelly Otis e Dana Gouge se tornam os investigadores que o caçam e o jogam atrás das grades? Segundo Landwehr, tudo se resume a uma única coisa: nós todos fazemos escolhas. Rader fez as dele — e dez pessoas morreram.

Em uma entrevista com um psicólogo contratado pelo governo estadual para avaliá-lo logo depois de se declarar culpado, Rader falou sobre motivação: "Não acho que eu estava mesmo atrás da pessoa, acho que era o sonho. Sei que não é uma coisa muito legal para falar sobre uma pessoa, mas elas eram basicamente um objeto. [...] Eu tinha mais satisfação me preparando para aquilo e com o que vinha a seguir do que enquanto matava a pessoa."

O detetive Tim Relph destacou que Rader começou a planejar como mentir para todos ao seu redor muito antes dos assassinatos dos Otero. Em seu depoimento ele deixou claro que mesmo na aeronáutica, anos antes de matar os Otero, vinha treinando para praticar invasões, perseguir mulheres e desenvolver artimanhas para conseguir entrar em suas casas. Quando voltou para o Kansas, usou sua família, seus estudos, seu emprego, seus hobbies, seus trabalhos voluntários e sua igreja para criar um acobertamento para quem ele realmente era.

Houve uma época em que Relph acreditou que havia uma boa chance de que Rader fosse uma espécie de Médico e Monstro, especulando sobre uma vida dolorosa e psicologicamente dividida. Até que interrogou Rader, e então ficou claro que não havia nenhum remorso e que havia pouquíssima distinção na mente dele. "As pessoas devem achar que 90% dele é Dennis Rader e 10% é o BTK", ele declarou, "mas é o contrário."

O detetive Clint Snyder foi além: Rader é a coisa mais próxima que ele já viu de um ser humano sem alma. "Não se vê isso com muita frequência, mesmo entre assassinos", disse Snyder. "Alguns assassinos ainda mostram sinais de serem humanos e de se importarem com outras pessoas."

Tony Ruark, um dos psicólogos convocados para trabalhar no caso BTK no final da década de 1970, acredita que a análise dos detetives da força-tarefa não é muito satisfatória.

"Alguma coisa realmente aconteceu no começo da vida de Rader para transformá-lo no que é. Eu gostaria de ser a pessoa a descobrir o quê", declarou Ruark. "Eu acredito nos detetives quando dizem que não houve nenhum abuso infantil em seu passado, nenhum lar desfeito, nenhum abuso sexual. E, como os detetives, eu não acredito que haja uma explicação envolvendo o 'Fator x', como Rader o chama. Não existe nada de místico sobre o que aconteceu com ele. Não existe nenhum demônio dentro dele.

"Ainda assim, quando li os comentários de Rader, eu não os interpretei do mesmo modo que os detetives. Não acredito que Rader teve a intenção de dizer o que disse como uma desculpa. Vi outras pessoas sexualmente pervertidas dizerem coisas parecidas e, quando colocam a culpa de seu comportamento em um 'Fator x', com frequência estão tentando rotular ou nomear a incrível compulsão que sentem de realizar atos pervertidos. Acho que é isso o que Rader quis fazer — tentar colocar um nome na compulsão que o possuía."

Ruark também tem certeza de que, se Rader foi sincero em suas respostas para os psicólogos, "nós eventualmente iremos encontrar alguma coisa que aconteceu com ele, provavelmente no começo da infância. Veja, você precisa entender que, o que quer que tenha sido, não precisa necessariamente ter sido algo grande ou traumático — ou até mesmo *relevante* para o resto de nós. Pode ter sido um encontro ou um evento que os detetives e o resto de nós podem considerar irrelevante e sem importância, tenho bastante certeza de que pode ter sido algo que aconteceu não vindo do exterior, mas dentro da mente do próprio Rader. Mas tenho quase certeza de que encontraremos alguma coisa, e tenho certeza de que aquilo que encontraremos será algum tipo de evento infantil que Rader de imediato associou com sentimentos de sexualidade. De algum modo, desde muito cedo, Rader se deparou com um evento no qual de imediato conectou prazer sexual com o ato de assistir uma criatura viva sofrer e morrer. E, depois desse primeiro evento, Rader provavelmente começou a trabalhar com afinco para nutrir esses sentimentos. Começou a se esforçar bastante quando criança para criar situações nas quais poderia encenar dominância e tortura para aumentar seu prazer sexual."

Ruark ficou espantado com os inúmeros fetiches sexuais pervertidos de Rader, a intensidade dos sentimentos que nutre por eles e a incrível quantidade de esforço que estava disposto a dedicar para satisfazê-los.

"Eu tratei pessoas com fetiches sexuais antes, mas nunca vi ninguém como esse indivíduo, em que havia tantos fetiches e eles dominavam tanto sua vida: vestir-se de mulher, perseguir mulheres, os anúncios com fotografias sensuais que levava consigo o tempo todo, o sistema de arquivamento, as anotações, o esforço enorme empregado para se enterrar enquanto usava uma máscara e fotografar a si mesmo com uma câmera com controle remoto."

Ruark disse ter certeza de outra coisa: "Essas compulsões não aparecem em um passe de mágica. Ninguém vive uma vida normal e então acorda um belo dia e decide: 'Ei, acho que vou me transformar em um pervertido sexual assassino em série'."

• • •

Além dos fetiches sexuais violentos, a característica dominante da psique de Rader é o ego. Landwehr levara em consideração o ego do BTK já em 1984, quando os Caça-Fantasmas pensaram pela primeira vez em usá-lo contra ele.

O ego de Rader exige reconhecimento externo; ele fantasia sobre ser misterioso, como James Bond, mas anseia pela notoriedade associada a Jack, o Estripador, Filho de Sam, Ted Bundy e outros de seus heróis.

Naquela entrevista com o psicólogo, no dia 27 de junho de 2005, logo depois de detalhar seus dez assassinatos para o juiz Waller, Rader sentou-se diante de uma câmera e disse: "Estou me sentindo muito bem. É como se um fardo enorme tivesse sido retirado dos meus ombros. Por outro lado, me sinto como se fosse... como se fosse um astro agora."

Antes de Landwehr e do FBI planejarem as falsas coletivas de imprensa em 2004, refletiram a respeito de como a imprensa tinha mudado desde 1974 e como essas mudanças poderiam se mostrar úteis. Eles sabiam que o BTK não almejava apenas as manchetes, mas as manchetes *nacionais*.

"Em 1974 e em 1978, quando ele escreveu para nós pela primeira vez, ainda não era notícia nacional, por mais cruel que fosse; ele ainda era notícia apenas em Wichita", declarou Landwehr. "Ele percebeu isso, então não se comunicou o suficiente conosco naquela época para não meter os pés pelas mãos.

"Mas em 2004, com a internet e a televisão a cabo fazendo coberturas de crimes, ele enfim se tornou notícia nacional, e isso mexeu com seu ego, e isso o motivou de verdade. Houve apenas cinco comunicações do BTK nos anos anteriores. Mas houve — o quê? — onze comunicações do BTK em onze meses em 2004 e 2005? E na última ele cometeu aquele erro, e foi assim que finalmente o pegamos."

Alguns policiais, inclusive Landwehr, ficaram surpresos quando enfim puderam dar uma boa olhada no BTK. Imaginavam que ele seria mais inteligente. Na década de 1970, alguns policiais tinham teorizado que o BTK era uma mente criminosa brilhante que disfarçava seu intelecto com sintaxe capenga e erros ortográficos intencionais. A época do aparecimento do poema "Cachos da Shirley" coincidiu com a de um concurso na revista *Games*. Os membros do grupo Mensa[1] local fizeram alarde a respeito dessa possível conexão durante anos, convencidos de que o BTK era um gênio. Mas no fim foi apenas um acaso.

Depois de conversarem com Rader por horas, os detetives chegaram à conclusão de que o BTK era mais sortudo e burro do que inteligente.

E Rader reforçou essa conclusão quando se postou perante o juiz e as câmeras no dia da sua condenação e se comparou favoravelmente com as pessoas que assassinou.

"Joseph Otero", dissera Rader. "Ele era um marido, eu era um marido. [...] Josephine... ela teria sido bastante parecida com a minha filha naquela idade. Brincava com bonecas Barbie. Gostava de escrever poesia. Eu gosto de escrever poesia. Ela gostava de desenhar. Eu gosto de desenhar. [...]"

$$\bullet \; \bullet \; \bullet$$

---

1   Sociedade que reúne pessoas de alto QI com a finalidade de "identificar e fomentar a inteligência humana para o benefício da humanidade, incentivar pesquisas sobre a natureza, características e usos da inteligência e fornecer um ambiente intelectual e social estimulante para os seus membros". [NT]

Mas, se ele é burro, por que uma força policial cheia de policiais inteligentes levou três décadas para colocá-lo atrás das grades?

Na conversa com o psicólogo que teve após sua audiência com o juiz, Rade se referiu a eles como os *Keystone Kops*.[2]**. "Eles tiveram trinta e poucos anos para resolver tudo e não conseguiram. Os contribuintes que estão pagando impostos para o condado de Sedgwick, eles realmente precisam [...] de um pessoal mais esperto."

E ele não foi a única pessoa que questionava a competência dos policiais. Houve bastante reclamação em Wichita.

Em novembro de 2005, nove meses depois de apontar sua Glock para Rader, Scott Moon tinha sido promovido a detetive e estava trabalhando no Departamento dos Direitos da Criança e do Adolescente. Enquanto fazia musculação na Associação Cristã de Moços no centro da cidade certo dia, entreouviu um grupo de advogados rindo e fofocando sobre o caso BTK. Você não acha que aquela coletiva de imprensa que anunciou a prisão de Rader foi uma vergonha? Todos aqueles policiais parecendo *adorar* dar tapinhas nas costas uns dos outros. E, afinal de contas, os policiais não fizeram tanto assim. Não foram inteligentes o bastante para capturá-lo até o cara se entregar. O BTK provavelmente estava rindo deles.

Moon largou os pesos no suporte e andou na direção dos advogados, com a adrenalina pulsando.

"Eu ajudei a prendê-lo naquele dia", revelou o detetive. "E, se você quer saber, ele parecia envergonhado pra caramba com aquilo."

Moon estava disposto a continuar falando umas poucas e boas, mas os advogados baixaram os olhos para o chão.

• • •

Poucas pessoas conheciam a história completa do que Landwehr e seus detetives fizeram, ou da forma inteligente como manipularam Rader. Depois da prisão, Landwehr nos contou que a estratégia usada para capturar Rader — brincando com seu ego e o incitando a se comunicar até cometer um erro — foi sugerida por Bob Morton, do FBI.

Mas Holmes e Dotson, os colegas Caça-Fantasmas de Landwehr, desprezaram essa ideia, apontando que o grupo do qual participaram já havia resolvido fazer exatamente isso ainda em 1985, caso o BTK

---

2 ** Personagens de uma comédia pastelão do cinema mudo que retratava um grupo de policiais incompetentes em perseguições desvairadas. [NT]

reaparecesse. Landwehr e Dotson tiveram conversas infindáveis e um tanto angustiadas sobre o BTK nas décadas que se seguiram após a dissolução dos Caça-Fantasmas. Landwehr tinha em mente o que fazer: usar a imprensa, brincar com o ego do assassino, enganá-lo.

Sim, os especialistas comportamentais do FBI tiveram sua participação, disse Holmes. "O FBI realmente ajudou a dar forma à ideia. Mas nós a tivemos fazia muito tempo. E Kenny a colocou em prática."

Mas por que Landwehr diria, como fez após a prisão, que a estratégia foi ideia do FBI?

"Porque Kenny não é burro", respondeu Holmes. "O que ele poderia fazer? Convidar o FBI para ajudar no caso, ouvir as ideias deles e então convocar uma coletiva de imprensa depois da captura e levar todo o crédito pessoal pela estratégia e pela glória? Ele é inteligente demais para fazer isso. Ainda investiga casos de homicídio, ainda precisa do FBI, e eles realmente ajudaram a dar forma à ideia. Mas isso é típico do Kenny, dar todo o crédito a eles. Ele não liga a mínima para essa história de levar o crédito."

O'Connor destacou diversos atos que exigiram sabedoria e controle, inclusive a calma com que Landwehr recebeu aquela ligação de Snyder contando que tinham encontrado o Jeep Cherokee preto na casa do BTK. Landwehr decidiu de imediato chamar de volta os detetives e arriscar uma abordagem mais metódica e gradual, porém estratégica, para a prisão de Rader. Quase em um piscar de olhos, Landwehr sugeriu verificar a assinatura do DNA de Rader com a obtenção do material genético do exame de Papanicolau da filha dele.

O'Connor acreditava que uma das coisas mais engenhosas — e corajosas — que Landwehr fez aconteceu muitos anos antes do reaparecimento do BTK. "No final da década de 1980 e no início da década de 1990, quando os testes de DNA se tornaram uma possibilidade científica concreta, Landwehr afastou a tentação de analisar o material de DNA no caso BTK. Caso o tivesse analisado naquela época, teria esgotado todas as amostras disponíveis." O material não teria rendido nem metade da quantidade de informações genéticas que forneceu mais tarde, com testes mais sofisticados. E não teria sido tão útil para eliminar suspeitos e provar que Rader era o BTK.

"Isso foi uma jogada muito esperta", afirmou O'Connor. "E era típico do Landwehr; ele estava jogando uma longa partida com o BTK muito antes do BTK reaparecer."

• • •

A prisão foi um alívio tão grande para Landwehr que ele estava disposto a suportar qualquer crítica a respeito do motivo para ter demorado tanto, sabendo que isso não importava mais.

Seus detetives sabiam — e ignoravam — que algumas pessoas se recusariam a aceitar a melhor explicação: quando alguém sai matando ao acaso, pode ser que consiga se safar. É por isso que Ted Bundy conseguiu cometer 36 assassinatos ou mais antes de ser capturado. Jeffrey Dahmer quase escapou de dezessete homicídios. Richard Ramirez, o Perseguidor Noturno, matou quatorze. Wayne Williams, em Atlanta, pode ter assassinado 24. John Wayne Gacy matou 33.

A maioria dos homicídios acontece por razões justificáveis — dinheiro, poder, vingança, ciúme. A maioria dos assassinos mata pessoas com quem convivem. Os policiais frequentemente conseguem ligar os pontos e encontrar o assassino.

O detetive Otis contou que teria apostado seu emprego que, assim que a identidade do BTK fosse descoberta, encontraria uma conexão entre as vítimas — por menor que fosse. Mas não havia nenhuma.

E, embora tenha cometido erros, Rader tomou o cuidado de nunca deixar impressões digitais, sempre usar luvas e limpar os veículos. Acima de tudo, ficou de boca fechada. A tecnologia de DNA, que por fim colocou um ponto final no caso, não existia quando o BTK estava na ativa e deixando seu sêmen nas cenas dos homicídios. Quando o pessoal da perícia preservou o fluído encontrado no porão dos Otero, não havia como prever que seria usado trinta anos depois. E, mesmo quando a ciência genética se tornou capaz de corroborar as evidências, não levou diretamente à sua captura.

Mas como explicar isso aos críticos? Como convencer as pessoas disso, se semana após semana elas veem policiais fictícios usando ciência fictícia para obterem resultados instantâneos na televisão?

Logo após a prisão de Rader, Landwehr decidiu encarar os fatos sem desculpas nem lamentos.

"O que aconteceu, aconteceu", disse ele. "O fato é, nós nunca o teríamos capturado se ele nunca tivesse reaparecido. Teria saído impune; teria se safado de ter cometido homicídios.

"Nós tínhamos reunido, com a ajuda dos melhores especialistas do FBI, todas aquelas listas com milhares de nomes de suspeitos em potencial", contou Landwehr, "e ele não estava na maioria delas." Assim como dezenas de milhares de outros cidadãos de Wichita, Rader trabalhara na Coleman por um curto período; foi uma coincidência Julie Otero e os Bright também terem passado por lá em outra época. Ele serviu na aeronáutica durante a Guerra do Vietnã, mas não chegou a conhecer Joe Otero. Foi um estudante da Universidade Estadual de Wichita quando o número de alunos matriculados era de aproximadamente 14 mil.

"Quando alguém escolhe uma área de caça como ele fez, e nunca deixa nenhuma evidência para trás, existe uma boa chance de escapar impune", admitiu Landwehr. "Ele não deixou nenhuma testemunha, ou as testemunhas que sobraram, tudo o que elas puderam nos contar de verdade era que o BTK era 'um homem branco'."

Assim que capturaram Rader e viram, exemplo depois de exemplo, de sua burrice, os policiais ficaram envergonhados.

Landwehr perguntou a Rader a respeito da estranha sequência de caracteres na parte superior de sua carta para o *Eagle* de março de 2004 — a mensagem sobre Wegerle. Rader tinha aplicado os caracteres *GBSOAP7-TNLTRDEITBSFAVI4* em estêncil.

Rader o encarou como se o comandante da força-tarefa do BTK fosse o maior imbecil da face da terra. É um código!, disse Rader. Um código fracionário alemão que ele tinha aprendido na aeronáutica! Rader deu sua resposta como se estivesse explicando que o sol nascia no leste.

O que o código significava?, perguntou Landwehr. Ele contou a Rader que os criptógrafos do FBI não conseguiram decifrá-lo.

Significava "Let Beattie know for his book" [Deixe Beattie ficar sabendo para seu livro], respondeu Rader. Hurst Laviana citara o advogado em sua matéria sobre o BTK de janeiro de 2004. Rader ficou obviamente perplexo com o fato de os policiais não terem sido capazes de decifrar o significado da mensagem codificada.

Mas, quando Landwehr pediu que Rader reconstituísse a formulação da mensagem em código, Rader tentou e não conseguiu. Não se mostrou mais capaz de encontrar um sentido no estêncil do que os policiais.

• • •

O ano de 2005 foi bom para Landwehr. No dia 9 de abril, apenas 43 dias depois da maior prisão de sua carreira, ele tirou o taco de ferro número quatro da sacola no décimo terceiro buraco nos 500 m do campo de golfe Tex Consolver, no oeste de Wichita. Landwehr marcou um *eagle* duplo em um par cinco. Seus amigos Bob Ebenkamp, Mike Razook e Steve Schulte viram a jogada e comemoraram. Em certo sentido, Landwehr prezaria isso muito mais do que o momento em que ouviu "Olá, sr. Landwehr".

O chefe de polícia Norman Williams nomeou Landwehr policial do ano de Wichita em 2005. Em uma das festas para celebrar o evento, Landwehr esperou com paciência enquanto um funcionário da prefeitura prendia uma flor à sua lapela. Então se encostou em uma parede para esperar a cerimônia, parecendo cansado e desconfortável.

"Bela flor", disse alguém.

"É", respondeu Lanwehr, inexpressivo. "Mas estou em dúvida, será que usá-la na lapela esquerda de alguma maneira significa que eu sou gay?"

Quando a cerimônia teve início, enquanto Landwehr subia no palco para falar, alguém na pequena sala tirou uma foto com uma câmera compacta. O som estridente da alavanca de rebobinar foi tão alto que diversas cabeças se viraram para olhar para a fotógrafa envergonhada, que tentava se encolher na cadeira.

Era Irene Landwehr, com 85 anos, sentada com a esposa e o filho de Kenny.

Ele passou a ser quase uma celebridade, mesmo que por um breve período, e estava aparecendo, junto com seus detetives, em documentários de emissoras de TV a cabo de alcance nacional. As mulheres o bajulavam em eventos onde tinha que dar discursos; ele olhava para o chão, envergonhado, deixando-as falando com o topo de sua cabeça, que ia ficando grisalha.

Haveria um filme para a televisão, no qual Gregg Henry faria o papel de Rader e Robert Forster, parecido com Landwehr, seria um policial com um nome diferente, baseado em uma combinação de agentes. A CBS o lançou em outubro de 2005 depois de uma produção intensiva de seis meses. Os moradores em Wichita ridicularizaram o relato extremamente ficcionalizado em parte porque o pseudo-Landwehr teve a inestimável ajuda de uma atraente detetive, representada por Michael Michele, embora os principais detetives da força-tarefa do BTK fossem sujeitos que se pareciam com um bando de ex-jogadores de futebol americano.

"Isso é tudo de que eu precisava", disse Landwehr quando Tim Potter lhe contou sobre a detetive fictícia. "Cindy vai acabar comigo."

O tenente mal podia esperar que o pessoal das redes de notícias enfim parasse de focar seus holofotes sobre ele e de prender minúsculos microfones em sua camisa. Queria finalmente relaxar e fumar um cigarro, jogar golfe e dormir à noite sem ter que caçar o BTK em seus sonhos.

∙ ∙ ∙

Na penitenciária El Dorado, Rader passa o tempo em sua cela de 2,5 m por 3 m, às vezes em sua cueca samba-canção com as costas peludas à mostra. Na maior parte do tempo, ele usa um uniforme de duas peças — calça e camisa marrom-chocolate — com uma camiseta branca e chinelos azuis.

A cela é mobiliada com uma mesa de metal, um banco também metálico preso ao chão, uma combinação de vaso sanitário, pia e bebedouro, e uma cama de concreto coberta com uma placa de espuma de 5 cm.

Pelas manhãs, borrifa água da pia de metal no corpo. Consegue tomar banho quase dia sim, dia não.

Fica bastante tempo conversando ao telefone em sua cela, em grande parte com Kris Casarona, a mulher de Topeka que se tornou sua amiga na prisão.

Rader nunca sai da cela sem algemas. Os carcereiros passam suas bandejas de comida por uma abertura articulada chamada de "buraco do feijão". Outros presidiários se referem a ele como "molestador de crianças". Landwehr acreditava que era provável que Rader não sobrevivesse se estivesse em meio aos presos comuns; alguém o mataria.

Ainda que Rader possa sair da cela durante uma hora por dia para caminhar em uma das áreas cercadas do pátio, costuma se recusar a fazer isso. As áreas cercadas parecem jaulas de canil, com alambrado até no teto. Cada cercado tem uma barra para exercícios. Existem aproximadamente vinte dessas áreas no pátio. Cada cercado é limitado a um prisioneiro por vez, mas os presidiários consegue se ver e gritar uns com os outros. As coisas ficam bem barulhentas no pátio.

Seus vizinhos de cela incluem os irmãos Carr, que mataram quatro pessoas em um campo de futebol coberto de neve em Wichita.

Os presidiários, às vezes, se comunicam enviando coisas de cela para cela usando fio dental. Chamam isso de "pescar". Enfiam bilhetes chamados "papagaios" por baixo das portas. Alguns tentaram conseguir autógrafos de Rader, na esperança de vendê-los. Ele acabou encrencado com a administração penitenciária pouco tempo depois de sua chegada por tentar contrabandear uma carta para fora enfiando-a em um envelope endereçado a outra pessoa. Como todas as suas correspondências são abertas, não deu certo. Desde então, seu bom comportamento lhe rendeu o direito de comprar lápis, papel e materiais para "artesanato" no almoxarifado, assistir televisão e ouvir rádio. Os promotores — assim como muitos cidadãos de Wichita — ficaram indignados quando o *Eagle* publicou uma reportagem sobre a vida de Rader na cadeia e os benefícios de que gozava. A promotora Foulston argumentara que Rader poderia ver praticamente qualquer coisa e considerá-la sexualmente estimulante, e o juiz Waller recomendara aos agentes penitenciários que ele não tivesse acesso a nada que pudesse alimentar suas violentas fantasias sexuais. O diretor da instituição, porém, decidiu que Rader seria tratado como qualquer outro presidiário; ele pode ganhar recompensas ou perder privilégios, com base em seu comportamento. Um privilégio que ele não foi capaz de obter foi o direito de comparecer ao enterro da mãe. Após a morte de Dorothea Rader, no dia 14 de outubro de 2007, aos 82 anos, Dennis Rader permaneceu sentado na prisão enquanto sua família se reunia para um breve serviço religioso particular.

A vista de Rader para fora da cela se resume a uma estreita janela vertical na parede dos fundos. Dali é possível ver os funcionários do serviço de alimentação e os agentes penitenciários irem e virem durante as trocas de turnos.

Suas conversas telefônicas com Casarona costumam começar com ele expressando a esperança de que a ex-esposa e os filhos se comuniquem com ele.

Algum dia eles vão, diz Casarona.

Eu nunca vou poder abraçar Paula outra vez, ele costuma falar.

• • •

Para sua surpresa, Landwehr sentia falta da caçada.

"Como em uma perseguição de carro, sua adrenalina está pulsando, e quando ela chega ao fim... bem, não era uma sensação boa quando ela estava se desenrolando, mas durante onze meses nós fomos desafiados como nunca. Em nenhum momento ficamos entediados. Não que voltar a trabalhar com coisas rotineiras seja assim tão chato, mas... eu tive que me ajustar a isso depois que terminou.

"Mas, ao longo do tempo, eu me dei conta de uma coisa: existem muitas coisas que podem acontecer, e talvez elas não cheguem a ser tão notórias quanto essa. Mas ainda existe muita gente que não presta por aí; ainda vai haver pessoas machucando crianças por aí, e é meu trabalho impedi-las. Ainda vão existir assassinos em série por aí. E talvez o próximo comece amanhã, e esse, ao contrário de Rader, pode deixar novos corpos para que os encontremos. E isso será muito pior de suportar do que as coisas que tivemos que enfrentar com Rader."

Landwehr passou mais tempo com a família após a prisão do BTK. Eles foram para o Havaí por alguns dias. Ele levou Cindy para Las Vegas para ver um cantor por quem sua esposa passara trinta anos apaixonada: Barry Manilow.

À noite, em sua varanda dos fundos da casa, era possível olhar para a lua e para as estrelas se movendo devagar acima da copa das árvores. Os grilos cantavam, e ele ficava ouvindo.

Sua esposa e seu filho tinham feito muitas coisas para ele se se sentir mais sossegado. Os dias em que se embebedava com regularidade em bares ou ficava bêbado sozinho faziam parte do passado. James também exigiu que ele parasse de fumar. "Você não sabe que fumar causa câncer de pulmão?" Landwehr continuou com o cigarro, mas longe da vista do filho.

Landwehr pensava no que iria fazer pelo resto da vida. Ele se recusava a fazer a prova para se tornar capitão. Por um lado, não tinha nenhum mestrado nem doutorado; por outro, não queria abrir mão do comando da unidade de homicídios.

"Não o obrigue a sair", pediu Cindy Landwehr para o chefe Williams, certo dia. "Ele ficaria arrasado."

Havia acabado de chegar à casa dos cinquenta anos. Não planejava se aposentar. "Onde eu vou trabalhar?", perguntou, encolhendo ombros. "Não tenho muitas aptidões."

Um ano após a prisão de Rader, as pessoas ainda o abordavam uma ou duas vezes por semana para agradecê-lo. Quando ele e Cindy saíam para comer, grupos em outras mesas lançavam olhares, apontando e sussurrando.

"Não posso levar você a lugar nenhum", brincava Cindy.

Diversas pessoas sugeriram que escrevesse um livro. Ele rejeitava a ideia, "pelo menos por enquanto". Concordou em ajudar o *Eagle* na elaboração deste livro porque achava que sua cidade natal merecia conhecer a verdadeira história da investigação.

Mas havia um menino de nove anos que não se sentia acanhado por ter os holofotes sobre si.

Antes da prisão de Rader, Kenny e Cindy tinham explicado a James qual era o papel de seu pai na caçada pelo BTK.

Seu trabalho, contou ele a James, era ajudar os seus detetives a capturar o bandido. James estava aterrorizado pelo risco que o pai estava correndo, mas Landwehr garantiu repetidas vezes que contava com bastante ajuda, não apenas de Otis, Gouge, Relph e Snyder, mas também do chefe Williams, do capitão John Speer, do capitão Randy Landen, do subchefe Robert Lee e de centenas de outros policiais de Wichita.

"O KBI está ajudando", contou a James. "O FBI está ajudando."

"O FBI e o KBI?", indagou James.

"Sim", respondeu Landwehr.

"Esses caras não são, tipo, agentes secretos de verdade?", perguntou James.

"Sim", disse Landwehr. "Eu tenho muita ajuda."

Essa conversa pareceu atenuar os temores de James.

Após a prisão de Rader, para a vergonha de Landwehr, James começou a conversar com estranhos em supermercados e em mercearias; James percebia que as pessoas olhavam para seu pai, que o reconheciam. O menino passou a abordar esses desconhecidos dizer que seu pai era o policial que tinha capturado o BTK.

Isso era bastante embaraçoso para Landwehr, que se via como mais um integrante de um grupo de dezenas de pessoas que empenharam seu intelecto e seu esforço em dias de trabalhos extremamente longos durante meses.

Landwehr implorava para James não dizer que ele tinha capturado o BTK, ou que pelo menos contasse uma versão mais completa do fato.

Após algumas conversas assim, o menino enfim entendeu o recado. Ele abordava as pessoas que reconheciam seu pai. Ele se apresentava.

"Meu nome é James Landwehr", dizia ele. "E meu pai é o tenente Ken Landwehr. E ele capturou o BTK."

E então acrescentava:

"Ele teve muita ajuda."

CASO CONCLUÍDO

PROFILE

profile

AS LETRAS
DE BTK

ÍNDICE

PROFILE

profile

BTK

DENNIS LYNN RADER

ROY WENZL / TIM POTTER / HURST LAVIANA / L. KELLY

adt 55
Allen, Tom 107
America's Most Wanted
(amw) 281, 293

Bachman, Heather 226
Ballinger, Richard 96
Beattie, Robert 192,
193, 203, 206, 207,
209, 238, 352, 389
Befort, Jason 202
Bell, Edward 47
Bergquist, Emil 203
Beth Kuschnereit, Beth 50
Bing, Bonnie 264, 265,
266, 267, 351
Bishop, Edgar 285, 291, 294
Bishop, Jim 141
Bittle, Jerry 35
Borin-Devuono,
Michelle 371
Bright, Kathryn 42,
43, 119, 348
Bright, Kevin 47, 358
Bruce, Jack 31
Bryan, Larry A. 169, 170
btk ver também
Rader, Dennis
Bulla, Robert 30
Bundy, Ted 269,
357, 384, 388
Burnett, James 66, 67
Burnett, Sharon 67
Butterworth, William
T. 141, 142, 143,
144, 145, 146

Caldwell, Gary 32, 33, 34
Carnahan, Cindy
265, 267, 351
Carr, Jonathan 200, 201
Carr, Reginald 200
Casarona, Kris 357, 391
Chaney, Reginald 109
Chisenhall, Sherry
258, 266, 276, 345
Chisholm, Robert 226
Clark, Judy 62
Clark, Michael
328, 359
Cocking, Bob 67
Comer, Kimberly 297
Cornwell, Bill 32, 33,
68, 69, 211, 319
Craig, Rick 201, 226

Dahmer, Jeffrey 388
Davenport, Ronald 48
Davis, Dolores 151,
289, 332, 375
Davis, Monty 297
Denton, Gene 59, 115
Di Pietra, John 81
Dorothea Rader,
Dorothea (mãe) 176
Dotson, John 137
Dotson, Paul 116, 137,
140, 147, 163, 170, 174,
177, 189, 197, 220
Drowatzky, Bernie 32,
33, 34, 52, 69, 107,
235, 238, 318

Ebenkamp, Bob 389
Elliott, Glenda 211
Elliott, Jan 175, 176
Ervin, William Ronald 282
Evans, Ronald 134

Fager, Mary 141, 142
Fatkin, Tom 226
Finger, Stan 261, 273
Fletcher, Raymond
47, 48, 66, 67, 68
Floyd, Ray 31
Ford, Odessa Laquita 198
Forster, Robert 390
Foulston, Nola Tedesco 96,
143, 234, 251, 289, 308,
344, 346, 362, 373, 375
Fox, Dale 82
Fox, Kevin 82
Fox, Nancy 73, 75, 76, 89,
95, 96, 98, 101, 102, 142,
181, 202, 213, 280, 282,
284, 304, 338, 348, 349
Fox, Rev. Terry 286
Frank, Chris 287, 288, 289
Fulton, Gary 116

Gacy, John Wayne 357
G. Eldridge, Ronald 169
Gilmour, Cheryl 62
Gouge, Dana 143, 183,
184, 185, 196, 197, 198,
201, 202, 206, 215, 216,
217, 219, 225, 235, 236,
237, 240, 246, 252, 258,
264, 265, 274, 281, 288,

289, 290, 291, 298, 299,
300, 301, 302, 305, 312,
315, 318, 319, 320, 324,
325, 330, 374, 382, 394
Granger, Don 51, 52, 54, 55

Halsig, Ernie 35
Hannon, Floyd 33, 34,
39, 52, 54, 58, 59
Harper, Jerry 116
Harris, Deana 306
Harty, Dan 312, 313, 315,
317, 318, 319, 320
Hathaway, Thomas H. 149
Hatteberg, Larry 89, 90,
92, 288, 290, 358, 364,
365, 366, 367, 368, 369
Haynes, Darrell 179,
212, 215, 216, 221
Haynes, Marc 134
Hazelwood, Roy 120
Hedge, Marine 124, 125,
126, 128, 152, 154,
289, 327, 332, 361
Hellman, Michael 244
Henderson, Hayden 72
Henkel, Cathy 58
Hennessy, Mike 239
Henry, Gregg 390
Herndon, Jeff 358, 368
Heying, Travis 275
Hicks, Jack 92
Hirschman, Bill 139,
140, 162, 181, 182,
188, 207, 208, 258
Holmes, Paul 116, 117,
118, 119, 120, 121,
137, 179, 223, 224,
235, 314, 386, 387
Horn, Glen 242, 283,
287, 288, 289
Houston, Sam 158,
163, 329, 351
Hughes, Cindy ver
Landwehr, Cindy
Hughes (esposa)

James, Cheryl 225, 291,
292, 299, 301, 303
Johnson, Janet 212, 214,
223, 226, 227, 228, 229,
237, 243, 254, 256, 257,
258, 260, 261, 262, 270,
312, 317, 331, 344
Jordan, Butch Lee 72

Kelly, Barbara 97
Kelly, L. 258, 270, 275,
276, 293, 327, 351
Kelly, Laura 96
Kelly, Lindberg 40
Kenny Landwehr 174, 175,
189, 190, 266, 287, 289
Kevin Bright 119
Kiesling, Jeanene 288, 289
Kimberly Comer,
Kimberly 296
King, Misty 203
Kirk, Al 115
Kline, Phill 347
Koral, Charles 169
Kuschnereit, Beth 50

LaMunyon, Richard 59,
60, 68, 69, 70, 82, 83,
90, 91, 92, 93, 94, 95,
96, 100, 102, 103, 106,
108, 113, 115, 116, 117,
119, 139, 141, 143, 144,
148, 149, 211, 258, 377
Landon, Dennis 47, 48
Landwehr, Cindy Hughes
(esposa) 20, 145, 146,
147, 150, 171, 177, 187,
190, 205, 215, 216, 217,
219, 220, 270, 271, 393
Landwehr, Irene (mãe) 109,
114, 147, 241, 263, 314
Landwehr, James (filho)
187, 205, 242, 245, 246,
248, 270, 271, 394
Landwehr, Ken
adolescência 27, 28, 35
anúncio da prisão do btk

343, 344, 345, 348
após a prisão do btk
386, 387, 388, 389
assalto à loja de roupas
Beuttel's 72
assassinato da família de
Mary Fager e 141, 142
assassinato de Vicki
Wegerle 137, 138
assassinato pelos
irmão Carr e 204
assassinatos na
Dayton Street 50
captura do btk 317,
318, 321, 322
casamento com Cindy
Hughes 177
conhece Cindy Hughes
145, 146, 147, 148
detetive Otis e 196,
199, 200
detetive Relph e
183, 184, 185
ferido no trabalho 109
interrogatório com o
btk 323, 324, 325,
326, 328, 329
na força policial de
Witicha 103
na força-tarefa
secreta para pegar
o btk 116, 117
nomeado policial do
ano de Wichita
em 2005 390
perseguindo o btk
312, 313, 314, 315
primeiro ano no comando
do departamento de
homicídios 178, 179
promovido a detetive 129
recusa de examinar
evidências de dna 197
Snyder e 164, 183, 185
vai em ofensiva contra
o btk 254, 255, 257,
258, 259, 272, 289,

303, 304, 305
veredito de
Butterworth e 145
vida depois da prisão
do btk 392, 393, 394
vida pessoal de
204, 205, 210
volta do btk e 215, 216,
217, 218, 219, 220, 221,
222, 223, 224, 225,
226, 227, 228, 229, 230,
231, 232, 234, 235
Landwehr, Lee (pai) 174
Lane, Doil 165
Laviana, Hurst 19, 20, 117,
121, 162, 172, 173, 178,
179, 182, 188, 189, 190,
205, 206, 207, 208, 209,
211, 212, 213, 214, 215,
218, 219, 221, 222, 224,
225, 226, 229, 230, 231,
235, 238, 253, 254, 255,
256, 257, 262, 266, 275,
290, 326, 327, 347, 353,
368, 370, 372, 389
Lee, Robert 286,
313, 329, 394
Levy, Jermaine 199, 261
Lietz, Buffy 293
Lindeburg, Jim 30
Loewen, Ron 89, 90,
91, 92, 93, 94
Lundin, Ray 224, 225,
303, 307, 374

Macy, Rebecca 40
Macy, Steve 40
Martin, Cindy 92
Martin, George 152,
153, 177, 353, 354
Mason, Georgia 82, 83
Mayans, Carlos 279, 346
McCrary, Gregg 262
McCurdy, Lonny 370, 371
McKenzie, Dennis 266
Merritt, Davis
"Buzz" 99, 106

Moon, Scott 313, 315, 317,
318, 319, 320, 386
Morton, Bob 222, 223, 227,
231, 237, 238, 240, 386
Muller, Heather 202

Naasz, Ed 116
Ney, Richard 142

O'Connor, Kevin 206,
207, 234, 235, 251, 299,
302, 303, 304, 312,
314, 316, 330, 332, 334,
347, 373, 374, 387
Oliver, Cornelius 199
Oppenheimer, Jamie
353, 354
Osborn, Steve 96
Otero, Carmen 24,
26, 29, 30, 376
Otero, Charlie 24, 25, 26,
30, 31, 38, 262, 369
Otero, Danny 24, 26, 29, 30
Otero, Joe 25, 33, 34,
35, 41, 69, 335, 389
Otero, Joey 24, 26, 31, 34, 35
Otero, Josie 23, 24, 26,
29, 31, 34, 35, 41, 42,
49, 52, 202, 290, 293
Otero, Julie 23, 24, 25,
26, 34, 35, 43
Otis, Kelly 143, 149, 150,
153, 185, 192, 196, 197,
198, 199, 200, 201, 202,
206, 207, 216, 217, 218,
219, 221, 222, 224, 225,
226, 235, 236, 237, 239,
240, 242, 243, 246,
251, 252, 253, 254, 255,
256, 257, 263, 265, 274,
275, 278, 281, 282, 286,
287, 288, 289, 290, 291,
292, 298, 299, 300,
301, 302, 314, 315, 316,
318, 319, 320, 323, 324,
325, 329, 330, 331, 347,
348, 349, 352, 360, 362,

374, 382, 388, 394
Otis, Netta Sauer 134,
143, 150, 264
Owens, Clark 143, 144

Parker, Kim 251, 299,
305, 312, 347, 374
Paula Dietz (esposa) 60,
307, 325, 370, 372
Paul, Kelly 285
Peters, Susan 358
Plapp, Beverly 74, 83
Potter, Tim 20, 212, 213,
214, 257, 261, 262, 273,
274, 275, 276, 277, 278,
290, 292, 293, 316,
327, 370, 371, 390
Pritchett, Chuck
315, 318, 349

Rader, Bo 273
Rader, Brian (filho) 301
Rader, Dennis 203, 296
assassinato da
família Otero 25,
26, 27, 39, 40, 41
assassinato de Dolores
Davis 152, 153, 154,
155, 159, 160, 161, 162
assassinato de Kathryn
Bright 42, 43, 44, 45, 46
assassinato de
Marine Hedge 125,
126, 127, 128
assassinato de Nancy
Fox 75, 76, 77, 78,
79, 280, 282, 283
assassinato de Shirley
Vian 61, 62, 63,
64, 65, 84, 85
assassinato de Vicki
Wegerle 129, 130,
131, 132, 134, 137
casamento com
Paula Dietz 60
como fiscal municipal
166, 167, 168

como instalador de
   alarmes 110, 111, 112
ego de 384, 385
Fator x e 42, 366
funcionário da adt 55, 60
interrogatório de 323,
   324, 325, 326, 327, 328,
   329, 330, 331, 332, 334,
   335, 336, 337, 338
leilão da casa de
   370, 371, 372
motivações de 382,
   383, 384
persuasão de 357, 358
prisão de 319, 320,
   321, 322
sentença de 365,
   373, 374, 375
vida na prisão 391, 392
Rader, Dorothea (mãe) 176
Rader, Jeff (irmão) 355, 356
Rader, Kerri (filha)
   303, 304, 306, 308
Rader, Paula Dietz
   (esposa) 60
Rader, Paul (irmão) 359
Rader, William (pai) 176
Ramirez, Richard 388
Ray, Thomas 158
Razook, Mike 389
Relford, Bud 63, 66
Relford, Stephanie 63
Relford, Steven 63, 66, 70
Relph, Tim 40, 179, 180,
   182, 183, 184, 185, 186,
   202, 225, 235, 236,
   265, 267, 274, 275, 281,
   288, 289, 291, 299, 300,
   301, 302, 309, 315, 318,
   321, 325, 330, 338, 349,
   351, 362, 382, 394
Rem, Rod 127
Ressler, Robert 262
Richardson, Mark 116
Rogers, Tim 208,
   211, 276, 352
Ruark, Tony 108, 383

Sanborn, Keith 32
Sander, Aaron 202
Sauer, Netta ver Otis,
   Netta Sauer
Saville, Danny 191
Scantlin, George 108
Schock, Nelson 159
Schoenhofer, Patrick 192
Schroeder, Matt 158
Schueler, Sindey 307, 308
Schulte, Steve 389
Scott, Casey 96, 100, 106
Shoemaker, Nancy 162, 164
Sirica, John 29
Smith, Arlyn 107, 113
Snyder, Clint 163, 164, 165,
   183, 185, 202, 225, 235,
   236, 265, 281, 291, 299,
   300, 301, 302, 315, 318,
   319, 320, 337, 383, 387, 394
Speer, John 179, 180,
   229, 313, 318, 394
Steed, Gary 344, 347,
   356, 375, 376, 377
Stenholm, James 249
Stephens, Ken 68, 99,
   100, 106, 108, 121,
   181, 212, 230, 258
Stewart, Al 116, 118, 120,
   121, 139, 190, 191, 319
Stewart, Charlie 40
Stock, Craig 100
Stone, Randy 298, 299
Strongin, Dana 275
Sullivan, John 299,
   315, 318, 320
Sylvester, Ron 261

Tedesco, Nola, ver
   Foulston, Nola Tedesco
Thimmesch, Al 107, 319
Thomas, Joe 31, 40
Thomas, Larry 224,
   275, 307, 318, 322
Tiahrt, Todd 286, 344
Tobias, Randy 273
Tobias, Suzanne Perez 352

Unmuth, Katherine
   Leal 261

Valadez, Roger 273,
   274, 275, 277, 278
Van Wey, Ace 127, 169
Vian, Shirley 62, 63, 64, 67,
   68, 69, 70, 71, 77, 79, 84,
   89, 98, 348, 358, 374
Vitt, Janet 101

Wacker, Donald 165
Wainscott, Jim 111, 112
Waller, Gregory 312,
   360, 361, 375
Walsh, John 281
Walter, Patrick 191
Walters, Barbara 191, 192
Walters, Patrick 191
Wegerle, Bill 130, 133,
   134, 136, 196, 197,
   206, 207, 236, 352
Wegerle, Vicki 129, 139,
   143, 196, 197, 206, 210,
   213, 214, 222, 230, 231,
   232, 348, 349, 352, 374
Welch, Larry 224, 240, 347
Wenzl, Ron 20, 188, 192,
   193, 203, 205, 206, 207,
   209, 211, 212, 213, 214,
   254, 255, 353, 354, 355
Wheaton, Raeshawnda
   198, 199
Whitson, Jack 166, 167
Wichita, Kansas
   25, 28, 35, 40
Williams, Anna 104, 105,
   108, 142, 263, 266
Williams, Norman 116,
   223, 227, 228, 229, 237,
   251, 252, 263, 264,
   271, 277, 279, 281, 282,
   286, 287, 305, 306, 312,
   314, 343, 344, 390
Williams, Quincy 198
Williams, Wayne 388
Williams, William 47
Wistrom, Brent 370
Wiswell, L.S. 169
Wiswell, S.L. 169
Wyatt, P.J. 260, 261

AGRADECIMENTOS

Nós somos gratos aos policiais que perseguiram e capturaram o BTK por terem confiado em nós para contar o seu lado da história. Agradecimentos especiais a Ken, Cindy, James e Irene Landwehr; Dana Gouge; Kelly e Netta Otis; Tim Relph e Clint Snyder. Eles nos deram entrevistas que duraram muitas horas. Ken e Cindy Landwehr, Gouge, Otis, Relph e Snyder também revisaram o manuscrito, eliminaram erros e dissiparam inúmeros mitos fascinantes que tinham se misturado à história do BTK ao longo de 31 anos.

Agradecemos o tempo que nos foi cedido pelas famílias das vítimas, que conversaram conosco e com outros repórteres do *Eagle* apesar de conviverem com uma dor que nunca passa. Entrevistamos Kevin Bright, Jeff Davis, Dale Fox, Kevin Fox, Georgia Mason, Beverly Plapp, Charlie Otero e Steven Relford.

Este livro estaria incompleto sem a ajuda dos investigadores mencionados acima, assim como os seguintes membros da força policial:

Atuais e antigos membros do Departamento de Polícia de Wichita: Norman Williams, Jack Bruce, Gary Caldwell, Bob Cocking, Bill Cornwell, Paul Dotson, Bernie Drowatzky, Raymond Fletcher, Floyd Hannon, Raymond Hartley, Dan Harty, Darrel Haynes, Paul Holmes, Cheryl James, Janet Johnson, Robert Lee, Randy Landen, Richard LaMunyon, Scott Moon, Arlyn Smith, John Speer, Randy Stone, Bobby Stout e Joe Thomas.

Da Polícia do Condado de Sedgwick: delegado Gary Steed e Sam Houston.

Do Departamento de Investigações do Kansas: Larry Welch, Ray Lundin, Sindey Schueler e Larry Thomas.

Do FBI: os ex-especialistas em perfis Roy Hazelwood, Gregg McCrary e Robert Ressler.

Do Departamento Correcional do Kansas: Frances Breyne e Bill Miskell.

Do Gabinete da Promotoria do Condado de Sedgwick: Nola Foulston, Kevin O'Connor, Kim Parker, Aaron Smith e Georgia Cole.

Atuais e antigos funcionários da KAKE-TV foram nossos concorrentes diários pela história do BTK, mas nos abriram seus cadernos para este livro. Obrigado a Larry Hatteberg, Ron Loewen, Glen Horn, Dave Grant, Chris Frank, Jeff Herndon, Cindy Martin e Susan Peters.

Temos uma dívida de gratidão com muitas outras fontes, como Jeff Rader, Tony Ruark, Roger Valadez, Emery Goad, Robert Beattie, Emil Bergquist, Jeff Carrs, Karin Clark, Kimberly Comer, Jan Elliott, Thelma Elliott, Troy Griggs, Misty King, George Martin, Bob Monroe, Ray Reisz, Olivia Reynolds, Karin Rodriquez, Keith Sanborn, Jim Wainscott, Jack Whitson, Brian Withrow, os meteorologistas da divisão de Wichita do Serviço Nacional de Meteorologia e muitas outras pessoas que pediram que não fossem creditadas.

Grande parte da apuração dos fatos foi feita por nós, mas tivemos o benefício do trabalho de funcionários atuais e antigos do *Eagle* à medida que a história ia se desenrolando ao longo de 31 anos. Ken Stephens e Bill Hirschman, que lideraram as investigações sobre o BTK para o jornal décadas atrás, mantiveram seus próprios arquivos ao longo dos anos e os doaram a nós quando começamos este livro. Em 2004 e 2005, praticamente todos em nossa redação foram convocados para ajudar a fazer a cobertura do BTK para o jornal. Agradecimentos especiais para os seguintes membros atuais e antigos da equipe do *Eagle*: Theresa Johnson, Jean Hays, Marcia Werts, Les Anderson, Deb Bagby, Lori O'Toole Buselt, Jeff Butts, Brian Corn, Bob Curtright, Monty Davis, Glenda Elliott, Stan Finger, Larry Fish, Tanya Foxx, Josh Funk, Jerri Gean, Deb Gruver, Travis Heying, Carolyn Hytche, Dion Lefler, Abe Levy, Teri Levy, Fred Mann, Mark McCormick, Kevin McGrath, Lisa McLendon, Davis "Buzz" Merritt, Denise Neil, Jaime Oppenheimer, Deb Phillips, Connie Pickler, Bo Rader, Jerry Ratts, Carrie Rengers, Joe Rodriguez, Michael Roehrman, Tim Rogers, Casey Scott, Tom Shine, Alice Sky, Paul Soutar, Craig Stock, Dana Strongin, Ron Sylvester, Rick Thames, Suzanne Perez Tobias, Randy Tobias, Lon Teter, Jeff Tuttle, Katherine Leal Unmuth, Dan Voorhis, Ronda Voorhis, Van Williams e Brent Wistrom. Chuck Potter cuidou do copidesque do livro para o *The Eagle*. Dan Close atuou como consultor e assistente para a redação do manuscrito. Jillian Cohan leu a primeira versão.

A editora do *Eagle*, Sherry Chisenhall, nos liberou de outras obrigações, algumas delas por mais de um ano, para trabalharmos neste livro; esse sacrifício é profundamente valorizado. Sua leitura cuidadosa do manuscrito nos lembrou outra vez por que ela merece o título antes de seu nome.

Este livro não teria sido possível sem o apoio do editor do *Wichita Eagle*, Lou Heldman. Seu apoio tornou viável para nós dedicar o tempo e o esforço necessários para produzir este relato. Além disso, Lou concordou no início deste projeto a doar uma parte significativa dos lucros do livro para ajudar a construir e manter o Memorial à Força Policial do Condado de Sedgwick, destinado a homenagear os policiais da região de Wichita que morreram no cumprimento de seu dever.

Desde o início, os colegas jornalistas e escritores Teresa Riordan e Ron Suskind nos deram encorajamento e conselhos sobre como sermos publicados.

Muitos agradecimentos à nossa agente, Mary Tahan, que adorou este livro desde o começo, acreditou em nós e nos guiou em cada passo do caminho. Doug Grad, editor sênior da HarperCollins, desde o momento em que colocou as mãos na nossa proposta de publicação, não soltou mais, por isso nós lhe somos gratos.

E, por fim, gostaríamos de agradecer às nossas famílias, que ficaram ao nosso lado — quando estávamos perto ou longe — ao longo da apuração dos fatos e da escrita do texto. O amor de vocês significa muito para nós. Obrigado.

Roy Wenzl, Tim Potter, líder de projetos L. Kelly e Husrt Laviana

O jornal *Wichita Eagle* desempenhou um papel importante na história do assassino em série BTK, fazendo a cobertura do caso desde a primeira vez que ele atacou, em janeiro de 1974. Apenas em 2004, com uma matéria sobre o trigésimo ano do caso sem solução, é que as coisas começaram a esquentar. De 2004 a 2006, o *Wichita Eagle* publicou aproximadamente oitocentas matérias sobre o reaparecimento do BTK, acompanhando de perto a intensa investigação, a solução dos crimes e a maneira como o caso afetou nossa comunidade.

Ninguém melhor que os jornalistas que fizeram parte dessa história para contar tudo sobre o esforço da polícia em encontrar e prender BTK. O livro foi lançado pela primeira vez em maio de 2008 e, como você viu, é o mais completo documento sobre o caso.

ROY WENZL trabalhou no *Wichita Eagle* entre 1996 e 2017. Já recebeu diversos prêmios pelos seus escritos, em especial o Pulitzer de 1982 enquanto trabalhava com a equipe do *Kansas City Star* e *Times* na cobertura do colapso da passarela do Hyatt Regency em 1981. Também escreveu o livro *The Miracle of Father Kapaun* (2013), que inspirou um documentário coproduzido por Wenzl.

TIM POTTER trabalha no *Wichita Eagle* desde 1991. Em seus quase trinta anos no jornal, especializou-se em crimes e segurança pública e já escreveu especiais para o *Washington Times, Miami Herald, The Charlotte Observer*, entre outros.

HURST LAVIANA se formou em matemática e jornalismo pela Universidade do Kansas, e trabalhou no *Wichita Eagle* entre 1982 e 2014. Atualmente vive com a família em Pittsburgh, Pensilvânia.

LAURA L. KELLY é especialista em comunicação pela Universidade Estadual de Wichita e trabalhou como editora assistente e repórter no *Wichita Eagle* entre 1981 e 2006. Foi líder do projeto do livro dentro do jornal e dedicou-se intensamente aos deveres com a obra. Desde 2008 administra uma empresa de consultoria de mídia e em 2015 publicou um conto chamado "Listen to You Heart".

CRIME SCENE®
DARKSIDE

"Não importa o quanto você sabe ou o quanto você é experiente, não importa se você entende a técnica. Cada um de nós pode ser alcançado se souberem onde e como estamos vulneráveis."

— MINDHUNTER: CAÇADORES DE MENTES —

DARKSIDEBOOKS.COM